JN306619

光圀伝 上

冲方 丁

角川文庫
19163

目次

登場人物

◉水戸徳川家◉

光　圀……本編の主人公。水戸徳川家の三男として生まれるが、世継ぎに選ばれる。

頼　房……光圀の父。水戸徳川家初代当主。徳川家康の十一男。

頼　重……光圀の兄。幼名は竹丸。世継ぎ決定の時期に病を患い、その座を光圀に譲ることに。

徳川義直……尾張徳川家初代当主。頼房の兄で家康の九男。光圀の伯父。

徳川頼宣……紀伊徳川家初代当主。頼房の兄で家康の十男。光圀の伯父。

宮本武蔵……流浪の老兵法者。

山鹿素行……陸奥国・会津の浪人。名だたる識者の門弟として教えを受ける。

保科正之……会津藩主。三代将軍家光の異母弟。

林読耕斎……徳川幕府に仕える儒学者・林羅山の四男。

細野為景……京の歌人であり学者。当時の学者の筆頭・藤原惺窩を父に持つ。

泰　姫……関白・近衛信尋の娘。

藤井紋太夫……光圀に小姓として仕える少年。

明窓浄机《めいそうじょうき》（一）

今、大きな円窓《えんそう》から植えたばかりの梅の木が見えている。

枝に積もった新雪が、陽射しで輝きながら雫《しずく》に変わってゆく。まだ若木だ。雪をかぶる姿にも風情があるとは言えず、寒さで竦《すく》んでいるように見えて少し可哀想だ。きっと、花を咲かせるときを想って寒さに耐えているのだろう。

ここ西山《せいざん》の木は、どれも若い。材木として伐《き》り、植え直した木が大半だからだ。夏は威勢よく葉を茂らせもするが、陽を翳《かげ》らすほど鬱蒼《うっそう》とはしない。

お陰で陽の明かりが、三畳敷きの〝御学問所〟にもずいぶん届く。文机《ふづくえ》の前で心乱れたる我が身をも照らしてくれている。

神仏の慈悲とは、やはりこういうものだ。神も仏もむやみと人を救いはしない。ただ人に己自身のありさまを見せるばかりである。むしろそれが一番の救いだというのだろう。

余はじきに寿命を終えるが、円窓から見える若い木はその後も、しばらく若いままだ。しかしやがて十分に育ち、いつか老いて倒れたとき、どうやって人はそこに花があったと知るのであろうか。その疑問は、余が抱いた志そのものを言い当てている。

一人の男を殺すことになるやもしれぬと考えたときも、実際に行うと決めたときも、余は遠い過去に不在となった者たちのことを思っていた。新たな世の人々はいかにして彼らの生があったことを知るのであろうか。今や、その思いはいや増すばかりである。

答えは歴史だと人は言うだろう。過ぎし年月を伝えるすべの中でも、特に重んじられるべき書たち。余は長年、史筆の才こそ希有《けう》なものとみなしてきたが、近頃は万人に備わっているものではないかと考えるようになっている。たとえ字を知らず書が読めなくとも志さえあれば口伝というすべもある。むしろその志こそ史才と見るべきなのである。余はこれを戯れに書いているとせねばならない。慰めはなく、書けば書くほど心騒ぐばかりだが、伝えんとする志こそ余のありのままの姿であり、数少ない救済なのである。

だが記したものの亡失を防ぐべきではなく、そのことを余は己に強く言い聞かせねばならない。書というものは手入れが難しく、手がかかるゆえに人を殺しもする。火災に襲われたときのことを考えればわかる。たとえば余の家臣に、矢野〝九郎衛門〟則重《のりしげ》という者がいる。この者は、我が妻の侍女であった左近《さこん》の局《つぼね》の歌集を、

「亡失は許されず」

として護持すると述べた。もしこの者の家が焼けたとき、家人の中で書の保存を使命とする者は、書を懐に抱き、身を焼かれながら走ることになる。

書とはそういうものなのだ。全ての書が、そうして今の世に遺《のこ》されてきたのである。もし左近の局の生涯をおびただしく記し、その全てを護持せんとすればどうなるか。託された者はいざ炎に囲まれたとき、守るべきものが多すぎて火中に倒れ、結局は、守ろうとした書の全てが失われるだろう。

書の亡失を防ぐ一番の方法は、幾つも写し、それぞれ違う場所で蔵することである。しかしあまりに書が多ければ、これも不可能だ。

京人《きょうびと》が多額の金銭を支払って古今和歌の伝授を請うのもこれと同じ理由である。教える側が、ただ金銭を欲するのではない。書を護持するために必要なのである。

これこそ本来、書が簡明を尊ぶ最たる理由である。簡明な書ほど、後世に伝わる見込みが増す。記すべき字が少ない詩歌の方が、書よりも多く遺されるのも道理であろう。

しかし余が記すこれは、簡明とはほど遠いものだ。とても詩歌に託せず、むしろ簡明たらんとして懈怠《けたい》に陥ることを恐れて記すものである。『下学集《かがくしゅう》』にある通り、

「如在《じょさい》、此《こ》の二字はすなわち尊敬の義なり」

というのを、

「如才」

と略せば正理を大失し、本来の意味が失われてしまう。そうなることを恐れて余はこれを書いている。

それでいて、護持する気はない。心に任せて書き連ねたものが、月日の中で失われる

か、それとも何者かの意志によって生き延びるか、我が筆随の命運に委《ゆだ》ねたいのである。余は、この西山に隠居するまでに四十八人の生命を殺《あや》めた。断罪に及び、余が首を刎《は》ねたこともたびたびある。断罪には時間をかけ、吟味に三年かけたこともあった。ここに、その一人一人を書くかはわからない。重要なのは四十九人目となった男についてである。

この男のために犠牲が払われ、多くのものごとが語られざるべきこととして蔽《おお》われた。それでもこの男に対する余の愛情が薄らぐことはない。遠い昔に世を去った我が妻への愛情が、決して消えることはないのとまったく同じように。

書は、〝如在〟である。

まさに聖人が述べたように、もういない者たち、存在しないものごとを、あたかもそこにあるかのごとく扱い、綴《つづ》ることをいうのである。

序ノ章

虎が泣いていた。

ただ悲しくて泣いているのではなかった。声や涙をあらわにするのでもない。おもてには出さず、胸の中でただ泣く。それが今の水戸《みと》光圀《みつくに》の、礼の法であった。

江戸小《こ》石川《いしかわ》邸の能舞台。その鏡の間にて——、

「大義なり。紋太夫《もんだゆう》」

光圀は優しく囁《ささや》きかけ、膝下《しっか》に捕らえた家老たる男を、ぶっつりと脇差しの刃で刺した。

箇所は左の鎖骨の上——缺盆《けつぼん》である。

法城寺正弘《ほうじょうじまさひろ》が鍛《う》った太く長い菖蒲《しょうぶ》作りの刃が、すっかり相手の体内に潜りきるまで押し込んだ。刃は肺を縦に貫き、心臓を傷つけ、胃にまで達している。

光圀、齢《よわい》六十七。

老人とは思えぬ途方もない腕力に任せた強引で奇怪《きっかい》な殺し方と感じる者もいるだろう。仰向《あおむ》けに押し転がした相手の吻《くち》および顔を、膝《ひざ》で押さえて声を出させぬようにし、一方的にのしかかるさまは、凶暴な四肢で獲物を捕らえた猛虎《もうこ》の姿そのものだ。

しかしこれは慈悲ある殺し方だった。貫かれた肺は、ほとんど一瞬で己の血液に満た

された溺《おぼ》れ死ぬ。苦痛は短く、外傷は少ない。遺体の損壊は主に体内にとどまることから、胸や腹を突いたり、首や胴を叩《たた》き斬ることに比べ、驚くほど綺麗《きれい》な体で死ねる。日本のみならず明《みん》や南蛮にも同様の殺し方がある。

最初にこの殺し方を知ったのは十七のときだった。旗本の子らと騒ぎ、半端に殺し損ねた無宿人に、たまたま通りかかった老兵法者が美事《みごと》にとどめを施したのである。

その男のせいで飼うはめになったネズミのことが、光圀の脳裏をよぎった。武のみに支配された世のありさまを、小さなけだものたちの地獄絵図が教えてくれた。

親子兄弟が互いに食らい合い、犯し合う――武家における礼の法は、常にそうした地獄を内包している。逆に、礼だけが武家を地獄から救う道だった。

光圀は相手の着衣の襟で血を拭《ぬぐ》いながら刃を抜き、もう一方の缺盆を同様に刺した。膝の下で、相手の口から、生々しい熱のこもった断末魔の息が漏れるのを感じた。刃を持たぬ方の手で、先ほど刺した傷口から血が噴き出さぬよう、はだけさせた相手の襟元を戻し、力を込めて押しつけている。

蹂躙《じゅうりん》しているようでありながら、熱く抱擁しているようでもあった。

光圀の頬を、すっと涙が一筋流れた。だがすぐに跡形もなく乾いた。

今日このときを覚悟してからずっと泣き通しだったが、実際に涙を流したのは、これ一度きりだった。あとは声もなく、心の中で静かに泣いた。

隠居する前――まだ〝光國《みつくに》〟と署名していた頃は、なかなかそうはいかなかったものひどく長く泣き続けるのが常だった。狂おしい熱《ほとぼ》りでどうにかなってしまいそうになりながら、激情を礼祭に託すことで救済を得てきた。

今では胸中に涙を呑《の》み、静謐《せいひつ》として祭ることができるが、全身全霊を尽くすべき〝礼〟への思いは、昔と変わりがない。

昔は直感的に、今は理路整然と、それが儒の本質であると信じている。

祭るに在《いま》すが如くし、神を祭るに神在すが如くす。

子曰《しいわ》く、吾《わ》れ祭に与《あずか》らざれば、祭らざるが如し。

如在《じょさい》――死者を祭り、神を祭るとき、実際に死者や神が眼前に在《あ》るかのように畏敬《いけい》をもって振る舞う。そうした〝祭〟のありようは、実際に臨場せねばわからない。

論語《ろんご》の八佾《はちいつ》篇にある言葉で、

「八佾を庭に舞わしむ」

とは分を超えた儀礼を行う〝非礼〟の象徴だ。光圀はこの礼楽のくだりが好きだった。礼学たる礼記《らいき》に比べ、ずっと人間の性質《さが》がありのままに記されているからだ。

人間の喜びも悲哀も、理想も傲慢《ごうまん》も、そこにあった。遥《はる》か遠い昔、異国で記されたものが、一片の光明となって今の世に生きる己を照らしてくれている。三十年以上にもわたって宝としてきた男の命を、己《おの》が手で奪い去らねばならなくなった、このときも。

なぜこの世に歴史が必要なのか。

――お前もこのわしも、ここに在る。

命の脈を失った亡骸《なきがら》に向かって、心の中で囁きかけた。

――在るということが、歴史なのだ。

先ほどのように相手の襟で血を拭いながら刃を抜いた。他方の手で両襟を握って傷口を押さえ、流血を防ぐ。それから脇差しを鞘《さや》に戻し、ようやく相手の顔から膝をどけた。

眠るように瞑目《めいもく》した静かな死に顔があった。従容《しょうよう》として去る者の顔だ。

男は、光圀の膝に歯を立てて死の苦痛を訴えるということもしなかった。屍《しかばね》の向こうで今まさに死者となった男が立ち、こちらに背を向けて冥府《めいふ》へ歩み去るのを見た気がした。

光圀の胸中で悲哀がごうごうと音を立てて荒れ狂った。足元の遺体から圧迫されていた血が、どっと溢《あふ》れた。血は一滴として床にこぼれず衣を朱色に染めた。

隣室では能舞台の客たちが寛《くつろ》いでおり、誰一人として異変に気づいていない。

だが背後では、異変を察した侍者たちが慌てて部屋に飛び込んできたものの、なすすべなく棒立ちになっている。

「な……なにゆえ、ご家老様を……?」

侍医の井上玄桐《いのうえげんとう》が、戦慄《せんりつ》もあらわに訊《き》いた。

光圀は答えない。このときだけでなく、以後、確かな答えを告げなかった。光圀自身が世を去るときも。よって数百年にわたり、真相が語られることはなかった。

光圀は胸中に悲痛を秘めて死者を見つめた。去りゆく死者の向こうに、ひどく大勢の死者たちがいた。自分が祭ってきた者たち。一族や生涯の伴侶《はんりょ》。友も敵もみなそこにいた。

そこに在って、何もかもを見通してくれている気がした。
いずれ自分も加わることになる死者の列に、光圀は心の中で礼を捧《ささ》げ、そしてこの一件の真実を誰にも話さぬことに決めた。
何もかもを書き記すことでしか荒れ狂う心を鎮めることはできないだろうが、書いた
ものを誰かに見せることも護持することもしてはならなかった。
「くれぐれも客衆たちを騒がせぬようにな。密《ひそ》かに遺体を運び、能楽を続けさせよ」
光圀が穏やかに命じると、たちまち侍者たちが緊張を解いた。この殺害が乱心のたぐ
いではなく、冷静な〝お手討ち〟であることを理解したのだ。
「邸《やしき》へ戻る。貴様たちも来るといい」
この一言でさらにみな安心した。手討ちの一件を幕府に報告するための文書をしたた
めるためだと知れたからだ。
光圀たちはその場を去った。侍者たちは侍医の玄桐をふくめ十人ほどもいたが、誰も
彼らが姿を消したことに気づかなかった。やっと侍者たちは光圀が周到に用意をしてい
たことを悟った。光圀は依然として家老の〝罪状〟について何も語らなかったが、それ
以外の二点については明瞭《めいりょう》に答えている。
「なにゆえ、御自《おんみずか》らお手討ちになさったのですか？　家臣にお命じ下されば……」

これは長く光圀に仕え、今は現藩主の近臣となっている者からの質問だ。自分たちに命じてくれれば良いのにと不満げだった。まがりなりにも家老を斬るというのに遠慮のかけらもない言い方だった。それほどあの若い家老は家中で嫌われていたのだ。そうさせたのは光圀自身といってよかった。光圀の心はいっそう荒涼としたが、顔には出さなかった。

「相手は家老だ。斬った者の家格が問われよう。余が命じて斬らせた者までもが、後で腹を切ることになっては困る。こんなことで、あたら侍一人失うのは、もったいない」

光圀は、さらさらとそう答えた。

「なぜ、そのようなお考えのときに、わざわざ御謡《おうたい》をされたのですか？」

侍医の玄桐が遠慮がちに訊いた。この男は、これが尋常ならざる事態であることを察している。だから真相には触れず、真相が落とす影絵をなぞるような問い方をしていた。

「日頃から、よく謡《うた》を忘れて間抜けするものだと、ご自身でお笑いになっていたではございませんか。なのに、なぜ、あの曲を選ばれたのですか……？」

この日、光圀自身も能舞台に立っている。

当然、殺された家老も舞台上の光圀を見た。もし光圀の覚悟が殺気となってあらわれ、家老が危険に感づけば、ことが難しく拗《こじ》れることになりかねなかった。

しかも光圀が選んだ曲はよりにもよって『千手《せんじゅ》』だった。謡は多い。相方《あいかた》が謡に詰まり、それとなく光圀が助け船を出してやる場面さえあった。その上、『千手』は勅命によって死刑が宣告される男の物語だ。これから殺す相手に、死を予知しろと言わんばかりの曲ではないか。もし家老が恐怖で逃げ、反撃を企てていたらどうなったか。最悪、藩の命運に関わる事態になっていたのではないか。

光圀の跡を継いだ藩主・綱條《つなえだ》は、このとき水戸に帰参して江戸不在である。藩主ですら、光圀が家老を手討ちにする気だったとは知らないはずだ。もし家老が反撃のため光圀の暗殺を謀ったとしても、当の家老は下手をすれば疑われることすらなかったかもしれない。

なぜ、自ら危険を招くようなことをしたのか。そう玄桐は問うていた。

「御老公様……？」

玄桐の声が尻《しり》すぼみに消えた。

光圀の横顔に浮かぶ笑みに哀切の翳《かげ》を見て、玄桐は声を消したのだが、光圀にとってはまぎれもない喜びがあった。秘《ひそ》かな礼楽の思いを察してくれた者がいることへ感謝していた。そうしながら、またさらさらと本心とはかけ離れたことを口にした。

「人を一人殺すなど、簡単なことだ」

光圀の声には、老齢になってもなお、虎が唸《うな》るような迫力がある。

「なのに殺すことに気を取られ、謡を忘れたと言われるのも心外でな。それで、しょっちゅう忘れる謡を、しいて選んで演《や》ったまでさ。とは言うものの、きちんと謡えたのは幸いであったが、な」

そう告げ、声に出して笑った。侍者たちは光圀の態度を武士の気概と信じた。哀切を見て取ったのは玄桐一人で、侍者たちはこの二つの答えだけで満足してしまった。主人の深慮と胆力に感心し、

「さすがは水戸の黄門様《こうもん》」

と口々に称《ほ》め賛《たた》えた。

周囲で色づいた葉が舞っている。光圀は足を止めず燃えるように赤い落ち葉が風に巻かれるさまを眺めた。男の静かな死に顔が思い出された。命を殺《あや》めた手がひどく熱かった。

二ヶ月後の正月、藩主と入れ違いになるようにして光圀は水戸へ帰った。江戸との訣別《わか》れは済んでいた。少しの思い残しもなく光圀は巨大な城下の都市を去った。

以後、光圀が江戸の土を踏むことは、二度となかった。

天ノ章（一）

一

暗闇の道を、男の首を引きずって歩いていた。

たかが人間の頭部一つ、楽に持ち運べると思ったのだが、これが意外に重たい。

七歳になったばかりの光國《みつくに》にとってはなおさらである。真っ暗な馬場で首を見つけたときは、きちんと胸に抱いたものだが、苦労して運ぶうちに面倒くさくなった。かといって放り出すわけにもいかず、生首のほつれた髪をつかみ、引きずって歩くことにした。

どうせ罪人の首なのだから汚れようと気楽なものである。ごろんごろん転がすようにして運んだ。子供が生首を引きずる姿は、それ自体ひどく不気味になりそうなものだが、光國の天性の覇気が、そういう印象を寄せつけなかった。さながら仔《おさな》い虎が獲物を手に入れたような無邪気さがあった。

周囲は鬱蒼《うっそう》とした雑木林である。宙空に半月が浮かんでいるが木々に遮られてろくに光も届かない。夜更けに、小さな灯《あか》り一つで子供が歩く場所ではなかった。

しかも一方の手には、日暮れ前に死んだばかりの男の首がある。

並の子供なら恐怖で動けず、震えながら泣いているところだが、このとき光國の頭にあったのは暗闇以上に怖いもの、すなわち父の顔だけだった。

「良い月だな、子龍《しりよう》」

父はそんなふうに切り出した。

〝子龍〟というのは光國の呼び名、字《あざな》である。このとき光國はまだ光國になっていない。本名である〝光國〟の二字を将軍様から頂戴《ちようだい》するのは、こののち九歳のときだ。字は他に〝徳亮《とくりよう》〟や〝観之《かんし》〟などを得たが、もっぱら〝子龍〟に落ち着いていた。父はたいてい光國を幼名で〝お長《ちよう》〟と呼ぶ。世子、即ち水戸藩の世継ぎとして正式に認められた先年まで、光國は〝長松〟や〝長丸〟と呼ばれていた。以後は〝千代松《ちよまつ》〟となったはずなのだが、父が今もお長と呼ぶので、家人や客も多くの場合それに倣っている。

そして何か特別なときに限って、父は光國を〝子龍〟と呼んだ。

家人や客もそれがわかっているから、途端に談笑をやめ、はっと父を振り返った。

「今から、馬場の首を持って来い」

父・頼房《よりふさ》はそう言った。ご丁寧にしっかり月が中天にさしかかるのを待っての命令だった。

馬場の首というのは、その日、父が自ら斬首《ざんしゆ》に処した男の首のことである。

名を永野《ながの》九十郎《くじゆうろう》。おかしな人物で、どうやらもともとは父の家臣だったらしい。なのにあるとき藩士の分を捨て、能役者になるべく出奔してしまったのだという。

もちろんこれは罪だが、父は永野に追っ手を差し向けるわけでもなく、ただ放置した。だが、出奔したなら姿を消し続けていればよいものを、なんとこの男はしばらく経ってのち江戸の水戸《みと》藩邸にわざわざ姿を現したのだった。しかもただ現れたのではない。頼房が江戸の小石川《こいしかわ》邸で催した能楽で舞う、能役者として現れたのである。

殺されに来たとしか言いようがない。もちろん家臣全員が、永野に気づいてあまりのことに唖然《あぜん》となった。中でも父に軍師として仕え、また茶の湯を教示する中川為範《ためのり》など、あまりのことに永野が舞っている間ずっと大口を開けっ放しだった。

あるいはそれほど美事に、永野は舞ってみせた。

曲が終わると、当然のごとく騒ぎになった。だがなぜか父は何も言わず、永野の存在など忘れたように振る舞った。もしかすると永野の舞いの美事さに感心し、生かしてやりたくなったのかもしれない。一方で舞台裏に戻った永野は、たちまち家臣たちに捕らえられている。これでは父がどう思ったにせよ処分せざるを得ない。

そういうわけで屋敷の一角にある桜ノ馬場まで引っ立てていった。永野は粛々と従い、馬場で丁寧に履き物を揃えて脱ぎ、ひざまずいて首を差し出した。

父は、その首を斬った。

刀が振り下ろされる光景を、光國も見ている。切断された人間の首が落ち、鮮血が噴いても、怖いとか無惨だとかいった思いはない。もっぱら父の美事な刀閃《とうせん》に感心していた。もちろん後でその首に用が出来るなどとは思ってもいなかった。

だが光國は、そろそろ来る頃だろうと予期していたこともあり、驚いた顔もせず無言で父に一礼すると、すっくと立ち上がった。

「待て」

縁側に出ようとして呼び止められた。

「これを帯《さ》してゆけ」

父が脇差しを抜いて光國へ差し出した。

もしかすると勇気づけるためにそうしたのかもしれない。だが護身の品を与えられてかえって緊張した。刃が必要となる事態を想像したのである。夜の森で幽霊に遭うといった子供らしい想像ではない。永野九十郎に仲間がいて、首をとりに来たところへ鉢合わせする可能性に思い当たったのだ。何人いるかわからぬ大人たちを敵に回し、単身、首を奪い合う光景が想像された。

(そのときは素早く刺して怯《ひる》ませ、首を担いで敵の手の届かない場所まで走るしかない)

恭《うやうや》しく父の脇差しを腰に帯しながらそんなことを考えた。大人の腕力には敵《かな》わないのだから、正面から戦っては負ける。ではどうするか。そういう、おそろしく現実的な考え方をする子供だった。しかも実行することが大前提の思考なのである。

以前、京都の呉服屋の松葉屋《まつば》乗九《やじょうきゅう》という者が屋敷に来て、光國とその兄弟たちに面白い話を聞かせてくれたことがある。彼が唐土《もろこし》に渡ったとき、船上で龍虎の戦いを目にしたというのだ。龍は嵐を呼び、虎は波の上を疾走し、両者の争いが巨大な波を生み――

「お前はどこにいた？」

というのが、相手の話を遮って発した光國の問いである。

「どこ……？」

てっきり冒険譚《たん》に子供が目を輝かせていると思い込んでいた呉服屋は、この質問に呆《あっ》気《け》に取られた。

「そのような有様では船は沈む。船にいられるはずがない。どこで見物していた？」

相手の話を否定しているのではない。本当に疑問だった。荒ぶるものたちの戦いを実際に見たい。なんとしても見たい。では見るためにどうしたらいいか。龍が起こす嵐に耐えられる船をどうやって手に入れるのか。光國はそう考えていた。

だが呉服屋は光國の理責めに閉口し、

「おそろしき若様かな」

話を切り上げ、さっさと逃げてしまった。

そういう子供だから、いざとなれば本当に刺す。ただし相手を怯ませ、その動きを鈍らせるためだ。とどめを刺そうなどと考えていたら捕まってしまう。そこまで判断できるし、心はただちに実行の用意を整える。それが光國だった。あるいは武家の子供だった。

「ありがとうございます」

脇差しの礼を述べ、支度をした。その様子を父が黙って見守った。

淡々とことを進める父子に、家臣や女房たちは、はらはらした顔を隠せずにいる。

さすがに附家老の中山信吉《のぶよし》や、軍師の中川為範などは心配などしないが、代わりに興味津々の目で光國を見ていた。

ふと光國の脳裏に、ここにはいない兄弟たちの顔が浮かんだ。たった今、命じられたことがどんな首尾に終わるか、翌朝には光國の兄弟全員に知られているはずである。

(驚かせてやれ)

弟たちはもとより、あの病み上がりの兄が目をみはるさまを見てやりたかった。死に損ないのくせに、涼しげな顔ばかりしている兄だ。そのせいでこっちは常に小馬鹿にされているような思いがする。心ゆくまでぶん殴ってやりたいと何度思ったか。

(おれが世子だ。父上の子だ)

兄弟たちへの激しい競争意識で、いっそう心が引き締まった。

履き物をつけて振り返ったとき、女房の一人が、奥向きの老女に囁《ささや》かれて廊下のほうへ向かうのがちらりと見えた。

(嫌だな)

急に兄のことも父のことも脳裏で薄らいだ。女房が、英勝院《えいしょういん》様に報《しら》せに行ったのだとわかったからだ。父も気づいているが何も言わない。その女房にも聞こえるよう、

「では行って参ります」

からりと大声で言った。英勝院様を心配させるのだけは嫌だった。

英勝院様は祖父・徳川家康《いえやす》の側室だった人で、水戸家の子供たちの面倒をよく見てくれる。その英勝院様につれられて将軍・家光《いえみつ》様に拝謁したときから、何か来るぞという予感はあった。家光様が手ずから玩具《がんぐ》を下さったと光國が報告した際、父の顔をよぎるものがあるのを察し、予感が強まった。

父・水戸徳川頼房は、子供の出生には無頓着《むとんじやく》なくせに、教育にはやたら熱心だ。

特に文武の習い事以上に、我が子の心胆を鍛え上げることにかけては、徳川御三家の中でもとびきり常軌を逸している。何か祝い事があるたび、真っ暗闇に放置されたり、お堀に飛び込まされたりするのだ。少しでも怖《お》じ気《け》づこうものなら、

「この程度で怯むようでは、我が子にあらず」

などと言い放つ。言われた子供がどれほど傷つくか、といった感性の持ち主ではない。我が子を勇猛果断な武将として育てることに一種異様なほど熱烈な使命感を抱いていた。

光國も光國で、父に挑む気で命令を果たしてきた。目の前に父と呼べる相手がいることが幸せだった。六歳までろくに会えなかった父である。会えないどころか本当に子供として認めてもらえるかどうかもわからなかった。そんな心細さに比べれば、無茶な命令など大したことがない。何より、

「我が子にあらず」

という言葉をひっくり返せば、我が子として光國に期待しているということに他ならないではないか。それも、ただの子ではない。将来、父の跡を継ぐべき世子としてである。

——自分は、この父の子だ。

そう思うだけで、いつでも意外なほど勇気が湧いた。

頼房も頼房で子供にそう思わせるだけの威厳があった。光國が帰るまで決してその場を動かないであろうことも察せられた。それだけでさらに勇気が湧いた。これでまた一つ父に認められる。そういう気持ちで嬉《うれ》しくなった。

お気をつけて、足元をよく御覧になるのですよ、などと口々に言う者たちをよそに、光國は颯爽《さっそう》と出かけようとして、ふと足を止めた。

くるりと振り返り、父を見た。

「父上、一つお訊《き》きしてよいですか？」

「なんだ？」

「首をどうするのですか？」

ちょっと疑問だった。まさか床の間に飾るわけではあるまい。

頼房に咎人《とがびと》の首を梟《きょう》し、万人に晒《さら》す気がない以上、普通は遺族が引き取るか、近隣の寺に命じて片付けさせる。だが永野に家族はなかった。いたのかもしれないが、少なくとも藩士をやめて能役者になった男の遺体を引き取る者はいなかった。

もしかすると頼房が供養してやるのだろうか。罪人を弔うことは幕府の禁じるところだが、かといって弔う者を罰する者はいない。死をもって赦《ゆる》すという観念は上下の身分を問わず、わりと滲透《しんとう》している。

だが頼房の答えは光國の想像を超えた。

「煮る」

と言った。

「煮る？」

思わず聞き返した。

頼房は重々しくうなずいた。

光國はちょっと呆気に取られつつ、

「わたしも見てよろしいですか？」

興味を惹《ひ》かれて訊いた。どうやって人間の首を煮るのか。そもそも何のためにそうするのか。恐いもの見たさで、どきどきした。

「行け」

頼房が言った。

光國もそれ以上は何も口にせず、こくんとうなずき返し、暗い雑木林へ歩んでいった。

暗闇の中、見よう見まねで舞っていた。

首尾良く見つけた永野の首を引きずりながら、能舞台で見た動きを真似たのである。

永野の仲間など現れはしなかった。いつでも脇差しを抜けるよう構えていたが、肩すかしを食らったわけだ。

二

そもそも不逞《ふてい》の輩《やから》を邸《やしき》に侵入させる父ではない。緊張は薄れ、無性に退屈した。

馬場は敷地の南西にある。邸まで、四町(約四百四十メートル)。大した距離ではないが、とにかく道が悪い。今いる小石川邸は、父が将軍様から頂戴《ちょうだい》した四つ目の屋敷で、七万六千坪以上もの土地はほぼ未整備だった。父はしばらく前まで江戸城内の松原小路《まつばらこうじ》にある江戸邸にいた。客を招いたり子供の様子を見るときだけ小石川に泊まっていたのである。他に本郷駒込《ほんごうこまごめ》の下屋敷、浅草谷島《やじま》の中屋敷があり、二つとも整備が済んでいる。いよいよ小石川邸に格別の庭を造ろうというわけだが、今のところは長大な屏《へい》に囲まれた原始林に過ぎなかった。藪《やぶ》があり、水流があり、鬱蒼《うっそう》とした林がある。自然への畏《い》敬《けい》を感じはするが、庭園を巡る面白さなどはかけらもない。それで、悪路を辿《たど》って首を運ぶという重労働と退屈を紛らわそうと色々考えるうち、

(綺麗《きれい》だったな)

永野の舞いが思い出されたのだった。

曲目は『千手』だ。そう軍師の中川が言っていた。中川は、織田《おだ》信長の弟・織田有楽《うらく》斎《さい》の甥《おい》である。軍学を修めるかたわら有楽流の茶道を学んで一派をなし、『茶湯手引《ちゃのゆてびき》草《ぐさ》』なる書を著すにあたっては当世の茶の堕落を厳しく非難している。水戸藩を代表する茶人であり、当然、芸能にも詳しい。その中川の批評眼からしても永野の舞いは美事だった。

光國はこの中川がけっこう好きだ。物品への過ぎたこだわりを排しながら、それでいて常に人の意表を衝《つ》く『かぶき者』の側面があった。若い頃など、父・頼房と一緒に、斬新《ざんしん》きわまりない派手な衣裳《いしょう》を見せつけ、町を闊歩《かっぽ》したという。いずれ光國自身も同じ道を歩むことになるのだが、このときは中川の批評ではなく、ただ『千手』の美しさそのものを脳裏によみがえらせ、自然と体が動くのを楽しんだ。

(――はや後朝《きぬぎぬ》に、引き離るる、袖《そで》と袖との露涙)

一の谷の合戦で捕らえられた男・平重衡《たいらのしげひら》と、その男に仕えた女の曲だ。

男は丁重に鎌倉に送られたが、その罪は消えず、それどころかどこまでも追ってきた。そして勅命が下され、死罪と定められた。その高潔で罪深い男に同情したのは本来敵である源頼朝《みなもとのよりとも》だ。頼朝は女官の一人、手越《てごし》の宿《しゅく》の長《おさ》の娘たる千手を遣わした。

千手は琵琶《びわ》と琴を携え、虜囚の男に仕えた。そして二人の短い恋が生まれた。

(――げに、重衡の有様、目もあてられぬ気色かな、目もあてられぬ気色かな)

夜明けとともに訣別《わか》れが訪れ、男は死へ赴く。男の恋も、女の恋も、不思議だった。片方が死ぬとわかっていて恋をする。不条理というより、ただただ不思議で、そして綺麗だと思った。

月が見えた。でたらめに舞いを真似つつ進むうち、頭上の木々がなくなっていた。心配になった父の家臣数名が、ひそかに木陰から様子を見守っていることには気づかない。

月の光の下、人間の首を引きずりながら、ふわりふわりと舞い続けた。それから、あまり遅くなると父に失望されるのではないかと思い、慌てて帰路を辿った。

三

翌朝、大鍋《おおなべ》の中に本当に人間の首が浮いていた。

邸の裏庭である。火が焚《た》かれ、煮立った湯の中で、人間の顔が右へ左へぐるんぐるん動く様子があまりにおかしく、光國は弟や妹たちを背後に引きつれ大笑いしている。一緒に笑う子もいれば、生首の気持ち悪さに涙目になる子もいた。

兄はいない。この六歳年上の「竹の字」こと竹丸《たけまる》は、せっかく光國が首を煮る様子を見物しようと誘ってやったにもかかわらず、

「私はいいよ。書を読みたいから」

などと澄まし顔で断ったのである。光國は猛烈に腹が立った。自分の戦利品である首

を見せてやると言っているのに。父上にも誉められたんだぞ。しかも脇差しまでもらったんだ。おれが父上に誉められるのがそんなに悔しいのか。そう罵倒《ばとう》したかったが、

「首を見るのが怖いのか？」

ただ大声で詰《なじ》るように訊いた。

「怖くはないよ」

兄が笑って返す。幼い子供を宥《なだ》めるような調子だ。かちんときた。ぶん殴りたいが、そうすることもできない。

「だったら来ればいいじゃないか。さあ、来い。来いったら」

兄の衣服を破らんばかりに引っ張るが、

「よさないか子龍。また投げられたいか」

穏やかな一喝に、びくっとなって手を離してしまった。

兄がそうしようと思えばできるということは身をもって思い知らされていた。光國の子供離れした腕力と体格は評判だったし、附家老の中山信吉もその頑健さを誉め、世子に推薦する理由の一つとした。肉体の丈夫さは世子となる資格の一つだった。だがその光國の誇りを、この兄はあっさり打ち砕いた。

病に倒れてそのまま死ぬはずだったくせに。死に損ない。心の中で罵《ののし》ったが、

「後で見たいと言っても許さないからな」

そう吐き捨てるのが精一杯だった。兄はうなずいてみせ、こう告げた。

「首を煮るのは別に見たくない。きっと器にするんだ。それは見てみたいな」

「……器？」

光國はおかしな言葉に面食らって、ますます苛立《いらだ》っている。

「何の話をしてるんだ。首のことだぞ。器じゃない」

「同じことさ」

兄はそう言って立ち上がり、

「わたしは見せてもらえないだろう。見るべきなのはお前だという話をしているんだ」

何冊かの書物を手に、よくわからないことを言いながら部屋を出て行ってしまった。

他ならぬ父と光國に遠慮してのことだとは、このときの光國は思わない。馬鹿にされたと思った。腹立ちまぎれに弟たちばかりか妹たちまで集めて自分の戦利品を自慢した。

「しっかと見ねば、斬るぞ」

父からもらった脇差しを叩《たた》いてそんなことまで言った。

「ねえ兄上様、触らせて触らせて」

弟たちが脇差しに手を伸ばすのを邪険に払い、すらりと刃《やいば》を抜き、

「これはおれのだ。触るなよ」

幼い者たちの手を退けつつ、切っ先で煮沸中の首をつつき回した。

「危のうございますよ。火傷《やけど》しますよ」

火を焚いていた藩士が呆《あき》れるのも構わず、長箸《ながばし》をもう一方の手に持ち、目玉をほじく

り出した。妹たちが、きゃあきゃあ言葉にならない喚声を上げた。

「ほら、目玉だぞ。目玉だぞ」

白く濁った目玉を刃で刺して、妹たちに近づける。

「やだやだ、兄様、やめてやめて」

妹たちばかりか弟たちまで逃げ惑うさまをたっぷり楽しんだ。そうするうち、軍師であり茶人である中川が首の様子を見に来て、たしなめた。

「肉は裂いてもよろしいが、骨に傷をつけてはなりません。お父上に怒られます」

中川は光國に刃を納めさせると、煮られてぐずぐずになった首を網でさらい、藩士に何ごとか指示し始めた。何であれ時間がかかると見て取った子供たちはすぐに飽きてしまった。騒ぎながら邸に戻り、中川の目の届かぬところで光國は再び刃を抜いた。

「おれの刀だ。これでおれも武士だ」

ちょうど廊下に現れた奥向きの女房の一人が、弟妹に囲まれながら白刃をぶらさげて足早に歩み来る光國を見て、ぎょっとなった。二歳児から七歳児の子供たちのど真ん中に研ぎ澄まされた刃があるのだ。いつ誰が大怪我をしてもおかしくなかった。

「危のうございます！」

慌てて叫ぶ女房に、光國は大股《おおまた》で歩み寄ると、笑って刃を一閃《いっせん》した。

刃は女房の帯をばっさり断った。女房が驚いて悲鳴を上げ、その着衣がはだけた。女房が恐慌して後ずさろうとするほど着衣が脱げてゆくさまに、子供たちは大喜びだ。

すぐに老女の小ごうがすっ飛んできた。〝老女〟は奥向きの女房を束ねる役職のことで、小ごうはまだ四十代だ。男勝りの養育役であり、激怒したときの迫力は並大抵ではない。

光國は慌てて刀を納めたが遅かった。小ごうが光國を一瞥《いちべつ》し、

「父君からいただいた小刀を、なんたる無体なことに用いられるか！」

邸中に響かんばかりの叱声《しっせい》を放った。

弟妹たちがびっくりして泣き出した。帯を斬られた女房も恥ずかしくて泣いている。

光國は泣かなかったが、後で人知れず泣いた。というのも即日この一件が父の耳に入り、附家老の中山信吉が、怖い顔をして光國のところへ来たのである。

「父君のご命令であります」

なんと、せっかく与えられた脇差しを、取り上げることにすると告げられたのだった。

「おれの刀だ！」

喚《わめ》いたところで聞く中山ではない。それに、光國が父に次いで逆らえないのが中山だ。光國こそ世子にふさわしいと父に言ってくれた男だった。

「これは父君ご自慢の脇差し。刀にふさわしい振る舞いをなされよ」

ぴしりと言い、光國の脇差しを持って、さっさと去ってしまった。

光國はその場に座ったまま、むっつり黙って涙がこぼれるのを我慢している。

（父上が、おれにくれたんだ）

とても我慢できなかった。弟妹たちに見られないよう庭に出て、わんわん泣いた。

（兄が告げ口したんじゃないか）

そんな考えが湧いた。もちろん、どう考えても兄ではなく、小ごうである。しかし悔しさをぶつける相手として兄以上にふさわしい者はいなかった。兄のせいで大切な脇差しを失った。言いがかりだと自分でもわかっているが、そう考えることでやっと涙が引いた。

「あいつめ、今に見ていろ」

涙声でそう言い放ち、ぐすっと洟《はな》をすすった。

四

父が呼んでいると小ごうが言うので、光國は恐怖を抱きながら茶室に向かった。

お前に刀はふさわしくないと叱責されると思っていた。そればかりか、二度と刀をやらないと言われるのではないか。せっかく頑張って首を運んだことも、これまで果たしてきた父の命令も、全て無に帰す。そう思うことは悲しさではなく恐怖を呼んだ。

死罪を宣告される人間は、きっとこういう恐怖に襲われるのだ。そんなことまで考えた。手と口を浄《きよ》めたはいいが茶室の外でしばらく立ち往生し、やがて思い切って入室した。

「失礼します──」

父と中川がいた。そして二人の前に、びっくりするようなものが置いてあった。

しばらく凝視して、やっと、あの永野九十郎のものだとわかった。

馬場で見つけたときとは完全に別の物体と化していた。それは、黒く漆を塗られ、金箔《きんぱく》をあしらわれ、美しく装飾された、美事な何かだった。

(器にするんだ)

卒然と兄の言葉が思い出された。光國が端坐《たんざ》すると、中川が無言でそれに酒を注いだ。

美しい、髑髏《どくろ》の杯に。

(綺麗《きれい》だ)

光國は素直にそう思った。人間の頭蓋骨《ずがいこつ》がこうも素晴らしい品に様変わりするとは想像を絶した。髑髏の不気味さが、かえってその美しさにただならぬ迫力を与えている。

父が酒で満たされた髑髏杯を取り、愛《いと》おしむように眺め、飲み干した。

その所作の一々に、

(これが供養なんだ)

問答無用で納得させられた。

父が自分の前に髑髏杯を置き、中川が酒を注いだ。ちらっと父を見ると、うなずき返された。光國はおそるおそるその綺麗な杯を手に取った。もとは人間の一部であるという事実に、残酷さよりも、貴さを感じた。目玉をほじくり出したときの馬鹿騒ぎが思い出され、やたらと恥ずかしかった。

ごめんな。知らなかったんだよ。こんなに綺麗になるなんて。心の中で髑髏に詫《わ》び、ゆっくりと中身を干した。

強い酒だった。だが餞《はなむけ》の杯を干さないわけにはいかない。ぐっと呑《の》んだ。途端にくらくらしたが、端坐した姿勢は崩さない。常に父が自分の坐相を見ていることはわかっていた。坐《すわ》る姿におのずと人品があらわれるというのが公家《くげ》も武家も問わぬ常識である。

臓腑《ぞうふ》が焼かれるように熱くなった。

杯を戻し、顔を上げると、さらに驚くべきものに出くわした。

父が微笑んでいた。

いつもの豪気な笑いではない。優しげで、少し寂しげでもあった。

永野九十郎を斬らねばならなかった悲しさを込めて、父なりの〝礼〟と〝祭〟を今まさに行っているのだなどとは、到底このときの光國には理解のつかないことだ。

ただ、脇差しを取り上げられたことすら忘れるような喜びを感じた。

（父上が微笑んでいる）

杯の中身を飲み干したとき以上に、かっと胸が熱くなった。

（この自分に向かって微笑んでくれている）

ただそれだけで幸せだった。

明窓浄机《めいそうじょうき》（二）

史筆の才は、万人に備わっている。それが今の余の考えである。

もともと天の星々を計り、暦を作る聖人のことを〝史《ふひと》〟と呼んだ。

古来より暦を作ることは最も神聖な、文字を司《つかさど》る人の務めであったという。それは天子の言行を書きとめる官にはじまり、〝史《さかん》〟と呼ばれるような太政官《だいじょうかん》や神祇官《じんぎかん》を指すことを経て、今では由緒あって事を記録するすべに長《た》けた学識豊かな人であれば、史の職称を得て良いとされるようになった。

そればかりか、いずれは儒学も仏法も修めていない者ですら、そう呼ばれるようになるだろう。書に、「仁をもって憂えず、智をもって惑わず、勇をもって懼《おそ》れず」と述べられているのは、何も君主や聖人の心をのみ意味しているのではない。

学を修めていない人々にも道がある。そう告げているのである。

人々が自由に記すところの、〝如才ない〟行実《ぎょうじつ》の記のほとんどは、失われぬよう護持を命じるべきものではない。だがせめて世に問いたいものも中にはある。詳細《つまび》らかに述べることでしか辿《たど》れぬ人品の核心も中にはあるからだ。

余の場合、幼少の砌《みぎり》にそれがある。余には兄が二人いて、両方とも病んだ。一人は生き、一人は死んだ。余が三男であるにもかかわらず、長子のごとく〝お長《ちょう》〟と名づけられた理由の一つである。

本来なら余ではなく世子となるはずだった次兄の名を、亀丸《かめまる》という。生まれながら病気がちであったため、その養育にはみなひどく気を遣った。

亀丸が四歳のとき、父が戯れに、こんなことを亀丸に言った。

「お長を養子にするがいい」

お長とはまだ幼い余のことである。体が弱い亀丸に万一のことがあったときを考え、養子にせよと言う。それほど父が常に亀丸の生命を心配していた証拠でもあるだろう。

亀丸は父の言葉を大事に受け止めたようであった。四歳の子供なりに。さっそくそこにいた幼子に、

「おれのお長」

と呼びかけている。

そして乳母の武佐《むさ》の腕の中で幼子が泣くと、

「おれのお長を泣かすな」

自分まで泣きそうになりながら怒る。四歳の子供の真心とはそういうものだ。乳母に抱かれた幼子を、弟ではなく自分の子と思い、愛そうとした。

「さ、おれを父上と呼んでみよ。父上と」

幼子に向かって、しきりに言う。幼子にたやすく言葉が喋《しゃべ》れるはずがない。父も乳母もその様子を微笑ましく思うばかりである。だが幼い者同士、何か心通じるものがあったのであろう。ある日、いつものように亀丸が幼子を呼ぶと、幼子は亀丸をじっと見つめ、

「ちちうえ」

と口にした。

「お長が父上と呼んだ。おれを父上と呼んだ」

亀丸はこれを大いに喜んだ。父も乳母も驚き、優しく笑ったという。

「お長は亀丸の子」

亀丸が死んだのは、そのひと月後の秋のことだ。

「ちちうえ」

それが幼子がこの世で発した、最初の言葉だった。間もなく死ぬことになる四歳の次兄に向かって発した言葉。そのときのことを余は父から聞いた。そのとき席を共にした者たちも同じように話してくれた。だから事実であろうと判断できる。生まれて初めての言葉が、幼子にとって真理となったであろうことも。

それが〝如才ない〟余の史実である。

余にとって、父が全てだった。

天ノ章（二）

一

醜い、小豆のような小さなできものが、全身に浮かび上がってきていた。

（こんなふうに終わるのか）

高熱と体中の痛みにさいなまれ、日に日にその思いが強まった。

十二歳の正月、光國《みつくに》は死病に罹《かか》った。

疱瘡《ほうそう》――すなわち天然痘である。

前年の暮れから何となく体がだるかった。やがて頭痛がやまなくなり、腰や胸といった、かつて痛みを覚えたことのない箇所がずきずき痛むようになった。そのときはまだ、馬術の練習のせいだろうと高をくくって誰にも言わなかった。

光國の馬術好きは幼い頃から度を超していた。馬を疾走させながら片足を鐙《あぶみ》から外して地面すれすれに身を傾けたり、鞍《くら》の上に立ったりと、馬術の師の制止も聞かず無謀な曲乗りを試みるのが常だった。一度など馬がモグラか何かの穴に脚をつっこみ、盛大に転倒したことがあった。手足どころか首や背骨を折っていてもおかしくない事故だったである。

教え通りにやってのけられる者など滅多にいない。十歳そこそこの子供ならなおさらで
が宙に投げ出され、天地もわからぬ状態のまま猛烈な勢いで地面に叩《たた》きつけられながら、
って打撃を最小限にする。父や馬術の師たちから教えられた通りにしたまでだった。だ
ある。衝撃の瞬間に身をこわばらせず、力を抜いて受け流す。そうしながら急所をかば
ただ運が良いのではなく持って生まれた身の敏捷《びんしょう》さと、怖いもの知らずの心のお陰で
が、地面に投げ出された光國は完全に無傷だった。

このことによって父からはたいそう誉められた。馬を上手に乗りこなすこと以上に、
己の生命を守る素質に恵まれていることこそ、世子たる者にふさわしいからだ。
落馬の不手際を咎《とが》められることを恐れていた光國にとっては望外の喜びだった。
この頃の父は、よく光國を誉めた。何度も厳しい〝お試し〟に応《こた》えてきたからだ。父
の内心はともかく光國はそう信じた。自分への父の愛情は盤石《ばんじゃく》になろうとしている。
そのはずだった。だが病が、そんな喜びをあっけなく打ち砕いた。
ある朝、高熱が出て起き上がれず、父は侍医をつけた。
だが数日していったん熱が下がるや否や、白っぽい豆粒状の湿疹《しっしん》が顔や胸元に現れた。
侍医は驚愕《きょうがく》して光國が疱瘡に罹ったことを父に告げた。
疱瘡は強力な伝染性で知られている死病だ。しわぶき一つで感染する。罹れば五割は
死ぬ。海を越えて世界中に広まる。この国をたびたび混乱させてきた、まさに死病だっ

た。

光國は即日、屋敷の離れの小屋に移された。隔離である。光國と家族の接近は厳しく禁じられた。看病にあたる者たちも、過去に疱瘡を経験した者に限られた。一度この病に罹れば、二度と罹らないというのが経験からくる常識だったからだ。

隔離の孤独は、光國をとことん打ちのめした。兄弟の中心にいたはずの自分が、完全に疎外され、家族の顔を見ることすら許されなくなったのだ。寂しさは怒りに変じ、

「おれが死ぬと思ってるんだろう！」

看病する女房や老臣たちに癇癪《かんしゃく》を爆発させ、出された薬湯をぶん投げたりした。

だがすぐに爆発する元気もなくなった。皮膚の下でおびただしい数の虫がわいたような発疹が、喉《のど》の奥にも現れ始めたからだ。喉から胸にかけての痛みは尋常ではなく、声を出せないどころか息をするのも苦痛だった。唾《つば》を飲むたび、ぱちん！　と火中の薪《まき》が激しく爆《は》ぜるさまを連想させる激痛が走った。

痛みと高熱が気力を奪い、じわじわと生命をそぎ落としてゆく。この苦しみに耐えられない者は例外なく自害を選ぶ。日に日に意識が朦朧《もうろう》とし、思考が困難になることが、避けがたい死を予感させた。たまらなく怖く、悔しかった。

（刀をもらえるはずだったのに）

孤独な病床にあって、繰り返しその思いが湧いた。気づけば力いっぱい歯を食いしばっていることもあった。その思いが光國を生につなぎとめる最後の執着だった。

七歳のときに取り上げられて以来、何度か刀を頂戴《ちょうだい》する機会があるにはあった。だがそのたび喜びのあまり刃《やいば》を振り回し、誰かに叱られては取り上げられ、ついには刀を持つこと自体、父から禁じられてしまったのである。

しかしそれも、前年の暮れから緩和されつつあった。その証拠に、正月の儀式のため御城に登る際は、刀を差して邸《やしき》を出るよう父から言われてもいた。

父からもらった刀ではなかった。九歳のとき、江戸城中において元服し、将軍・家光《いえみつ》様から直々に賜ったものだ。行光《ゆきみつ》作とのことで、受け取るときに思わず生唾を飲み込んだほど美事な拵《こしら》えをしていた。

(やっと父上に認められたのに)

正月を機に、父が光國に帯刀を許す気でいることが薄々察せられた。しかもそれには、五年前に暗闇で人の首を拾ってくるという肝試しに応じた褒美以上の意味があった。

元服の際、刀とともに手に入れたのが名だった。

子龍《しりょう》という字《あざな》に続いて名付けられた、いわば本名たる「光國」の名である。家光の『光』の一字をいただいたもので、この新たな名に胸が高鳴った。

「大国を光有す」という『晋書《しんじょ》』の一節にも通じる名だと軍師にして茶人の中川為範《ためのり》に教えてもらった。国の光を有するというのはまさに天子の役目であるが、恐れ多いとは思わず、ぞっこんこの名に惚《ほ》れ込んだ。しかし、喜び勇んでさっそく英勝院《えいしょういん》様宛ての手紙の署名に使った途端、急に違和感が湧いた。理由もすぐにわかった。

帯刀を許されていないからだ。そのせいで頂戴した名が自分のものだと思えなかった。刀と名とを同時に身に帯びて初めて、自分は光國になる。そう信じた。

だから、刀だった。

念願のものがようやく手に入る。刀と名が、父・頼房《よりふさ》の息子であるという立場を、すなわち世子の座を、揺るぎないものにしてくれる。これでやっと、おれも武士だ。水戸《みと》徳川頼房の本物の子だ。世子だ。そう思って小躍りして喜んだ。

その矢先の罹病《りびょう》だった。むろん正月の儀式にも出席できなかった。

幸福の絶頂から、奈落《ならく》に落とされた。寛永《かんえい》十六年の正月は、光國にとって失意のどん底を意味した。それでもまだ正月初めは希望があった。これしきの病に負けてたまるか。だがやがて自分を奮い立たせることもできなくなった。ひたすら続く痛みと熱、そして家族が伝染を恐れて見舞いにも訪れないという孤独が、たちまち希望を奪い去ってしまった。

(なんで世子でいられたんだろう)

朦朧と天井を見上げ、ぜいぜい喘《あえ》ぎながら、ついにそんなことを思うようになった。

というより、これまで無意識に避け続けていた思考だった。なぜ自分なのか。自分が選ばれた理由はなんだったのか。冷静に考えれば、子供だってそのおかしさに気づく。

兄がいるのに。

二人の兄のうち、次兄の亀丸《かめまる》は光國がまだ赤ん坊だった頃に死んだ。長兄である竹丸《たけまる》は、ちょうど世子決定の時期、重い病に罹った。だから三男である光國が世子に選ばれた。

これが理屈である。

だが長兄の竹丸は生き延びた。しかも死に損ないとは思えないほど頭が良い。人品も優れている。だが気づけば光國を世子とする届け出がなされていた。

水戸藩の附家老である中山信吉《のぶよし》が、光國が世子にふさわしいと言ってくれたのだが、

(何か変だ)

ぽっかりと大事な何かが欠けている感じはぬぐえなかった。それは六歳のとき水戸から江戸に呼ばれ、この小石川《こいしかわ》藩邸で父の子として住まうようになってから今に至るまで、ずっと感じ続けていたことだ。しかし何が欠けているかわからず、漠然とした不安がいつでもつきまとった。

その不安が急に形をなしたのは、くだんの元服の儀の最中だ。

父が慇懃《いんぎん》に、将軍・家光様へお礼を申し上げたのだが、

「将軍様が御自《おんみずか》ら我が世子と御定め下さいました子が、晴れてこのような儀を迎えられましたこと、大いに感謝しております――」

父のこの言葉に、光國は訳の分からぬ衝撃を覚えた。胸を氷柱《つらら》で刺されたような、身が凍るような衝撃だった。

御自ら我が世子と御定め下さいました子。

附家老の中山信吉が父のそばにいるのは、そもそも家光様がそうするよう命じたからだ。中山は父が若い頃の教育役――すなわち傅役《もりやく》でもある。中山が光國を水戸徳川の世子として推したということは、つまるところ家光様がそう考えたということではないか。そ別にそのこと自体に問題はない。将軍様は、各家の相続に目を光らせている人だ。そのお目鑑《めがね》に適《かな》ったのならば、ますます喜ぶべきことではないか。

だがしかし、父はどうなのだろう。この自分を世子とすることを、父はどう思っているのだろう。我が子の心胆を鍛えると称する数々の度を超した肝試しや体力試しは、本当に父の愛情から来ていたのだろうか。それとも、将軍様が勝手に決めた世子に対する、腹いせであったとしたら――

幼い光國の思考は、この時点でぷっつり途切れている。それ以上考えることがたまらなく怖かったからだし、そもそも大して理路整然と父の心を推測したわけではない。ただ、漠然と抱いていた違和感と不安の理由が、はっきりしたのは確かだった。

（父の考えではなかった）

自分を世子に選んだのは中山や将軍様、あるいは英勝院様だった。父はいない。父が何かを語ってくれたことなどない。わかるのは、試されているということだけだった。

（おれはなぜ世子でいられるのか）

もし父が命じる肝試しや体力試しに失敗していたら、どうなっていたのか。考えるだけで絶望に襲われた。今の自分は、世子としてふさわしい存在ではなくなっていた。

(きっと、おれはもう父にとって世子ではない)

こんな、顔も体も醜く変貌《へんぼう》するような病に倒れた時点で、父の中から自分の存在など消えてしまったに違いない。そんなひどい確信に襲われた。まさに悪夢だった。

(刀をもらうはずだったのに)

その執着だけが、ほとんどゆいいつ絶望を食い止めてくれた。だがそれもすぐに限界をきたした。あとは生きながら屍《しかばね》へと変じてゆくばかりだと思った。

そんな、体よりも先に心が弱まる一方の、ある日のことだった。

焼けつくような喉の痛みに耐えながら、なんとか浅い眠りを貪《むさぼ》っているところへ、ふいに、ひやりと額を冷やされるのを感じた。高熱のせいで感じる悪寒ではない。光國は反射的に、うっすら目を開けた。発疹は瞼《まぶた》のそばにも生じていた。そのせいで瞼が腫《は》れぼったいのか、それとも眠っている間に泣いていたのかわからなかった。後者ではないことを心から願ったのは、眼前にいる相手が誰であるか悟ってからだった。

「寝ていろ、子龍。喋《しゃべ》らないほうがいい」

兄だった。さすがに驚いた。家族はとっくに自分を見捨てたのだと思っていた。いったい何をしに現れたのか。弟が死にかけている姿を確かめに来たのか。

「熱で苦しいからといって、布団から手足を出しては駄目だ。代わりに頭を冷やすといい」

そう言いながら兄は、水を張った盥《たらい》から濡《ぬ》れた手拭《てぬぐ》いを取り、水を絞っている。盥の水には雪の塊が浮いている。冷水につけられた別の手拭いが自分の額に載っていた。

「豆粒みたいなできものには、なるべく触るな。潰《つぶ》れて、あばたになるぞ。息が苦しいのは、喉の中にも同じようなできものがあるからだ。なるべく喉を潤し、静かに息をしろ」

諭すように兄が言う。ひどく優しい声だった。こんなふうに額を冷やすなど聞いたこともなかったが、確かに気持ちよかった。

「喉《のど》が痛むだろうが、多く白湯《さゆ》を飲むといいぞ。汗をかくことで熱が下がる」

そばにいた女房たちが、珍しげに兄の言うことを聞いていた。兄は一時期、京の寺に預けられていた。そのため江戸の人間の知らないことを色々と知っているのだ。もともと僧にさせるため寺に預けられたのだという。だが数年ほどで江戸に呼び戻され、弟妹たちとここに住むようになった。

これもまた変だった。長子なのになんで寺なんだ。なんで弟のおれが寺にやられなかったんだ。ひそかに疑問に思っていたが、口にしたことはなかった。もちろんこのときは、寺がどうという以上に、兄が目の前にいることが疑問だった。何しに来た。そう問いたかったが、喉の痛みで口に出せず、

「うつるぞ」

かすれ声で、なんとかそれだけ言うことができた。

兄が、にっこり笑った。

「私は、遁花《とんか》の身だよ。父上に納得していただくのは骨が折れたがね。弟たちが私の真似をして、ここに来てしまうのが心配なんだ」

唐突に、兄が罹《かか》った〝重い病〟もまた疱瘡《ほうそう》であったことを思い出した。〝花〟は漢語で疱瘡を意味する隠語である。遁花とは文字通り疱瘡を遁《のが》れた者――免疫者のことだ。梅毒も、罹れば二度と同じ病に冒されないと信じられているが、こちらは潜伏性があり、治ってもいないし人にも伝染する。それに対し疱瘡は、自然治癒が確かに免疫となる。

（だから平気な顔をしているんだ）

心のどこかで兄が看病してくれているという事実を喜ぶ自分もいたはずだった。だが実際に意識されたのは、自分と違って、死病を克服して平然としていられる兄に対する憎らしさでしかなかった。

（おれが死ねばいいと思っているんじゃないか）

疑念ではなく、ほとんど確信だった。自分が死ねば、世子の座は兄のものなのだ。

実際、その準備が着々と整えられているのだという、痛烈な裏切りに遭ったような怒りもあった。光國が元服の儀によって「光國」になった翌年、父は、兄の存在をあらためて幕府に届け出ていたのである。奇妙にねじれた届け出だった。このときの幼い光國には、そのおかしさをはっきり言葉にすることが出来なかったが、実際、何もかも変だった。

嫡男は光國であるため、届け出では、兄は次男となった。

書類上、光國の弟とされたのである。六歳も年上の弟だ。

さらには、兄はいわゆる〝庶長子〟とされた。正室ではなく、妾腹《しょうふく》の子であるということだ。よって正当な嫡男がいる以上、家督は継げない。そういう理屈になる。

ここでまたもや書類と事実が食い違う。光國と兄の母は、同じ人物なのである。

嫡男と庶長子が同じ母親から生まれている。それに何より、父に正室はいない。なぜか生涯正室を置かなかった。そんな人物は徳川家の中でも頼房だけだ。

正室不在のまま、五人もの側室がいた。母はその一人のはずだった。

だがそもそも母が側室なのかどうかも曖昧《あいまい》なのだ。というのも、なんと母の父兄は、母が頼房の側室であることをいまだに認めていないのである。頼房が光國や竹丸の存在を幕府に届け出たことで、ほとんど既成事実として母が側室とされたようなものだった。

そうして、光國が元服した二年後――この死病に罹る前年に、父は兄をつれて家光様に御目見得《おめみえ》している。光國のときは英勝院様とともに、江戸城の大奥で、こっそりという感じで家光様に会った。だが兄の場合、父とともに堂々と城の表側で会っている。

しかも光國が、元服の刀に続き、家光様から正月祝いとして甲冑《かっちゅう》を賜った直後のことだ。まるで光國が死んだときに備え、次の嫡男を用意しているかのようではないか。

なんであれ、病で死の縁《ふち》に立つ光國にとって、

（兄に何もかも奪われる）

そう思わせるだけの現実ばかりだった。いや、そもそもの理屈を考えれば、（もともと、おれが兄から奪ったのか）

ということになる。訳がわからなかった。光國としては、ただ父に認められたいだけだ。だが考えれば考えるほど、父が何を考えているのかわからなくなった。

（なんで、おれなんだ）

誰彼構わず問い質《ただ》したかった。そのくせ、誰にもその疑問は口にして欲しくなかった。特に今、優しい顔でそばに座ってくれている兄が、

「なんで、お前なんだ」

急に恐ろしい顔になってささやくさまを想像し、ぞっとなった。

だが結局、兄はそんなことは口にしなかった。代わりに光國の汗を、疱瘡の発疹《はっしん》に気をつけながら、冷たい手拭いで拭ってくれた。それから何かを袖元《そでもと》から取り出し、光國の顔の前に持ってきた。小さな、赤い犬の人形だ。真っ赤なお守りが、犬の首に紐《ひも》で結わえられていた。紐まで赤かった。

「疱瘡神《ほうそうがみ》は、赤い色や犬を嫌うそうだ。厄除《よ》けさ。私も、心の支えになった」

そう言いながら犬とお守りを光國の手に握らせた。これまた光國の知らない知恵だった。

おぼろな記憶がよぎった。光國が六歳のとき——この邸《やしき》に初めて来たときのことだ。

門や邸の立派さにびっくりしながら進むうち、奥のさらに離れの縁側で、ひっそりと

座る少年を見た。少年も光國を見ていた。白い下着に、同じく何の模様もない白い羽織を着て、やせ細った顔に微笑みを浮かべている。そしてその手に、赤い犬の人形があった。

（兄だ）

あらかじめ兄の存在と、病床にあることを教えられていたため、すぐにわかった。このとき兄は回復期にあったのだが、これから死ぬ子供なのだと思って不気味だった。

（あんなふうには、なりたくないな）

白一色の衣服に、赤い犬の人形が異様に映えるようで、ますます気味が悪かった。

――これはそのときの人形だろうか。

ぼんやりとした記憶を探りながら思った。だが見た限りでは真新しいものに思える。きっと、わざわざ買ってきたのだろう。昔感じた不気味さはなかった。迷信の産物をありがたがる気持ちもない。ただ、目の前にいる兄が、かつてこの病に打ち勝ったのだと思うと驚くほど勇気が湧いた。

「父上が、お前の病が癒《い》えるよう寛永寺《かんえいじ》に加持祈禱《かじきとう》を頼んだ。自分から手を合わせてる」

兄がおかしそうに言った。

上野の寛永寺は、小石川邸から見える一番大きな寺だ。父は、家光様に遠慮してあまり明言しないが、大の寺嫌いである。光國の脳裏に、父が慣れぬ様子で手を合わせる姿が浮かんだ。武辺一徹の男が、何も出来ずただ祈る姿は、滑稽《こっけい》でもあった。

じわっと胸が熱くなった。もう少しで泣き出すところだった。

「父上も母上も、弟妹たちみんなも、お前の快復を信じて待っているからな」

兄の姿が遠ざかった。そのせいで急に寂しさに襲われた。

行かないでくれ。犬の人形を握りしめながら心の中で叫んだ。

実際は熱にうかされる光國の意識のほうが遠のいていた。兄は変わらずそばにいて、犬の人形を握る光國の手を、そっと握ってくれた。

「頑張れ、子龍」

兄の声を遠くに聞きながら、光國は眠った。痛みと熱に苛《さいな》まれ、浅い眠りばかりで憔《しょう》悴《すい》する光國にとって、久々のまともな眠りだった。

二

夢の中で、馬に乗っていた。

一方の手で、ひきはだを――稽古用の竹刀《しない》を振り回している。

兄も同じ竹刀を持ち、馬を駆っていた。馬上稽古である。光國は兄から一本取ろうと獣のように吠《ほ》えながら突進していくところだった。

(この夢か――)

熱に苛まれながら、光國の意識の一片は、事の顚末《てんまつ》を悟っている。悟りながら、せめて夢の中でだけでも違う勝ち方をしたくて、竹刀を握りしめた。

ひきはだ竹刀は、伯父《おじ》である尾張《おわり》徳川家当主の義直《よしなお》が、光國ら兄弟たちに贈ってくれたものだ。なんでも剣術指南役である柳生《やぎゅう》家が工夫したものだそうで、その尾張柳生家を家臣とする義直は、父・頼房ですら呆《あき》れるほど武術鍊磨に没頭するたちだった。柳生利厳《としとし》を五百石で召し抱えて新陰《しんかげ》流を熱心に学び、奥義まで継承するばかりか、ついには新陰流第四宗家となってしまった。

光國はこの伯父が好きだった。実はその声望も、剣の達人ぶりも、将軍家光にとって癇《かん》に障ることこの上ないものだった、ということを光國はまだ知らない。それも、恐怖を伴う苛立《いらだ》ちだった。義直は、家光に〝万一のこと〟があったとき、自分が将軍となると公言して憚《はばか》らない男なのである。

光國にとって義直は素直に尊敬できる大人の一人だ。たまに邸を訪れ、剣術の稽古をつけてもらうときなど、問答無用でぶっ飛ばされる。それがまたいい。水戸徳川家にも武芸の達人はたくさんいるが、彼らとは違う、親愛の情をこめて稽古をしてくれる。何より義直は、父が抱えている武芸者が束になっても敵《かな》わないほど強い。

その義直から竹刀を贈られた。必然、お礼の手紙には、その竹刀を使って兄弟たちとどんな稽古をしたか記すことになる。光國にとって、一番の上手は自分であるべきだった。何といっても水戸徳川家の世子である。義直もそういう目で光國のことを見ている。

だがここで、またもや兄が邪魔をした。病でくたばりかけたくせに滅法強い。光國より六歳も年上なのだから当然ではある。しかし光國とて水戸家に出入りする旗本の子らの中では一番強い。年上だから勝てないなどという考えはなく、単純に、兄には剣の才能もあるのだと認めざるを得なかった。

光國はこの兄に一度、剣以外で、こっぴどく負けていた。

弟たちと部屋で相撲をしていたときのことだ。子供同士の遊びとはいえ、この兄弟たちは幼い頃から、尋常ではない怪力自慢なところがある。素手で瓦《かわら》を割る、鉄箸《かなばし》をねじ曲げる、錠前を引きちぎって蔵に入り込む。家臣や女房たちが思わず目を剝《む》いて驚愕《きょうがく》するようなことを平然としてやってのける。

光國がそうした怪力自慢を恥じ、人前でひけらかすのをやめるのは、もっと大人になってからのことだ。このときは光國も弟たちも畳を蹴破《けやぶ》りかねぬ勢いで相撲に興じていた。そこへ兄が顔を出し、

「あまり騒ぐと、小ごうに叱られるぞ」

わざわざ水を差しに来た。外は生憎《あいにく》の雨だった。泥だらけになって相撲を取るほうが叱られる。部屋に閉じこもっていては退屈だ。弟たちが揃って異論を唱えるのへ、

「退屈なら書を読めばいい」

兄が返す。弟たちが、うえっと呻《うめ》く真似をした。光國も、この頃はまだ書物に何の興味もなかった。

「読書は役に立つ。お前たちの相撲など役に立たないぞ」

兄が呆れたように言う。これには、光國をはじめ弟たち全員、かちんときた。

「役に立たないとはなんだ」

光國はいきり立ち、

「武士が学ぶべきものじゃないよ」

兄が真っ向から否定する。しばらく口論が続き、

「じゃあ、おれとやってみろ。どう役に立たないか教えてみろ」

すっかり頭にきて光國がわめくと、兄はやれやれというように、

「かしこまり候」

涼しい顔をして光國と向き合った。頭にきた。馬鹿にしやがって。こっぴどくやっつけて泣かしてやる。兄を睨《にら》みながら腰を落とし、構えた。四男の丹波《たんば》が行司役をし、

「はじめ！」

合図をした途端、光國が怒りに任せて突進した。

兄は動かなかった。ゆったりと立っているだけのように見えるのに、光國の体が激突しても、文字通りびくともしなかったのである。光國が組み付き、右へ左へ押し倒そうとしても無駄だった。まるで地面に打ち込まれた柱を相手にしているようだった。

「もういいか？」

兄が訊《き》いた。返事をする間もなく、気づけば光國は大きな音を立てて畳の上に転がっ

ていた。どこをどうされたのか、さっぱりわからない。兄はその場を一歩も動いていなかった。弟たちはみな一様にぽかんとなっている。光國はただちに跳ね起き、

「今のはおれが足を滑らせたせいで投げられたんだ。もう一回やってみろ」

適当な理屈をつけて再び挑んだ。

「何度でもどうぞ」

兄がさらりと言った。結果は同じだった。

力任せに組み付いても兄は微動だにせず、突然ひょいと身をひねったかと思うと、ひねられた方向へ光國の体が倒れてしまう。後になって、柔術《やわら》とかいう技だと知った。このときはとにかく何が何だかわからず、怒りと悔しさで泣きそうになっていた。

「もう一度！」

「その必要はないだろう。もう勝負は見えてる」

「うるさい、もう一度だ！」

光國が構えてみせ、兄も仕方なさそうに腰を落として構えた。

みたび突進した。今度は違った。兄にぶつかって組み付く間もなかった。

いきなり兄が動いたかと思うと、横ざまにぶん投げられたのである。突進した勢いのまま鞠《まり》のように宙を飛んだ。落馬のときそっくりの転落感だった。襖《ふすま》をぶち破り、けたたましい音を立てて隣室に転がった。

弟たちは呆然《ぼうぜん》となって言葉もない。光國もあまりの衝撃に起き上がれずにいる。

女房たちがわらわら集まってきて、

「なんと乱暴なことを」

「ただの遊びで、こうまでされなくても」

口々に言うが、兄は一向に平気な顔でいる。

「なに、あいつのような強情者には、これくらいがちょうどいい」

この兄の言葉が、光國の中の大事な何かを大いに傷つけた。その衝撃は以後何年も光國の胸に突き刺さったままになった。いつか絶対に目に物見せてやる。剣術がその手段になると信じ、猛烈に練習したが、これまた負けた。一本また一本と、情けないほど簡単に取られる。たまに取り返すことがあっても、大したことではないという顔をされた。

光國が馬術に打ち込んだ理由も、兄への競争心からだった。馬術だけはどうやら光國の天稟《てんぴん》が優《まさ》っていた。そもそも兄の性格上、危険な疾駆や曲乗りを好まない。そこにつけいる隙があると思った。

兄に勝つには馬しかない。だからたびたび馬上稽古を挑んだ。馬で駆けながら竹刀で打ち合う。確かに効果的だった。地上ではなかなか届かなかった竹刀が、頻繁に兄に届くようになった。

代わりに、お互い一本を取ることが難しくなった。揺れ動く馬上で竹刀が体に当たったかそうでないかなど、第三者にもわかりにくいし、打ち合う当人たちですら判然としないことが多かった。そのため、当たった当たらないで、しょっちゅう口論になる。

あのときも、そうだった。

「当たったぞ！　おれの勝ちだ！」

光國が、馬首を返して相手に向き直りながらわめく。

「いいや、当たってはいないよ。私のほうが当たったろう。一本取ったはずだ」

兄はどこまでも平然と返す。

「馬鹿言え！　おれの体に当たってない！」

「そうか？　私の体にも当たっていないぞ」

とことん憎らしい態度に、とうとう光國の中の何かが爆発した。

「じゃあもう一回だ！」

兄弟同時に馬を駆けさせた。すれ違う瞬間、竹刀《しない》をなぎ払った。兄が受け弾《はじ》き、すかさず切り返してくるのに合わせて、光國は手綱を握っていた手を離した。意表を突かれた兄の竹刀が空をないだ。光國は一方の手に竹刀を握ったまま、さらに片足を鐙《あぶみ》から外し、身を乗り出して兄に組み付いた。

「馬鹿者、離せ！」

兄が慌てて叫んだ。いつもの涼しい顔など跡形もない。光國はますます猛《たけ》り立って兄にしがみつき、さらに残りの足も鐙から外して、宙に躍り出た。

鞍《くら》から引き倒されたときの啞然《あぜん》となった兄の顔こそ見物だった。兄の体を下にして、馬場の軟らかい土の上に落ちた。顔を馬の蹄《ひづめ》がかすめたが気にもならなかった。

握ったままの竹刀を兄の首に当て、

「首を落とすぞ！　どうだ！　首を掻《か》き落としてやる！」

勝利の雄叫《おたけ》びを放った。兄にぶん投げられてから二年、ようやくの勝ちだと信じた。

「まるで、けだものだ」

兄がしかめっつらで言った。

「私の首を落としたいならそうしろ。腰が痛くてかなわない。さっさとどいてくれ」

馬術の師や家臣たちが駆け寄ってきて二人を抱き起こした。兄は光國を見もせず、

「なんという乱暴なやつだ。こんな真似をする者とは、もう稽古《けいこ》はしたくないな」

そう言って、かぶりを振りながら行ってしまった。光國はその背を睨んだ。それから、兄が取り落とした竹刀を見た。

（おれが勝ったんだ）

だがその場で叱られたのは光國だった。馬上での取っ組み合いなど、馬術の師も武芸の師も、誰も教えたりはしない。ましてや馬から引きずり落とすなど、もはや稽古とは言えない。落馬の衝撃のみならず、もし馬に蹴《け》られたら死にかねないのである。

光國はただ、兄が残した竹刀をじっと見つめていた。大人たちの言うことなど聞こえてもいない。積年の雪辱の瞬間だった。そのはずなのに。なぜか誰かに手ひどく裏切られたような、奇妙な心の痛みが残った。これでもう兄から相手にされなくなるかもしれない。目的は兄に勝つことであって、兄から嫌悪されることではなかったのだとあとにない。

なって気づいた。どっちだって知ったことか。おれが勝ったんだ。しいて自分にそう言い聞かせた。それでも痛みは消えなかった。

以来、たまにこのときの夢を見るようになった。夢の中で、綺麗《きれい》に一本取って兄に感嘆されることもあれば、組み付いて落馬した際、もっと悲惨な結果になることもあった。

いずれにせよ、

(勝ったのはおれだ)

意固地にそう思い続けた。

それから兄とは稽古をしていない。挑んでも、いつもの涼しい顔で断られるだけだった。

三

(もう稽古はしたくないな)

ふっと目を開いた。しばらくして、夢だったのだと理解した。馬を駆っていた自分が消え、病で倒れた自分がいた。

手に何かを握っている。竹刀かと思ったがそんなわけがない。数日前に兄から渡された犬の人形とお守りだ。見ると、早くも汗で色あせてしまっている。だが久々に意識をしっかり保つことができた。

この人形のお陰だろうか。もちろんまだ熱があるし、喉《のど》も胸も釘《くぎ》を束にして呑《の》んだかのように痛んだ。腰部では、二度と歩けないのではないかと思わされるような激痛が明滅している。それでも、死が刻々と迫るような心細さが消えていた。悪夢から覚めた後のような安堵《あんど》感があった。光國自身の肉体が、当面は峠を越したようだと告げていた。

明るさからして昼過ぎだった。部屋には誰もいない。代わりに外から馬のいななきが聞こえた。何頭かの馬が、廏《うまや》のほうへつれていかれている。鳴き声を数え、四頭とわかった。

誰か身分のある客が来ているらしい。父が客を迎える場にいられないことがなんとも情けなかった。当家の世子がこんなざまであることを父はどう客に説明するのだろう。

そう思って気が滅《め》入《い》りそうになったところへ足音が訪れた。

襖が開いて兄が入ってきた。光國が起きていることを認めて、にっこり微笑んだ。

「良かった。ずいぶん顔色がいい。厄除《よ》けのお陰かな」

枕元に座り、茶碗《ちゃわん》に白湯《さゆ》を注いでくれた。起き上がれないまま顔を横に向け、痛みに耐えて飲んだ。美味《うま》くもまずくもなかったが、不思議と心が穏やかになった。

客が来ているのかと訊《き》きたかったが、口を開こうとして兄に手振りで止められた。代わりに、外の方へ顎《あご》をしゃくってみせた。それだけで兄はわかってくれた。

「肥前佐賀《ひぜんさが》藩の者たちだ。原城《はらじょう》の一件で、またお礼に来てる。父上も彼らが気に入ってるみたいだ」

光國はそれで納得した。父が佐賀藩を庇《かば》ったことは、家臣たちからだいたいのことは聞いていた。

原城の一件とは、昨年に終結した島原の乱のことだ。

この騒乱に出陣した佐賀藩主・鍋島勝茂《なべしまかつしげ》は、現在、軍令違反とされ幕府により閉門蟄《ちっ》居《きょ》を命じられていた。違反とは、原城総攻撃の際に佐賀藩が抜け駆けを行って、敵陣一番乗りを果たしたことである。

佐賀藩は関ヶ原の合戦で、当初、徳川の敵方である西軍に属していたせいで大いに不利益をこうむったという。島原で勃発《ぼっぱつ》した未曾有《みぞう》の籠城《ろうじょう》事件は、その失地回復の絶好の機会だった。噂では、藩主自ら抜け駆けを黙認し、佐賀藩一番乗りを果たさせたのだという。

だが、将軍上使として派遣された四老中の一員たる松平《まつだいら》〝伊豆守《いずのかみ》〟信綱《のぶつな》にとっては言語道断の独走である。信綱は佐賀藩を罰することを主張した。それも、改易《かいえき》、即ち所領の没収や、藩主の配流《はいる》といった厳罰だった。

家光自身は、鍋島軍団の猛烈な働きぶりを賞賛したというが、内心でどう思っているかはわからない。家光にとって、改易は将軍の権威を見せつける最も効果的な手段だった。そのため武功に逸《はや》ることができるほどの有力な藩は、取り潰《つぶ》しの候補にあるといっていい。

だが評定《ひょうじょう》の結果は、藩の取り潰しではなく、藩主を江戸藩邸で蟄居させるという比較的軽い罰による決着だった。これはひとえに佐賀藩の味方をする者たちが、予想された以上に多かったせいだ。

特に、父がそうだった。水戸徳川家の当主たる立場から、鍋島一族の武功を称《たた》えた。

「まことに城攻めに長《た》けた働きぶり。抜け駆けをして城を落とせなかったのならまだしも、武功第一の藩を潰すとあれば、他藩も徳川家への不信を抱くでしょう」

徳川幕府の安定のためにも、彼らを厳しく罰さないよう家光に進言したのである。

そもそも頼房ら御三家にとって、佐賀藩の抜け駆けは痛快事だった。松平〝伊豆守〟信綱の鼻をあかしたということが愉快でならないのである。信綱のみならず老中たちの隠れた役目は、御三家を将軍から遠ざけ、ひいては幕政に干渉させないことだったからだ。

また一方では佐賀藩では決死の緊張が起こり、

「殿が江戸にて被《かぶ》るべきでない罰を被ることになったときは、我らの城を明け渡すはずもなし。まず妻子を殺し、城を枕に全軍討ち死にするばかりである」

などと、とんでもない意見で統一されようとしていたのである。妻子を殺すのは食い扶持《ぶち》を減らすためだ。食糧を費して良いのは戦士だけである。そうして籠城を一日でも長引かせ、天下に徹底抗戦の姿を示す。そのために喜んで全滅する。

やっと馬鹿げた籠城事件を鎮圧した直後に、今度は一藩と戦うなど、家光も幕閣も決して望んではいない。しかも佐賀藩の全滅覚悟の態度が、さらに諸大名をはじめ世の浪人たちの好感を呼んだ。下手をすれば大争乱の火の手が上がりかねなかった。

そういう次第で、佐賀藩は改易を免れた。ただし藩主の蟄居は、将軍の容赦が宣言されない限り解かれることはない。ほどよく許し、ほどよく見せしめにする。そういう柔軟さが発揮できたのも、ちょうど徳川家においても一つの融和が実現したからだった。

光國が家光から甲冑《かっちゅう》を賜り、兄が父とともに将軍拝謁を果たしたこの年。

まさに原城に対する二度目の総攻撃が行われた正月、家光の娘である千代姫《ちよひめ》が、御三家筆頭たる尾張徳川義直の子、光義《みつよし》と婚約したのである。これがどういうことか当時は光國にも兄にもわからなかったが、御城の中が和やかになったのは感じていた。

「原城で、内膳正《ないぜんのかみ》が戦死したことも関係があるかもしれないな」

兄がぽつっと言った。板倉〝内膳正〟重昌《しげまさ》のことだ。当初、原城鎮圧の上使として派遣されたが、石高の低さを馬鹿にされ、諸藩を統率することができなかったという。そのため家光が後任に信綱を派遣すると知り、悲愴《ひそう》な覚悟で総攻撃を仕掛け、戦死してしまった。

なんで板倉の死が、城の和やかさに関係があるんだ。光國には疑問だった。首を傾げてみせると、兄は口を光國の耳元に近づけ、ひそひそ声で、こう告げた。

「内膳正は、権現様《ごんげんさま》（家康《いえやす》）の近習出頭人だっただろう。今の将軍様や、老中の伊豆守たちにとっては、なんというか、ちょっと邪魔だったんじゃないかな」

光國はびっくりした。兄が見かけによらず不穏なことを言うのも、そこまで大人たちの心を読めるということも意外だった。

「将軍様も、父上が佐賀藩と親しくすることをお許しになっている。本当は、お嫌なんだろうけれど顔に出さないようにしているんだ。今さら佐賀藩を罰することはできないしな。父上もそれがわかっているから遠慮なんてしない。お前も他家と親しくするときは、将軍様の気持ちを読まないと駄目だぞ。……なんて、な。こんなことを私が口にしたなんて誰にも言うなよ」

　そう言って兄がちょっといたずらっぽい笑みを浮かべた。光國は、こくこくと何度もうなずいている。なんだか兄から突然、重大な秘密を打ち明けられた気分だった。兄が将軍様の気持ちさえ見抜いているという一事が、とんでもなく偉大で、そして秘すべきことのように思えていた。

（すごいな）

　闘病生活で弱り切っているせいか、これまでになく素直に感心した。さんざん投げられたり竹刀《しない》で叩《たた》かれたりする以上の衝撃だった。何より、

（竹の字に負けるものか）

　という、いつもの競争心を刺激されなかった。「竹」は徳川家においては長子を意味する。初代家康の幼名がそうだったからだ。家光も家康と同じ、竹千代の幼名を与えられている。家光の、「生まれながらの将軍」という誇りの根源たる名である。

　光國にとっては、兄のこの名を聞くだけで、

（おれが世子だぞ）

むやみと背に火を付けられたような焦りを感じさせられるのが常だった。これもまた、父・頼房がもたらした混乱の種だ。父はたいてい光國を幼名の「お長《ちょう》」と呼ぶ。そして「長」もまた一般的に長子を連想させる。まるで世子が二人いるかのような扱いだった。

そういう焦慮と混乱が、綺麗《きれい》に消えていた。すっかり心が変質してしまったようだった。意識して自分を焚《た》きつけねば、それまでのように兄の存在に対して激しい憤りを感じられなくなっていた。

兄はそんな光國の心情を知ってか知らずか、ほぼ毎日、顔を見に来てくれた。そのたびに家の様子を事細かに話し、光國を孤独から救った。

ひと月ほどして喉《のど》の痛みが治まり、がらがら声で喋《しゃべ》ることができるようになった頃、やっと兄について理解できていた。兄は病気に倒れた者の孤独をよく知っているのだ。

自身も疱瘡《ほうそう》に罹《かか》り、全快までに一年半余も費やしたのだから当然である。そのとき兄が抱いたであろう孤独が光國にも理解できる。いや、弟たちの誰一人として見舞いに来なかったのだ。光國以上の、凍えるような寂しさの中で、死病と闘っていたはずだった。

ひどく申し訳なかった。死に損ないなんて思ってごめんなさい。もらった犬人形に向かってだけは、素直にそう謝れた。だが兄に対して直接口にすることはなかった。これまで抱いてきた激しい思いとあまりに違いすぎて、どうしていいかわからなかった。

代わりに、手や顔の発疹《はっしん》が次々にかさぶたになって剝《は》がれるようになったある日、

「稽古《けいこ》をしようよ」

小さな声で言った。あまりに声が掠《かす》れて小さすぎた。だから聞こえていないと思った。

だが手拭《てぬぐ》いを絞っていた兄は、ひょいと振り返って、にこりと笑った。

「元気になったらな」

途端に、ぱっと光國の中で花でも咲いたような明るさが湧いた。二度と稽古はやらないと改めて言われると思っていた。無性に嬉《うれ》しかった。答えを聞いた後で胸がどきどきした。

ふいに兄が真顔になり、

「その前に、覚悟しておかなくちゃいけないぞ。父上のことだ」

「父上？」

「あの人は、試さずにはいられないんだ」

父の肝試し、体力試しのことだった。光國はうなずいた。正直、不安には思わなかった。それよりも兄が父を「あの人」と呼んだことが大人っぽくて驚いた。ひどく恰好《かっこう》良く、頼もしかった。自分にはこの兄がいる。その事実が勇気を与えてくれるなどとは、それまで考えたこともなかった。

「おれは大丈夫」

同じように真面目な顔をしてみせながら告げた。

「頑張れ、子龍」

兄は優しく微笑みながらうなずいてくれた。

四

――父上は、おれを殺す気だ。

光國は、巨大な濁流を見つめながら、生涯最悪の恐怖に打ちのめされた。

病から脱したばかりの初夏、光國は久々に父や家族と再会し、快癒を祝われた。疱瘡によるあばたも驚くほど少なく、げっそり痩《や》せた体も急激に快復しようとしていた。

快癒祝いからやや経ったある日、父から川を見に行くのでついてくるよう命じられた。

家臣が大勢お供した他、かの佐賀藩の面々もいた。

夏の川遊びか、船遊びだろう。光國は軽い気持ちで邸《やしき》を出た。颯爽《さっそう》と馬に乗り、心配そうに見送る兄に、元気よく手を振ってみせたりした。

父の傍らについて馬を進め、やがて浅草川（隅田川《すみだがわ》）に辿《たど》り着いた。〝内三ツまた〟と呼ばれる、ひときわ川幅の広い岸辺である。

川を見て戦慄《せんりつ》した。川遊びなどとんでもない。世は、のちにいう〝寛永の大飢饉《だいききん》〟のまさに前夜だった。春はおびただしい虫害、初夏は旱魃《かんばつ》、夏から秋にかけては凍《い》てつく豪雨、冬は予想以上に早い霜害という異常気象が、数年にわたって続くのである。

これにより全国的に凶作となり、膨大な餓死者が出ることになる。田畑は荒れ、人身売買が横行し、天下は暗い終末観に覆われる。

古くから、異常気象は君主の不徳によってもたらされると信じられている。朝廷も幕府もしかるべき対応に乗り出さざるを得ず、特に徳川家は開府以来の全国的な飢餓対策を打ち出すことになる。

このときは前年から梅雨どきの雨量が増え、河川の増水いちじるしく、急場しのぎの灌漑《かんがい》工事が突貫で行われていた。そこに上流から、餓死者・病死者の死体が、木の葉のように絶え間なく流れてきては悪臭をまき散らすという有様だった。

もともと江戸で死体は珍しくはない。田畑を棄てた離散農民が無宿人となって大都市に集まり、飢えや病、盗人《ぬすっと》の殺生《せっしょう》などで、ばたばた死んでいた。だがそれにしても、この川の有様は光國の想像を絶した。老若男女が無惨な姿で後から後から流れてくる。明らかに疱瘡で死んだと思われる子供の死体も多々あった。

――自分もああなっていたかもしれない。

悪寒を伴う思いが湧いた。まさに三途《さんず》の川だった。死者たちが、自分たちの仲間になるはずだった光國を川に引きずり込もうと待ちかまえている気さえした。

この川には死しかなかった。金輪際、近づきたくない。そう思っていることを父に悟られてはならないと心のどこかで警告の声が上がった。だが遅かった。身が凍る思いで父を見た。父も自分を見ていた。そして、光國と目が合うと、

「お長」

と呼びかけてきた。なぜ父がわざわざ幼名で呼んだのか光國にはわからない。我が子が健在であることを世に知らしめるため、佐賀藩の人間が聞いても、すぐに長子とわかる名で呼んだのだなどといった思惑など、わかるわけがない。

そもそも父がそんな計算をする人間だとは思っていなかった。ただただ、次の瞬間には何を言い出すか知れない緊張感に満ちた恐ろしい父だった。

「馬術だけでなく水練も上手だそうだな」

父が言った。この時点で光國も他の者たちも父の意図を悟って青ざめている。そして父は、光國が答えるのを待たず、当然のような顔でこう口にした。

「この川を泳げるか」

家臣たちの顔色が一変した。一緒に来ていた佐賀藩の者たちが、何かの冗談かと勘違いしたように笑いかけたが、一同の緊迫ぶりに口をつぐんで目をみはった。

光國の心が悲鳴を上げげた。絶対に嫌だ。これだけはいくらなんでも無理だ。あの川に入れば死ぬ。川に浮かぶ死者たちに取り殺される。心の底から怯《おび》えきっていた。だが、にもかかわらず、過去六年にわたって父の〝お試し〟に応《こた》えることを当然としてきた己《おの》が身が、完全に心を無視して答えていた。

「泳いでみましょうか」

本当に自分の口がそんな言葉を発したのか、光國自身が疑った。と同時に、

（死んでやれ）

およそ自然な感情とはかけ離れた、冷たい覚悟がどこからともなく降ってきた。病床で嫌というほど味わった、ぞっとするような諦念《ていねん》によって生まれる覚悟だった。光國のそんな覚悟を知ってか知らずか、父はいささかの容赦も見せず命じた。

「ならば泳いでみせろ」

日頃は主君の言葉は絶対とする家臣たちが、さすがに慌てて、

「まことに恐れながら——」

「この川でなくとも——」

「万一、溺《おぼ》れることがあれば一大事でございますぞ——」

口々に父を制止しようと試みた。驚いたことに、附家老の中山までもが、

「泳げると口にした勇気、まことに天晴《あっぱ》れ。実際に泳がせずとも、お長様の猛勇のほどは十分に窺《うかが》えましょう。それ以上のことをお求めなさるのは酷に過ぎますぞ」

諫《いさ》めるような調子で言ったものだ。疱瘡から快癒したとはいえ一ヶ月程度で体力が戻るはずはない。事実、兄は病が癒《い》えてのち体力回復に一年を費やした。

「我が子ならば泳げる」

父が言った。一種異様なほど強硬な断言だった。

「溺れ死んだとしても、それほどの不器用者など生きていても役には立たん。貴様らも悔やむことなどないぞ」

家臣たちが一人残らず唖然《あぜん》とするようなことを平然と吐き、改めて光國に向き合った。

「どうした。早く泳げ」

冷酷な無表情さで促された。父はやはり自分を死なせたがっている。そう思うこと自体、光國にとっては恐怖を通り越した絶望だった。将軍様から押しつけられた無用な世子。本当に父にとって自分がそんな存在なのだとしたら。これまで頑張ってきたこと全てお笑いぐさだし、父に誉められるたびに抱いてきた、いっときいっときの幸せすら無意味だった。

光國は無感情に馬を下りた。そのまま堤から川べりへ向かった。すると背後から、

「待て」

父が同じく馬を下りてついてきた。川べりの渡し舟を指さし、

「向こう岸からだ」

光國に舟に乗るよう命じた。父も舟に乗った。船頭に金を払ったものの、家臣の一人が舟を漕《こ》ぐことになった。舟が川面《かわも》に滑り出た。岸辺に馬鹿みたいに棒立ちになって居並ぶ家臣たちが離れてゆくのを見て、やっと意味がわかった。対岸に行くのは、咄嗟《とっさ》に家臣たちが川に飛びこんで光國を助けることができないようにするためだった。

光國は、ますます心が冷えてゆくのを覚えた。なのに不思議と体が熱くなる。鼓動が高鳴り、指先が火でも灯《とも》ったように熱かった。死を覚悟することで、むしろ体の底から生き残ろうとする力が湧いてきた。

それが光國の素質であり、多くの武将の精神構造でもあった。馬鹿げた生き死にの場

に自ら赴いて、完全に己を燃焼させ、燃え尽きて死ぬ。それだけだった。

対岸に着いたときには川に対する恐怖は消えていた。舟から下り、川面を睨《にら》みつけながら、さっさと服を脱いだ。恐怖が戻らぬうちに川に入りたかったし、何より体が火照《ほて》って仕方なかった。褌《ふんどし》一つになって己の肉体が剝《む》きだしになったとき、猛々《たけだけ》しい獣になった気さえした。病み上がりであることなどすっかり忘れていた。そもそも自分が病に罹《かか》って死にかけたことさえ綺麗《きれい》に脳裏から消えた。

汚らしい三途の川に、頭から飛びこもうとしたとき、何かに先を越された。どぼーん。派手な音とともに飛沫《しぶき》が上がった。咄嗟になんだかわからなかった。すぐに人の頭が現れ、ぎょっとなった。

父が川面からこちらを見た。いつの間に服を脱いだのか。すっかり川に集中していたせいで気づかなかった。というより、まさか父が一緒に川に入るなんて思ってもみなかった。

「何をしている。早く泳げ」

父が怖い声で怒鳴った。そのくせ笑みを浮かべているような気がした。わけがわからなかった。わからないまま、ことさらに昂《たか》ぶるものを感じた。光國は地を蹴《け》った。頭から川に飛び込んだ。水の冷たさを全身で感じながら、

（おれが死ぬところを近くで見たいのか）

そんなふうに思った。だがすぐに思考が吹っ飛んだ。濁流に体を吞《の》まれそうになり、

忘れたはずの恐怖が戻ってきた。川面に顔を出した途端、予想を上回る流れの強さが実感された。目の前で川面が激しく波立っている。水の音で何も聞こえない。上から見ていたのではとてもわからない川の怖さに直面し、思わず言葉にならない声を上げた。幼い獣が精一杯に怒り猛って吠《ほ》えるような声だった。

川に流されまいとして自然と手足が動いた。水をかいて、かいて、かいた。足は必死に水を蹴った。別のものも蹴った。軟らかで、ぬるぬるしたもの。川を流れる死体だった。

ふいに、どすん、と横から大きなものがぶつかってきて顔が水面に沈んだ。口にも鼻にも水が入った。必死に顔を水の外へ出し、激しくむせながら、ぶつかってきたものを拳《こぶし》でなぐった。ぐしゃっと死体の肋《あばら》が凹《くぼ》んだ。腐った肉から蛆《うじ》が湧き、水面に雪崩《なだ》れた。気味が悪いとか怖いとかいった気分はまったくない。ぶつかられたことで腹が立った。光國は蛆の群れのど真ん中に顔をつっこんで泳いだ。息継ぎをしながら、口の中に入った蛆を、ぷっと勢いよく吐いた。目は対岸を――自分と対岸の間にいて、こちらを見ながら後ろ向きに泳いでいる父の姿を、ひたと睨み据えていた。

――殺されるものか！

理屈も感情も超越した、肉体の意志だった。いや、怒りだった。この理不尽さに対して光國の体が怒り狂っていた。また死体がぶつかってきて、それを押しやって泳いだ。流れてきた死体が視界を遮り、それをくぐって泳いだ。死体に邪魔されるたびに消耗させられることに苛立《いらだ》った。泳いでも泳いでも対岸が近づいてこない。水を蹴る足が急に萎《な》えたようになるのを感じた。濁流がみるみるうちに幼い光國から体力を奪おうとしていた。

（まだだ）

せめて半分は泳ぎきってから死ね。今度は心が、己の体の非力さに怒った。両腕が疲労で痺《しび》れてきた。病み上がりでなければもっと力強く泳げるのに。惨めな思いに襲われかけ、慌てて意識から押しやった。怒りが悲しさに変われば死ぬ。生きる力を失う。本能的にそう悟っていた。

がーっ！　いきなり口が勝手に吠えまくった。水の音に呑み込まれまいとしてのことだと遅れて理解した。叫べば叫ぶだけ体力を失うのはわかっている。だが止まらなかった。

（まるで、けだものだ）

いつかの兄の言葉が思い出された。それがどうした。人間だって、けだものだ。死んで川に浮かんでいるのは人間だけではない。ときに犬猫、牛馬の死体もあった。この川の中では人間も獣も関係なかった。力あるものが生き延び、なければ死んで蛆に食われ、魚の餌になる。武士の世、戦国の世そのものだ。体から力が失《う》せ、死が迫れば迫るほど、がむしゃらに猛り狂った。

気づけば川を半ば以上も泳ぎきっていた。体は限界を訴えている。だがまだ死ぬ気にはなれなかった。父は遠く、対岸はもっと遠かった。こんな馬鹿げた死に方をするのだったら、せめて父に自分の存在を見せつけるだけ見せつけてから死にたかった。

やがてその願いも濁流が奪った。水面に顔を上げることが苦痛でならなかった。このまま沈んでしまえ。心のどこかでそういう声が湧いた。気が遠くなり、目がかすんできた。もう吠えることもできない。今度こそ怒りが悲しさに変わろうとしていた。

「お長！　見ろ！」

声が聞こえた。父の声だった。

「川はもう浅いぞ！　わしなら立てるほどだ！」

かすむ視界に、ぼんやり人影が見えた。本当に川底に足を立てているかどうかはわからない。だが父がこちらを見ながら、今も後ろ向きに川を進んでいるのは確かだった。

「泳げ、お長！　泳げ！」

なんで励ますのか不思議だった。死んで欲しいんじゃないのか。疑問が湧いたが疲労の度が過ぎて思考にならない。朦朧《もうろう》としながら水をかき続けた。頭が真っ白で何も考えられなかった。どれだけそうしていたのかも記憶にない。

ふいに指先が何かにぶつかった。また死体だと思った。ずいぶん硬い。しかも大きい。お陰で対岸が見えなかった。こんなしろものをどかすなんて無理だ。もうくぐって進む力もない。ここまでだった。両手で目の前にあるものに爪を立てながら、本当に沈みかけた。

突然、体が浮かんだ。水面が遠のき、ぐるんとひっくり返って空が見えた。

どすん、と背に衝撃が来た。感触で木だとわかった。死体だと思ったものは舟だった。父が光國の褌をつかんで、舟の中に放り込んだのだ。

すぐ近くで歓声が聞こえた。さすがお長様、よくぞ幼き身で――、そんな言葉が耳を打った。それで、対岸の舟の一つだとわかった。

(泳げたのか)

疲れ切って何も感じられなかった。病床に逆戻りしたかのように息切れして何も喋《しゃべ》れない。生き残ったというより、これから疲労のあまり死ぬのではないかと怖かった。怖さを押しやる元気もなかった。体が小刻みに震え、涙まで流れ出した。

舟が揺れ、水の音がした。父が舟に上がってきて光國を見下ろした。

「お長、褒美だ」

父が中山から何かを受け取り、それを掲げて見せた。

脇差しだった。七歳のときに与えられたのとはまた違う。もっと美事な拵《こしら》えだった。

――刀だ。

疲労を忘れるほどの痛切な喜びが湧いた。死ぬなら刀を持って死にたい。そういう喜びだった。「光國」の諱《いみな》にふさわしい自分になって死ぬ。疲労でがくがく震えながら光國は起き上がり、刀をつかむと、胸に抱いたまま前のめりにぶっ倒れた。これで心おきなく死ねる。かつて経験したこともない安堵《あんど》に包まれた。だがもちろん死ぬことはなく、頭上で父が笑い声を上げるのを聞いた。

「さすが我が子だ。これほど疲れ切っていても刀をつかみおった」

父は本当に嬉《うれ》しそうに笑っていた。子供に文字通り死ぬ思いをさせておいて、何を喜んでいるのか。川の中にいたときの怒りのままにそんな思いを抱いたが、

(おれが世子だ)

その喜びには抗《あらが》えなかった。幸福が胸中を満たした。と同時に、かすかな翳《かげ》りを感じた。

兄の優しい微笑みが脳裏をよぎった。唐突にわかった。あんなにも優しい顔をするのは、それだけずっと寂しさに耐えてきたからだ。今さらのように、すとんと腑《ふ》に落ちた。兄への申し訳なさ以上に、まるで竹馬《ちくば》の友に対して抱くような共感の情をこのとき初めて抱いた。世子の座を争う相手ではなく、この世で最も頼りになる相手への情感だった。兄だけが、こんな〝お試し〟のあることを警告してくれた。心を備えさせてくれた。だから泳げた。理屈ではなく、ただそう信じた。

(いつか、ちゃんと兄に言おう)

感謝か、あるいは詫《わ》びか。どちらの気持ちが強いのか判然としなかった。とにかく伝えなければならなかった。兄のお陰で救われたのだと。そう心に決めた。

それが別れの言葉になるとは思ってもいなかった。

五

ズガーン。引き金を引いた瞬間、爆発が起こり、遠くで木の葉が吹っ飛んだ。

光國は反動で銃口を真上に向けたまま、目をまん丸にして凝然としている。

生まれて初めて銃を撃った衝撃に手が痺れ、心まで痺れた。怖さと同時に、経験したことのない痛快さに打たれ、思わず満面の笑みになった。その様子に、父と家臣たちまでもが微笑ましげだった。

七月、光國は父に供を命じられて狩猟場を訪れた。父に呼ばれたときは、またぞろ〝お試し〟かと思って身構えたものだ。浅草川で死にそうになってからまだ二ヶ月も経っていないのだから無理もなかった。父の前から下がると、すぐに兄のところへ行き、

「どう思う？」

緊張して訊《き》いた。兄が驚くほど人の心を読み取ることも、孤独がその眼力を養わせたことも、この頃の光國にはわかっている。父や大人たちのことで気になったことがあると、しばしば兄ならばわかるはずだと思って相談するようになっていた。

「父上は十分、満足してるよ。これが証拠だ」

兄は笑って、ぽん、と光國の腰の刀を叩《たた》いた。川泳ぎで得た脇差しだ。三条小鍛冶宗《こかじむね》近《ちか》の作だそうで、以後生涯にわたり光國の公式の装いとなる刀だった。

「本当かな」

光國はまだ疑っている。過去の経験からして、父が満足するということ自体が信じられなかった。

「今日は褒美だろう。楽しんで来るといい。そのほうが父上も喜ぶ」

兄はあくまでやんわり弟の緊張を和らげてくれている。

このときまだ光國は、兄に感謝も詫びも口にしていない。その余裕がなかった。それほど川泳ぎは光國に緊張と戦慄《せんりつ》を与えていた。その影響は後年にも及び、

「出かけるときは二度と戻れぬと思い、川や海で泳ぐときはここに亡骸《なきがら》が沈むと思う」

と、なんでもない日常においても自分が死ぬ前提で行動し、思考するようになるのも、武士としての心得という以上に、父の〝お試し〟の数々が叩き込んだ精神ゆえだろう。

そんな次第で、兄に見送られて邸《やしき》を出るときも心の底に恐怖があった。小金《こがね》の狩り場に到着すると、父から鳥撃ち銃を手渡された。珍しいことに父自ら銃の扱いを教えてくれた。

これも〝お試し〟だろうか。そんな警戒も、鳥を狙って撃った途端、吹っ飛んだ。銃というしろものに驚嘆していた。弾はあっさり外れたが、父は叱らなかった。続いて弾の込め方を教えられた。

この日、ついに光國は一羽も仕留められなかったが、父は気にしていないようだった。むしろ動かない木の枝なら早々に当てられるようになったことを誉められた。さらには、

「褒美だ。これを用いて腕前を上げてみせろ」

父から、刀についで銃を与えられることとなった。それも二挺《ちょう》も。いずれも父が祖父・家康様から与えられた遺品だ。家臣たちに、改めて光國こそ世子であることを宣言したに等しい贈り物だった。

光國にとってはまさに望外の喜びだった。だが喜びに陶然とするよりも、またぞろ何か途方もない〝お試し〟が来るのではといっそう警戒した。

だが結局、和やかな雰囲気に終始した。水戸から江戸に移り住んで以来、ほとんど初めての親子らしいひとときでもあった。嬉しかったし、心底ほっとした。警戒し続けていた分、肩すかしを食らったような気持ちもあった。

「銃を使って何をさせられるか考えるだけで怖くなったよ。撃つんじゃなくて、的を持てと言われたらどうしようかと思った。父上に撃たれるかもしれないってね。戦々恐々さ」

邸に戻り、詳しく兄に話した。

自分の気持ちを素直に口にしたし、狩りの面白さを語り、父について話し合った。兄に看病してもらって以来の習慣だった。ただ話すだけでなく、ときに兄に書を渡されて読んでみたりもした。兄は、特に光國が興味を持ちそうな書を選んでくれたし、

「全部を読んで理解しようとしなくていいんだ。自然、自得のままに読むのが一番さ」

というふうに、読書の楽しみ方も教わった。

さらには詩歌を互いに作り合ったりもするようになった。子供たちに詩歌を教えるのは、主に家臣の小野〝角衛門〟言員《ときかず》という、くそ真面目で激情家の文人だった。詩歌の作法を覚えたばかりの子供たちに、武士の有終の美は辞世の句にあり、などと言って死に際の句を詠ませたりする男だ。

だが光國はその男をはじめ、家の者たちを茶化す詩を作るほうが好きだった。

七歳のある雪の日には、奥向きの老女であり、迫力でも腕力でも兄弟たちを圧倒する小ごうに、歌で仕返ししている。

ふる雪が　おしろいならば　手にためて
　小ごうが顔に　ぬりたくぞある

詩趣もくそもない、完全な戯《たわぶ》れ歌である。小ごうが間違っても白粉《おしろい》などつけない強面《こわもて》の女房であることは、みんな知っていた。諳《そら》んじてみせたとき、父や多くの家臣たちが笑った。文人の小野や、小ごう本人には呆《あき》れ顔をされた。

真面目に面白いと言ってくれたのは兄だった。雪を白粉に喩《たと》えることを、稚気ではなく機転とみなしてくれた。のちの光國は、格調高い詩歌のみならず、笑ってしまうような馬鹿馬鹿しい戯れ歌も多く詠むようになる。それも兄の影響が大きかったのかもしれない。

このときも、話が一段落してのち、狩りを主題に馬鹿げた詩を兄と作り合っては、にやにや笑い合ったり、二人で噴き出したりしていた。弟たちは狩りの話が終わるや否や、そんな兄二人には付き合わず、外で相撲遊びに興じている。

「明日、父上と一緒に御城に行くことになってる」

ふいに兄が言った。光國は、いそいそと次の句をしたためながら、

「いいな。将軍様に菓子をもらえるぞ」

笑って言った。兄が将軍様に謁見することで、抜き差しならない感情が起こることはもうなかった。

「私は、この邸が好きだな。お前たちがいてくれる。父上も母上もいる」

兄が急にそんなことを言い出し、光國をきょとんとさせた。

「どうしたんだよ、急に」

兄は、別に、というように肩をすくめ、

「三木《みき》の家が懐かしいな」

また変なことを言う。兄は九歳で京へ送られるまで、父の家臣である三木〝仁兵衛《にへえ》〟之次《ゆきつぐ》の江戸麴町《こうじまち》の宅で育てられていた。生まれた場所も同じである。

三木家は、兄と光國の共通の話題だった。光國のほうは水戸城下柵町《さくまち》にある三木家で生まれ育った。

理由は、わからない。兄も光國も、真剣にこの理由を推し量ることはまだしていなかった。いわゆる妾腹《しょうふく》の〝庶子〟が、城や藩邸以外の場所で生まれることは、珍しくなかったからだ。

「屋根の上を走っても叱られないしな」

光國はさして気にせず調子を合わせて言った。兄が笑った。

「お前もやったのか」

「御城でもやったよ。ずいぶん瓦《かわら》を割ったなあ」

「三木爺《じい》の困り顔が目に浮かぶな。私は水戸の御城は知らんが、京の寺の屋根で小便をしてやった」

「罰当たりめ。だから疱瘡《ほうそう》になんて罹《かか》るんだぞ」

「お前こそ」

兄が笑って、ふと遠くを見るような目を宙に向け、

「いづの日が、水戸《みど》さ住《す》んでみでえな」

いきなり水戸訛《なま》りで言った。弟たちや父にとって耳慣れないものだが、水戸藩士たる三木家で育った兄と光國の二人にとっては、馴染《なじ》み深い訛りだった。

特に兄は、水戸に住んだこともないくせに、この訛りを愛した。母の故郷である水戸に対し、自分も見果てぬ望郷の念を抱いているのだ。

これまた光國は調子を合わせ、言った。

「水戸の三木家の庭さは、母上が実を埋《う》んのめだ梅があるんだ。知ってだが」

「ああ」

「おれが生まれるどぎ、そうしたんだ。綺麗《きれい》な白い花が咲くんだぞ」

「三木から聞かされてるよ」

兄がうなずいた。

「私《おん》も見てみでえな」

だが兄は、生涯を通して水戸に住むことはなかった。

翌日、父は兄を連れて登城した。

帰ってきたときには、なんとなく家中がざわついていた。不安をかき立てるものではない。華やぐような喜びの気配だ。家臣たちは揃って笑顔だし、父はあえて笑みがこぼれないようにしているらしく妙に苦み走った感じの顔をしていた。

「何かあったのか」

いったいこの浮かれた感じはなんだろうと思って、光國はさっそく兄に問い質《ただ》した。

兄の返答は光國の想像の外にあった。

「常陸下館《ひたちしもだて》、五万石」

兄が言って、しばし間《ま》を空けた。いつも冷静な兄が、珍しく緊張しているようだった。

「それがどうしたんだ」

気になって仕方ない。そわそわと先を促した。

「将軍様は、私を、そこの大名にして下さるそうだ」

光國は思わずあんぐりと大口を開けてしまった。五万石は大抜擢《ばってき》である。尾張や紀州《きしゅう》の世子を除く子供たちに分配される石高とて二万や三万だった。水戸藩はただでさえ尾張や紀州に比べて石高が低い。とても書類上は弟とされた者の扱いではない。

むろんこのとき光國の頭に諸藩の石高比較があったわけではなく、

「大名⁉」

その言葉に仰天し、むやみと嬉《うれ》しさを覚えた。

「すごいじゃないか！」

だが兄はやけに浮かない顔でいる。

「父上も喜んでくれたよ。将軍様にずいぶん御礼を申し上げていた。でもな、将軍様は、父上にこう仰《おつしや》ったんだ」

そこでまた間を空けた。光國は急に胸にひやりとするような緊迫を覚えた。兄が今、傷ついているという直感が遅れてきた。

「……それで？」

遠慮がちに促した。聞きたいというより、聞いてやらねばならないと思った。心の痛みに独りで黙って耐えることほど辛《つら》いことはない。それを嫌というほど病床で学んだのだ。

兄はそのときの将軍様の言葉を、声色を真似て茶化すように告げた。

「礼は無用だ。そもそもが、その方が棄てた子ではないか。当方が拾ったまでのこと」

ますます胸がひやりとした。兄も自分たちとともに邸《やしき》で暮らしているではないか。意味がわからなかった。

「棄てた？　なんで？　どういうことだ？」

「さあね。将軍様なりに、父上を皮肉ったのかもしれないな。私に対してとても親切にして下さっていることには違いないさ」

「でも……なんで」

むしろ光國のほうがこだわった。自分たち兄弟姉妹にとって――いや、世の全ての子供にとって、親に棄てられたという言葉に引っかからないほうがどうかしている。

だが兄はかぶりを振って、その話をするのをやめた。これ以上は、聞いてもらわなくても大丈夫だということだ。自分一人で解決できる問題だと顔が言っていた。

「なんでもいいさ。これで私は大名だ」

「うん」

「羨《うらや》ましいか？」

「そりゃ羨ましいに決まってるだろ」

むっとなって言った。兄は笑った。そして、ぽつんとこう言った。

「代わりに、私はこの邸を出ることになるな」

その言葉に、光國は突き飛ばされたような衝撃を味わった。

だが考えてみれば当たり前だった。これで兄は部屋住みの身分ではなくなる。大名として市中に邸を与えられ、家臣をつけられる。城に集う大名たちの一員になる者が、弟たちといつまでも暮らしていられるわけがない。

「母上と、弟妹たちを頼んだぞ」

兄が言った。その寂しげな微笑みを、光國は生涯忘れることができなかった。

六

茶室にいた。

茶の湯の師である中川為範と一緒である。光國がもてなしの用意を調えて間もなく、客役が現れた。附家老の中山信吉だ。光國がわざわざ小ごうに言って頼んでもらったのである。世子の習い事とあって、信吉も喜んで付き合ってくれるとの返事だった。

光國は水戸家流の作法に従い、茶を点《た》てた。

信吉が微笑ましげにその点前《てまえ》を眺めている。だがふと異変に気づいた。最初は為範の様子のおかしさだった。習い事の真っ最中という以上に緊張の気配があった。

差し出された茶を喫したとき、やっと信吉が床の間に飾られたものに気づいた。いや、飾りというには殺伐とし過ぎた。花が活《い》けられているべき場所に、まっすぐ短刀が突き立てられているのである。

危うく信吉は茶を噴き出しかけた。剝《む》き出しの白刃がこちらを向いている。恐ろしく鋭い。光國が川泳ぎで得た宗近の脇差しだった。

こんな異様なものが茶室にあればすぐに気づくものだが、幼い光國の立派な坐《すわ》り相《すがた》に気を取られて見落としていた。正直、花の手前にまでは期待していなかった。

だがさすがは信吉だった。すぐには言及せず、やんわりとお点前を誉め、それから、おもむろに口にした。

「なぜ御父君から賜りし短刀を、あのような場所に置かれなさる。ここは客をもてなす場。恫喝《どうかつ》する場ではありませんぞ」

「信吉、頼む」

光國は叫ぶように言い、べったりとその場に伏して頭を下げた。早くも、これ以上のお行儀ぶった振りができなくなっていた。

「あの刀は返してもいい。いや、返す。だから兄上を行かせないでくれ」

「……なんと仰る？」

意表を衝《つ》かれた顔で信吉が聞き返した。

「頼むよ。なんで竹丸兄上を追い出すんだよ。おれが悪いんだったら、おれをどうにでもしてくれよ。お願いだからさ。頼むよ。兄上を行かせないでよ」

信吉が呆気《あっけ》にとられて、助けを為範に求めた。

為範は信吉を真っ直ぐ見返しながらかぶりを振った。これほどまでに光國を追い詰めたのは世子決定に関わった者たちの責任だ。そう無言で信吉を責めていた。

「お顔を上げなされ」

信吉が、やや調子をきつくして言った。

「竹丸様は晴れて大名となられる身ですぞ。この上なくめでたいことなのです。いつまでもこの邸で部屋住まいをしているほうが不憫《ふびん》でありましょう。追い出すのではありません。門出なのです」

だが光國は這《は》いつくばったまま、涙声で、ひたすら繰り返している。

「頼むよ……なあ、頼む」

「水戸徳川のお世継ぎは御前様です」

鞭打《むちう》つような鋭さで信吉が言った。光國がぐすっと洟《はな》をすする音が茶室に響いた。

「なんで、おれなんだ」

絞り出すような声が、二人の老武士の耳を打った。光國にとって禁じられた何かを暴く覚悟での問いだ。しかし信吉は無言だった。返答を拒むのではなく、黙殺する気だった。

「なんで――」

「お父上のお考えに、疑いを抱いてはなりませんぞ」

さらに鋭さを増して信吉が遮った。かと思うと、一方的に頭を下げ、

「茶の湯にあるまじき所作は多々見受けらるれど、御前様の溢《あふ》れる義心に感服仕《つかまつ》りました。それがしには、良い茶でした。ではこれにて御免」

さっと身を起こし、為範が目で咎《とが》めるのも構わず、茶室を出て行ってしまった。

為範は苦り切った様子で座っている。

光國が顔を上げ、真っ赤な鼻をぐすっと鳴らした。

「失敗だ。おれは自分が嫌になったよ。ごめんな、中川」

為範がしみじみとした様子でかぶりを振った。

「竹丸様は、御前様のような弟君がいて、幸せです」

光國の閉じた両目から大粒の涙がこぼれた。


やがて冬になった。

送別の宴《うたげ》が、身内のみで開かれ、家臣たちが揃って兄に祝辞を述べ、杯に酒を注いだ。別の者が代わりに飲んでやることを酒を助けるというが、兄は助けを求めず、次々に飲み干し、場を賑《にぎ》わせた。

光國は、宴が始まってもしばらく部屋に引き籠《こ》もっていたが、

「兄上様を悲しませる気ですか」

小ごうに叱られ、渋々、身支度を整えて顔を出した。

兄の姿を目にした途端、胸を打つものがあり、はっと息を呑《の》んだ。一座の中心たる兄の姿に、寂しさはなかった。堂々としていて立派だった。病床で初めて感じたときより、ずっと大人らしかった。

胸を打ったのが誇らしさだとやっと気づいた。どうだ、これがおれの兄だ。この素晴らしい男を見ろ。その場にいる全員に、そう言ってやりたい思いが湧いた。

父に手招きされ、一座の中へ進み出た。珍しいことにいつもは宴の席を避ける母・久《ひさ》子《こ》がいた。さらに英勝院様もいることに気づいた。侍女たちをつれて祝賀に参じてくれているのだ。光國は瞬間的に、兄が大名に取り立てられたのは、英勝院様が将軍様に取りなしてくれたからだと理解した。

兄や父のところへ行く前に、すっと英勝院様の前に進んだ。

英勝院様が光國ににっこり笑いかけ、お祝いを述べようとした。それより早くその場で膝《ひざ》をつき、

「ありがとうございます、英勝院様」

そうしなければならないという気持ちに衝き動かされて、手と額を畳につけていた。

一座が静まった。

ぐっと喉《のど》を鳴らしたのは、中山信吉だ。信吉も信吉で、感ずるところがあったのだろう。後で聞いたところでは、光國の所作に感極まって嗚咽《おえつ》を漏らしかけたという。

「私は何も……。いいのです、顔を上げて。今日は私がおめでとうと言いに来たのですよ」

顔を上げると、英勝院様の目に涙が浮かんでいた。この女性も波乱の中を生き抜いた人だった。聡明《そうめい》さを愛されて家康の最後の子を産み、関ケ原や大坂の陣では鎧《よろい》をまとい、男装で馬を駆って家康に侍《はべ》ったという武勇伝の持ち主でもある。

まさに江戸の開府を内から見守り、徳川三代の奥を支えた女傑だった。慶賀の席では、

春日局《かすがのつぼね》より序列が上であるほど徳川一族の尊敬を集めている。なぜそんな人が、自分たち兄弟に強く肩入れしてくれるのか光國にはわからないが、善意は明白だった。

大人たちは、光國の態度も兄に劣らず立派なものだとささやき合っている。だが光國からすれば、頭を下げて感謝を述べることしかできない無力さが悲しかった。感謝をすることで兄を追い出す罪悪感から逃げようとしているようで、そんな自分を卑怯《ひきよう》だと思った。

英勝院様の前から離れて兄の前へ進んだ。

兄の目が、自分の帯に向けられるのがわかった。

光國は、帯にくくりつけた、赤い犬のお守りをそっと撫《な》でた。

「兄上のお陰で命を拾いました。ありがとうございます」

膝をついて頭を下げた。やっと口にすることができた。危うく涙声になりかけたが、どうにか堪《こら》えた。別れに対する悲しさは、兄に対する誇らしさが綺麗《きれい》に消してくれた。なのに、辛《つら》さは残った。父の意図も何もわからず、ただ翻弄《ほんろう》されるだけなのが悔しかった。

「これからあ、あまり無茶なことをするなよ」

兄の水戸弁が降ってきた。

「体に気をつげでな。水戸《みど》徳川の家を背負う大事な体だ」

途端に、光國の胸に何かが溢れた。顔を上げ、まっすぐ兄を見つめた。

「この嘘《チク》つきめ。稽古《けいこ》をすっぽど約束したじゃあねえが」

結局《ぬぎ》、やらずじまいだったのだ。本気で思っていたわけではないのに、自然と激しい口調になった。こんなときにもかかわらず、とことん兄に甘えていた。

「嘘じゃねえ。いつでも投げ飛ばしでやる」

兄は優しく笑っている。普段あまり表情を変えない母が、そっと微笑んだ。その隣で、父が表情には出さないが呆《あき》れているのが感じられた。英勝院様の前なのが恥ずかしいのだ。水戸弁は〝響きが刺々《とげとげ》しくて汚い〟というのが江戸人のみならず一般的な評価だった。

知ったことか。これは、おれたち兄弟にとっての大事な言葉だ。誰にも文句を言われる筋合いはない。そんな気持ちが湧いた。そのせいでとことん正直に告げた。

「兄上が、えなぐなるのは寂しい」

「いづでも会えるさ。別に、どごか遠くさ行かされるわげじゃねえんだ。弟妹を大事にしろよ」

それから急に兄は言葉を戻し、

「頑張れ、子龍」

と言った。

兄はいなくなった。それまで兄が使っていた部屋は美事に空っぽになった。ご丁寧に布団まで持って行っている。

「竹丸兄様、いなくなっちゃったね」

四男の丹波が、しょんぼり言った。光國はその頭をはたいた。

「痛い」

「見りゃわかる。いちいち言うな」

おれが兄から故郷を奪った。父も母も、家族も帰る家も何もかも奪った。がらんとなった部屋を見てそう思った。兄は出て行かされた。自分のせいで。本当なら兄が世子だったのに。それでも兄は文句一つ言わずに去った。最後まで優しく弟を励ましながら。

「ねえ、お長兄様、相撲しよう、相撲」

丹波や弟たちが言った。まるで、もう竹丸がいないのだから、詩歌なんかで遊ばないだろうというようだった。光國はなおも空っぽの押し入れを睨《にら》んでいたが、

「よし、やろう」

背を向け、大股《おおまた》で部屋から出て行った。弟たちが歓声を上げながらついてきた。

その後しばらくして、光國は世子の特権をまた一つ得た。

十二月、父から鷹《たか》を与えられたのである。

狩りのための鷹だ。銃を初めて撃ったときとは違って、もっと本格的な狩猟のお供をしたのだった。場所は同じ小金である。下総国《しもうさのくに》の小金原は、頼房が前将軍・秀忠《ひでただ》から与えられた、百ヶ村をふくむ広大な山林と野原で、馬の放牧地である小金牧もその一部だ。

狩猟は軍事演習の色が濃い。鷹の扱いとともに、農民への接し方や、村々に呼びかけて人手を駆り集める方法も父から教わった。篝火《かがりび》が焚《た》かれ、野営地が設けられるさまには、おのずと光國も血が騒いだ。自分の存在が急に大きくなって、怖いものなどないという気分になる。これなら父の〝お試し〟の一つや二つ、怯《ひる》まず乗り越えられそうだった。

だが父は〝お試し〟をしなかった。もうしないのかもしれない。光國は半ば予感した。父の微笑みが、〝お前こそ世子だ〟と告げていた。そうであることを自分に言い聞かせる必要はもうなかった。

放った鷹が、青く澄んだ冬の空を舞っている。幸福なはずだった。だが疑問は傷のように痛み続けた。

(なんで、おれなんだ)

兄は去り、答えてくれる者もないまま、長く続くことになる疑問だけが残った。

明窓浄机《めいそうじょうき》 (三)

奪うことはたやすい。だが、いったん奪ったものを返すことは困難を極める。もし奪ったものが命であれば二度と元には戻らない。

余はあの男の命を奪い、名誉を滅ぼした。あの男はこの先、余に殺された一人として名を残すことになる。せめてあの男の一族に咎《とが》が及ばぬよう、はかるばかりである。

戦国の世の本質は奪うことにある。敵から奪いとったものを配り与えることが、戦国の世の習いであった。奪えるものがなくならぬよう、わざわざ敵を作り上げることこそ、戦国の世の君主に求められた責務であったかもしれない。奪うためだけに肉親を敵とみなし、よく知りもしない異国に攻め入る。そのために豊臣秀吉《とよとみひでよし》は無謀にも唐国《からくに》をも攻めた。

もし戦国の世に生まれていたなら。それは、今の世の武士が一度は抱く思いである。いつ己が滅ぼされるか知れぬ安泰なき日々を送る代わり、奪われることにも奪ったことにも、思い悩むこととてない。手を伸ばせる限り奪い続け、いずれ何者かに全てを奪われる。

そのような世ならば、余は迷うことなく父兄を殺したであろう。兄も、余を殺そうとしたに違いない。何かを奪われるかもしれないというだけで兄弟が殺戮《さつりく》し合うのである。そうした戦国の世を諦《あきら》めることこそ、泰平の世の試練であった。なぜ諦めねばならないかを知るには、歴史を学ぶだけでは足らない。新たな歴史の見方が必要とされた。

学識ある者たちが、詩歌に風趣を求めず、学問倫理の念を託したのも同じ理由からだ。学書は散逸し、人倫の大義は四分五裂して久しかった。下克上《げこくじょう》がまかり通り、天下統一は天下滅亡と紙一重であった。余らは人倫の大義を持たぬまま泰平の世を迎えた。余が大義を得たのは、詩趣を求める日々の中でのことだ。幸運にも父兄と争うことがなかったからこそ得られたのである。詩への思いが、余に多くの道を見出《みいだ》させた。

やがて詩がこの国の歴史編纂《へんさん》の思いを生み、修史への思いは余の父兄への思いと分かちがたく結びつくこととなった。あの男を殺《あや》めることになった大きな理念は、そのときすでに訪れていたのである。

余は、兄から多くのものを奪った。奪ったものを返すには、実に、五十七年もの歳月をかけねばならなかった。

天ノ章（三）

一

自由だった。

十七歳の夏、光國《みつくに》は血気の日々の中にいた。いたというより、頭から突っ込んでいった。

とにかく血が騒ぐ。四六時中わくわくしている。一人じっと書を読み、茶を喫しているときですら体の奥底からむやみと力が湧いてくる。何でもいいからその力を何かで使い尽くし、ばったりぶっ倒れるまで疲れ切りたい。そうして蕩尽《とうじん》たる幸福な眠りにつき、翌日も同じように、胸中の爆発するような喜びのまま、この生ある己を謳歌《おうか》したい。日に日にその思いは強烈になっていったし、事実、まったくその通りにしていた。

家臣の言葉を借りれば〝奇の字のつく暴れ馬〟である。

傾奇者《かぶきもの》、はたまた数奇者《すきしゃ》、とかく癖ある者だ。

何百年も前の辞書である『下学集《かがくしゅう》』にも「数奇」の言葉が見られ、〝辟愛《へきあい》の義なり〟とある。

「辟とは、一つに偏《かたよ》り、ついては究めることだ」

光國は偉そうに弟たちに語ったものだ。

「辟、璧、癖、避、壁――いずれも一方に偏り、選ぶことをいう。その極まりが〝完《かん》璧《ぺき》〟だ。おれ自身を完璧にしたいという思いがあって、それがおれを駆り立てるのだ」

ほとんど気分と勢いだけの、含蓄もくそもない言葉だが、込められた思いは真実だった。肉体が爆《は》ぜるような熱気に衝《つ》き動かされることは、まるで暴れ馬に乗っているような烈しく痛快な気分を伴った。

暴れ馬に振り落とされて死ぬか、この暴れ馬たる己を乗りこなせるか、あるいは乗りながら己自身に食らいつき、貪《むさぼ》り尽くせるかの勝負である。そんな滅茶苦茶な思いがあった。

この爆発のきっかけは、ひとえに自由な外出を許されるようになったことにある。

十三歳のとき、光國は、尾紀《びき》両世子と一緒に、祖父たる家康《いえやす》が祀《まつ》られている日光東照宮に参拝している。

尾張《おわり》徳川光義《みつよし》、紀伊《きい》徳川光貞《みつさだ》、水戸《みと》徳川光國——この三名が各家の跡継ぎであることが、世に告げ知らされたに等しい。光國の世子としての座は、まさに盤石《ばんじゃく》となった。

ほぼ同時期、父は三人の傅役《もりやく》を光國につけている。文武や儀礼の師となる教育役である。いずれも優れた藩士であり、きわめて口うるさく、堅物だった。

十四歳のとき、父と三人の傅役の許しを得て、初めて僅《わず》かな供だけで江戸市中を見物して回っている。そのときは水戸藩きっての武術の達人が三人、護衛としてついた。以来、供の者がいれば、いつでも邸《やしき》を出て遊びに行くことができるようになった。

そのうち供もつれず出歩くことを望み、それも許された。父や傅役たちが密《ひそ》かに命じた藩士たちが、自分を陰から守っていることなど百も承知で市中をうろついた。いかにして護衛の藩士たちをまくか。ほとんど丸一年、そのことばかり考えていた。

間もなく、市中の細かな路地裏まで頭に叩《たた》き込むと、ありとあらゆる手段を使って護衛から逃走することに傾注した。何度も来た道を戻る、途中で衣服を変える、あらかじめ用意していた馬に乗って逃走する。

陰からの護衛を命じられたほうこそ哀れだった。守るべき当人が、まさに死に物狂いの勢いで逃げ去るのである。光國を見失うたび、護衛全員が父や傅役たちから叱責《しっせき》された。

だが本来、叱るべき相手は光國なのである。父も傅役たちも、すぐに護衛ではなく光國に厳しく小言を言うようになった。だがその頃には、光國の血気は沸騰しきっていた。

あるいは江戸という都市が、光國を沸騰させた。

世は、関ヶ原の合戦ののち訪れた〝戦後〟の四十四年目にある。市中では芝居小屋をはじめとする娯楽が人気を博し、吉原《よしわら》では百数十軒もの遊女屋が繁栄した。各地の物産が江戸に運ばれ、水戸では祭のときにしか目にすることができず、口にすることができない品々が店先にずらりと並んでいる。

武士たちは戦って死ぬという義務から解放されたが、同時に、〝武士らしい〟生き甲斐《がい》を失った。

旗本・御家人《ごけにん》の若者たちの中でも、部屋住まいの次男三男たちは自然と鬱屈《うっくつ》し、光國と同じように市中の娯楽に生の爆発を求めた。派手派手しい身なりで市中を闊歩《かっぽ》し、徒党を組み、喧嘩《けんか》をふっかけ合ったり、下らぬ勝負事に血道を上げたりする。

町人たちも、戦乱から解放されたのは同じだった。彼らとて血気では負けていない。大工や鳶職《とびしょく》など、建築需要を背景とした江戸の〝稼ぎ頭〟たちを筆頭に、人をぎょっとさせるような風体で街を徘徊《はいかい》し、ときに侍だろうが何だろうが喧嘩を売りまくった。

そんな旗本奴《やっこ》・町奴たちが競い合う、まさに〝傾奇者〟どもの世界がそこにあった。

若者の血を昂《たか》ぶらせる材料が揃いきった市中に、若い虎たる光國が放たれたのである。

父や傅役の小言ごときで止められるものではないし、こんな喜びの日々を奪われるなど想像もできない。

夕暮れどきや夜中にこっそり邸を抜け出し、明け方頃、ひそかに戻るということも覚えた。たいてい門の鍵《かぎ》を持って行くが、忘れたときは錠前をねじ切って部屋に戻った。

水戸家は腕力自慢の兄弟ばかりである。中でも光國は父譲りの膂力《りょりょく》の持ち主だった。

生まれつき体格の良さを誉められてきたが、ここに来て父も驚くほどの強靭《きょうじん》な肉体を獲得しようとしていた。腕も脚も他の御三家の世子たちに比べ、ひと回り太い。そのくせ、ぐんぐん背が伸びたものだから、むしろ細身に見えた。加えて母譲りの秀麗な顔立ちがいよいよ映えてきた。母・久子《ひさこ》は、水戸一番の美女と言われた女性である。その相《そう》貌《ぼう》も体格も衆目を惹き、揉《も》め事の火《ひ》種ともなった。

むろん喧嘩沙汰《ざた》を嫌がる光國ではない。むしろ望んで喧嘩に精を出した。

つい先日も、町奴ども相手に大立ち回りを演じたばかりだった。市中をぶらついていると、たまたま町奴どもが若い侍たち相手に大乱闘を繰り広げている光景に出くわしたのである。しかも侍の一人が、

「我らは水戸家に出入りする侍ぞ！」

そんなことを叫んだものだから、見物するつもりだった光國にも瞬時に火がついた。

「おれも水戸家だ！　加勢してくれる！」

叫びながら真っ直ぐ現場に突っ込んでいき、町奴どもを片っ端からぶん殴った。

もちろん自分も殴られ蹴《け》られ、棒でぶっ叩かれたが、決して水戸徳川家の世子だとは口にしない。下級藩士の中には、藩主の息子の顔すら知らない者もいた。だからこそ気兼ねなく暴れることができた。役人がすっ飛んで来たときには、泥だらけの町奴や侍どもと同じく一目散に逃げていた。

喧嘩だけでなく、野っ原で行う辻《つじ》相撲にもちょくちょく顔を出した。どいつも腕力自慢の若者たちで、勝つこともあれば、気を失うほどの強烈さでぶん投げられることもあった。

芝居小屋に通うことを覚え、店で酒を買って飲むことを覚え、遊女屋に繰り出すことも覚えた。女色も男色も、十六で経験した。

そうするうちに悪仲間もできた。みな家名は口にせず表徳《ひようとく》で名乗り合った。これはもちろん雅号などという大それたものではなく、遊び用の偽名《あだな》のことだ。家名を隠して別人を装うだけで、何か大きなものから解き放たれたような自由な気分を味わうことができた。次代の水戸藩主たる光國の代わりに、ただ一個の若い武士がそこにいた。そして血気を称揚する者たち同士、闊歩することがいっそう楽しくなった。

名は、もっぱら「谷《たに》〝助左衛門《すけざえもん》〟左馬之助《さまのすけ》」などと名乗った。

谷氏は母の姓である。谷久子、というのが母の名だ。

この頃の母は、これまでに比べてずっと表に出るようになっている。そもそも世子を産んだ女なのだから、もっと邸の奥向きに君臨する女主人然としていてもいいはずだった。

光國は水戸徳川家の世子であり、かたや兄は今では常陸下館《ひたちしもだて》五万石から転封となり、讃岐《さぬき》高松十二万石の大名となっている。とんでもない大抜擢《ばってき》であり、兄が江戸城中で若く優れた君主として評判なのが光國にも誇りだったし、母にとってもそうであるはずだった。

産んだ子が二人とも大名になるというのは世の女たちからすれば羨望《せんぼう》の的である。なのに相変わらず、ひっそりと暮らしている。父のそばに寄り添っているときも滅多に喋《しゃべ》らず、光國が話しかけても、黙って喜びの顔になるだけだった。たいてい光國のほうが一方的に喋った。母子《おやこ》らしい会話という点では、育ての親の三木《みき》夫妻や、英勝院《えいしょういん》様のほうがまともに接していた。

その英勝院様も、光國を世子として推してくれた中山信吉《のぶよし》も、今はもういない。光國が十五歳のとき、二人とも死んでしまった。

(なんで、おれなんだ)

兄を差し置いて自分が世子となった経緯《いきさつ》は、ついに聞けずじまいだった。二人揃って墓まで持っていってしまったのだ。

光國のほうでも、世子としての地位が盤石になればなるほど、聞くのが怖くなっていた。

何より答えのない空虚さなど、遊びの楽しさがすっかり埋めてくれるのだと思っていた。

偽名を用い、自分が水戸家の世子であることを忘れ、血の滾《たぎ》りに任せて時を過ごす。本当の元服を迎えて前髪を剃《そ》り落とす直前の、若い十七歳の光國の至福がそこにあった。

そのはずだった。

二

髪が逆立つような怒りを覚えたときには、もう遅かった。

――はめられた。

いつものように夕方を待って邸を出てのちのことだ。

日中の蒸し暑さが薄れ、邸の塀を乗り越えながら、光國は清々《すがすが》しい涼風を胸一杯に吸い込んだ。邸を出てしばらく埃《ほこり》っぽい街路を行ったり来たりして、後を追ってくる者がいないことを確かめ、それから近所の馬場へ向かった。馬を持てない下級武士たちのための馬術の訓練所である。同時に、ここ数年で一種の娯楽施設と化した場所でもあった。

馬場の周囲には小屋が並び、茶や酒を頼めたし、芝居を見ることも出来た。

三味線を弾く女のいる小屋もあれば、射的の小屋もある。

馬を駆って一汗かくにしても、手軽な女遊びをするにしても、傾奇者《かぶきもの》同士の勝負や喧嘩をするにしても、絶好の場所である。

だがこの日は、単に金を払って馬を借り、浅草へ向かっている。

途中、上野の不忍池《しのばずのいけ》に寄り、夕焼けが沈む様子を眺めた。そうしながら手帖《てちょう》を取り出し、思いついた詩歌を一つ二つ書き留めた。

それが、兄と戯《たわぶ》れ歌を作り合っていた頃からの生活の一部だった。光國が生涯にわたってゆいいつ変わらなかった癖であるといってもいい。出歩くときは常に手帖を懐に入れ、出会った人の名、見聞きしたもの、心に浮かぶ詩歌、思いついた考え、ことごとく記した。

特に詩歌は年々、その面白さに傾倒していった。堅苦しい傅役《もりやく》の一人である文人・小野が驚き賞賛するようなものも書いたし、見れば卒倒するような戯れ歌も書いた。いずれにせよ光國にとっては、馬場で馬を駆ったり、遊女屋で女と戯れたり、傾奇者どもと殴り合ったりするのと同じように、詩歌もまた血気を放出するすべの一つだった。

なかなか気に入った詩が出てきたことに満足して手帖と筆を懐にしまい、

(詩で天下を取るのも悪くない)

にんまり笑って再び馬を走らせた。

それもいつもの思考だった。十六のとき、英勝院様の冥福《めいふく》を祈るため父とともに鎌倉《かまくら》に行き、弔いの歌を詠んだ際、初めてそう思ったのだ。

剣と軍勢で天下を取る時代は終わった。ならば自分は何で天下を取ってくれようか。

若者らしい自由さと不遜《ふそん》さに満ちた思いだった。以後、詩歌を記すたび、天下取りの道を進んでいる自分を想像しては胸が高鳴った。

何より遊女屋でも光國の詩歌はうけがいい。歌を贈ってやると、遊女もときに演技抜きで喜んでくれる。

やがて東本願寺の手前で馬を下りた。寺社の門前町というのもまた、一種の娯楽施設であり、繁華街である。寺や神社に参拝し、その帰りに遊女がわんさかいる色町、岡場所に足を運ぶ。〝精進落とし〟と称して、お参りの帰りばかりか、葬式後に喪服姿のまんま公然と遊ぶ者もいる。

　幕府も一応、公式には岡場所を禁じているが、そもそも遊女に金を払って相手をさせることを恥と思う者は江戸にほとんどいない。取り締まられるべきは、物価高騰を招く奢侈《しゃし》であり、女郎や男娼《だんしょう》が春を売ることそのものではなかった。

馴染《なじ》みの居酒屋に入り、心づけを払って馬を馬場に返してくれるよう頼んだ。

　それから奥座敷に入ると、四人の若者たちがさっそく酒を飲み、何やら楽しげに談笑していた。みな光國と同じく、傾奇者らしい派手な衣服を着て、異様な髪形をし、色鮮やかな拵《こしら》えの刀を差している。

「おお、来たの、谷公」

　一人が三味線を弾く手を止めて言った。谷公とはもちろん光國の偽名だ。

「遅れた遅れた。すまんな」

　どっかとあぐらをかいて気楽に言う光國に、

「なに、みな来たばかりさ。琴次《ことじ》などまだ箸《はし》も手にとっておらん。まあ、飲め飲め」

別の一人が酒を勧め、

「ありがたいぞ。新馬《しんば》の注ぐ酒だ。絶倫の御利益がある」

また違う一人が笑って言った。

「それなら、あやかろうか。ことが終わった後のいびきまで似るのは遠慮する」

光國がさらりと返して杯を干す。たちまち四人が揃って馬鹿笑いした。

琴次、新馬、天傘《てんがさ》、鶴市《つるいち》――そういう表徳だった。明らかに偽名だが、同時に彼らなりに意味があった。光國の偽名が母の姓からきているように、何かしらの由縁が込められているはずだった。それが何であるかいちいち訊《き》かないし、付き合っているうちに、うすうす互いの身分も知れてくるが、暗黙を保つのが普通だった。互いに正体を隠し合っているからこそ、野放図でいられた。

特に、この四人とは、いわゆる〝屏風《びょうぶ》の仲〟でもあった。

江戸のみならず、たいていどこでも屏風は性を連想させる。岡場所で、女と交わるときに個室を得られる機会など滅多にない。吉原でさえ〝相部屋〟となることがある。つまり一つの大部屋を屏風で仕切り、間に布団を敷いて、男女が睦《むつ》み合うのである。声も音も筒抜けどころではない。息づかいも肌の触れあう気配も、手を伸ばせば届く場所から伝わってくる。喘《あえ》ぎ声もうなり声も、交わりが済んでのち男が己を拭《ぬぐ》う紙の音すら聞こえる。

それが岡場所における一般的な性のあり方だった。そもそも屋敷、長屋を問わず、この世に防音という考えはない。人間の住み処《か》を紙と木で仕切っている限り当然である。欄間《らんま》など通風のためであり、ということは音は全て聞こえる。〝壁に耳あり障子に目あり〟は生活の常識だった。江戸城ですら老中たちの談義や人事は、要所要所で筆談が混じる。要職の人事など、囲炉裏の灰に火箸で人名を記し、無言でうなずきあって、そそくさと灰を掻《か》いて名を消す。そうでもしないと、人事の内容がどこからともなく漏れ伝わり、翌日には城中で噂になっているという有様になる。

光國が、あまり邸《やしき》の女に手を付けない理由もそこにあった。藩主の子ともなれば深夜に布団の中に引っ張り込む、いわゆる〝忍んで使う女中〟がいてもおかしくない。事実、そういうこともあった。だが家人に音が伝わることを恐れて、息を殺しての交わりが窮屈でしょうがなかった。

中には声を殺しきれない女もいて、夜ごと交わりを持っていた若い女房との関係が父に知られて、さっさと引き離されてしまったこともある。

その若い女房に対しては、光國もそれなりに恋情を持ち、和歌を交わしたこともあった。なのに、いきなり女房がいなくなり、怒りを覚えたものだ。それでも父の意向は絶対である。だからこそ邸を出て遊ぶことに、たまらない爽快感《そうかい》を味わうのだった。

偽名を使って岡場所に出入りすれば、それは誰もが自分であって自分でなくなる。壁に耳があろうが、障子の穴から誰が覗《のぞ》いていようが構うものではない。とことん開き直ることに意味があるし、同じ体験を共有する仲間との絆《きずな》も深まる。

「だいたい新馬の隣はうるさくって寝られねえ。いびきもそうだが、いつまでも唸《うな》りながら蔦《つた》みてえに女に絡まりやがって、まだ続くのかと、おれのほうの女が呆《あき》れちまう」

光國がにたりと笑うと、琴次が再び三味線を弾きながら涼しげに言い添えて、

「あれの最中に首を絞めてもらえ、新馬。ひどく具合が良いそうだ。そうすりゃ声も低くなろうし、お前でもさっさと終わる」

途端に新馬もむきになり、

「馬鹿言え。いつまた会えるか知れねえし、たっぷり銭払ってる分は楽しまねえと。寝られねえってんなら天傘の隣のほうさ。終わった後で、お伽噺《とぎばなし》を延々と続けやがる」

「大事なことだぜ、新公。ああいう場所の女たちってえのは、親兄弟を養うために売られたんだ。そんな孝行者はいねえよ。そうだろ、なあ、鶴市よ」

「そうさ、天助。おれは、その孝行者の股《また》に指を突っ込みながら話をさせるのが大好きなんだ。感じ入ったと、おれの息子もありがたい話に感謝して真っ直ぐになるからな」

それでまた、みなが大笑いした。光國の傅役たちが聞けば、嘆かわしさのあまり憤激して四人を斬りかねない会話である。

光國にとっては気の置けない仲間だった。少なくとも、今日このときまでは、そう信じていた。

しばし馬鹿話に興じてのち、常連の芝居小屋に行き、酒を飲んだ。

悪所は遊郭ばかりではない。芝居小屋や講談師の小屋も、武家にとって悪所である。その悪所においても光國は詩歌を詠むことを好んだ。このときも手帖を取り出して色々と記している。仲間たちも光國のその癖を知っているから文句を言ったりはしない。ときには、仲間と酒を飲みながら書を読むこともあったが、会話は耳に入っているし、仲間も自由にさせてくれるのが常だった。

読書は兄からその面白さを教えられたものだったが、この頃には、別の楽しみのために読むことのほうが多かった。詩趣のための読書である。漢籍であれ、仮名草子であれ、読んでいるうちに、むらむらと詩を吟じる心が湧いてくる。

詩趣を得たいという明白な動機があるせいか、書の内容をくみ取るのも速い。傅役たちにとっては喜ばしいことである反面、光國が生み出す自由で放埓《ほうらつ》な句の数々は嘆きの種でもあった。光國からしてみれば余計なお世話である。

（詩で天下を取る）

その志の高さは、傅役たちばかりか、父にも理解できまいと逆に鼻で笑っていた。父の〝お試し〟に戦々恐々としていた日々に比べ、ずいぶんと傲岸《ごうがん》な心情である。

文人として当代一流になるからには、漢詩、和歌、俳句、連歌、狂歌、小咄《こばなし》、何でも来い、という精神が必要だと信じた。日記も随筆も書く。特に和歌は、人が詠んだものを必ず書き付けた。酒を飲み、書を読み、芝居を見るのも詩想を得たいからだと公言し、

「女や陰間《かげま》を抱くのも詩のためだ」

などと嘯《うそぶ》いた。陰間とは男娼のことだ。堀江《ほりえ》六間町《ろっけんちょう》の辺りである芳町《よしちょう》に陰間茶屋が多く、のちの川柳《せんりゅう》で芳町といえば陰間に通ずる。若手の歌舞伎役者が多く住む場所だから で、彼らにとって陰間は副業の一種だった。しかも女郎と違い数も少なく高収入の副業である。幾ら藩主の子とはいえ光國のような部屋住まいの若者にそうそう買える相手ではない。ちょっとした見栄で付け加えるまでだった。

五つ六つと詩句を書き付けた後は、純粋に芝居を楽しんだ。それから浅草寺《せんそうじ》の辺りをぶらつき、琴次の提案で酒を買い、お堂の縁側に座り込んで芝居をねたに談笑した。

「なあ、谷公、一つおれたちに歌を詠んじゃくれないか」

話が一段落したかと思うと、ふいに琴次がそんなことを言い出した。

「こう暗くっちゃ書けねえよ」

光國がぞんざいに断ると、

「おれたちごときにゃ歌は詠めねえとよ」

新馬が宙を眺めながら尖《とが》った声を出した。光國の笑顔が、はたと消えた。それほど棘《とげ》をふくんだ声音だった。新馬がにたっと笑って光國を見た。顔は笑っているが目は笑っていなかった。その新馬の横で、天傘が急に猫なで声になって言った。

「谷公、良い刀だなあ。前から思ってたんだ。お前さんの差してるそれ、良い刀だって」

もちろん良い刀に決まっている。父からもらった脇差しであり、将軍様から頂戴《ちょうだい》した

太刀だった。だがなぜ急に刀のことなど口にするのか。訊こうとすると、

「おい、無宿人がいるぜ」

お堂の軒下を指さして、鶴市が遮った。

「おお、そりゃちょうどいい」

琴次が言った。何のことか。光國は話の筋道を見失った。新馬の笑みがますます広がるのが月と提灯《ちょうちん》の明かりで見えた。そして天傘が、純粋な好奇心からこう言っているのだというような様子で、

「斬ってみてくれよ。水戸様の刀がどれくらい斬れるか見たいんだよ」

そう口にした。

光國は目をみはった。今、天傘は何と呼んだか。水戸様。確かにそう聞こえた。そのことに誰も驚かない。四人全員、にやにや笑って、自分の様子を窺《うかが》っている。

「斬ろうぜ、谷公」

鶴市が掠《かす》れたような低い声で言った。ここで初めて、光國は四人全員が示し合わせてここに来たことを悟った。彼らの目つきから、その理由も察した。

四人とも、薄々、どこかの旗本の次男三男であることはわかっていた。部屋住まいであることは光國と同じだが、決定的に違うことがある。彼らは全員が世子になれなかった者たちだった。その群れの中に、飄然《ひょうぜん》と、世子の座を手にした者が来た。しかも、次男であることをほのめかして。

それは光國にとって偽りでもなんでもなかった。事実、自分は次男であり、次兄が存命だったならば三男の立場だった。それが、

（なぜ、おれなんだ）

理由も判然としないまま、世子とみなされただけなのだ。しかし四人にとっては、そんな理屈は知ったことではない。ただただ、自分たちと同じ立場と信じて迎え入れた光國が、実は世子であったという事実によって、裏切られ、恥をかかされたと感じたのだろう。

恥をかかせることこそ、傾奇者《かぶきもの》たちの最大の娯楽だった。光國もその楽しみを知っている。公衆の面前で恥をかかされ、機転や腕力でそれを撥《は》ね返し、逆に恥をかかせる。因縁をつけて無茶苦茶な要求をし、相手がどう逃げようとするかを見て笑う。あるいは大勢でいるところを、いきなり一人に目をつけて気まずい思いをさせて笑う。

軒下で眠っているのは家を持たない無宿人たちだ。それに比べて光國は将来を約束された、徳川家の血を継ぐ貴公子である。無宿人の一人や二人は斬っていいはずだ。そう因縁をつけていた。

もちろん、よほど悪辣《あくらつ》な人間でない限り、そんな無法なことはしない。地位が高ければ高いほど無法な行いは咎《とが》めを受ける。癇癪《かんしゃく》を爆発させて人を斬殺《ざんさつ》し、改易《かいえき》や配流《はいる》となった大名は多くいる。

だから、光國には斬れない。四人ともそう踏んでいる。斬れないと断る光國を、臆病《おくびょう》

者《もの》呼ばわりして笑い、たっぷり噂を流して憂さを晴らす。そういう彼らなりの復讐《ふくしゅう》だった。

だがいったい、なぜ自分が水戸家の世子とわかったのか。

ちかっと頭の隅で答えが閃《ひらめ》いた。つい最近の、「水戸家の侍」と叫んでの喧嘩である。

(町奴《まちやっこ》との喧嘩《けんか》だ)

その様子が四人の誰かに伝わり、家名がばれた。あとは少し調べればわかる。

だが、だからといって、ここまでやるか。急に怒りが湧いた。悪仲間と信じ、最も自分が野放図でいられる、真に気の置けない四人だと信じた。光國のほうこそ裏切られたという思いだった。

「つまらんことを言うやつらだ」

だが、なおも口の端に笑みを浮かべてそう言ってやった。四人の態度が、それで急に元に戻るならよかった。ちょっとした冗談ということで片付けられる。そんな、か細い期待があった。

「どうしたんだ、谷公。おれたちのために斬ってくれよ。それともまさか、そのご立派な刀の使い方を忘れたんじゃぁ、あるまいな」

琴次がせせら笑ってけしかけた。残り三人は、じっと期待に満ちた顔でいる。

光國の顔から笑みが消えた。

「そう言えば、まだ試し斬りはしていなかったと考えていたのだ」

告げながらゆっくりと立ち上がった。口調もがらりと変わっている。伝法《でんぽう》な口のききかたではなく、自然と、一個の武士としての態度に様変わりしていた。

四人が息を呑《の》んだ。琴次が、ぎらぎらした目になって言った。

「斬るんだな？」

光國は冷ややかに相手を見返した。目が据わり、全身から殺気が噴き出していた。

「一人でよかろう」

言うなり、身を屈《かが》めて軒下へ潜り込んだ。お堂の下で何人もの悲鳴が湧いた。

無宿人たちからすれば、風雨を避けて眠っているところへ突然、殺気に満ちた存在が飛び込んできたのだ。恐慌に陥って当然だった。五、六人いるうちの一人の足をつかみ、力任せに引っ張った。他は這《は》って逃げ、岩をひっくり返したときに現れる虫たちそっくりの様子でお堂から飛び出すと、一目散に走り去った。

四人の若者たちは、その様子を見てげらげら笑っている。甲高い、興奮でうわずった声だった。

光國が出てきた。両手で無宿人の男の右足首をがっしりつかみ、問答無用の勢いで引きずり出す。それから身を起こしつつ、脇へぶん投げるようにして足を放した。

無宿人の男が地面に転がった。四人が声を消して立ち上がり、興奮で顔を笑みの形に引きつらせ、目を血走らせながら、無宿人の男を距離を置いて取り囲んだ。

光國が歩み寄り、すらりと白刃《はくじん》を抜いた。その研ぎ澄まされた鋭い輝きに、四人が息

を詰めるのが感じられた。ついで無宿人がぶるぶる震えながら顔を上げ、

「ひいっ」

悲鳴を放ち、尻《しり》を引きずるようにして、後ろ向きに這って逃げようとした。その背を、新馬が蹴飛《けと》ばした。無宿人は、ぎゃっと叫んで転がり、歩み来る光國の前へ押し戻されるかたちになった。

「な……なぜでございますか、わたくしは、このような身に落ちぶれたとしても、命を惜しく思うことは万人と同じでございます。なのに、なぜこのようなことをするのですか」

いきなり無宿人が声を限りにわめき立てた。そのしっかりした言葉遣いや、涕訴《ていそ》の様子に、もとはそれなりに教養のある人物であったのかもしれないという思いがよぎった。

「そこにいる者どもから、無理をいわれたのだ。詮方《せんかた》ない。これも前世からの因縁というやつであろう。そう思って諦《あきら》めろ」

白刃を引っ提げて言った。どこかで聞いたような台詞《せりふ》だった。先ほどまで見ていた芝居の台詞かもしれない。『太平記』だったか。『平家物語』だったか。まったく思い出せない。なんであれ、芝居じみた台詞のせいで、急に全てが非現実のものに思えてきた。夢か何かを見ているような気がした。何人《なんぴと》だろうと無慈悲に斬り殺せる自信があった。

「なむあみだぶつ」

祈るというより、そう口にすれば無宿人の男も進んで首を差し出すのではと考えなが

ら、光國は刃《やいば》を大上段に持ち上げ、力任せに振り下ろした。

三

ごりっ、という想像もしない嫌な音がした。咄嗟《とっさ》に身を庇《かば》おうと振り上げた無宿人の右手が、変な角度で刃と激突した。無宿人の手首がへし折れ、中途半端に千切れた。えぐられた肉が、ぴゅっと空を切って飛び散り、遅れて血がどっとしぶいた。

けたたましい悲鳴が無宿人の口の奥で爆《は》ぜた。おかしな楽器を腹の中に呑み込み、それがでたらめな音を立て始めたようだった。聞いているだけで頭がおかしくなりそうな悲鳴が延々と続いて止まらない。その悲鳴を消そうと振りかぶった。

「逃げるなッ！」

怒号を迸《ほとばし》らせ、首めがけて振るった。刃はまたも外れ、男の肩を深々と裂いた。

男は絶叫し、涙を流して逃げた。だが逃げられず、琴次に突き飛ばされ、天傘に蹴られ、光國の前に押し戻されては、白刃に襲われた。

「お助け下さい！　お助け下さい！」

男は血みどろになって泣き声を上げている。その切断された右腕から噴き出す血が、光國の頬にかかった。ねっとりとした熱と血臭に、途方もない不快感を覚えた。

——いったいおれは何をしている？

なぜ名も知らぬ男を、滅多斬りにせねばならぬのか。そもそもなぜ一刀で屠《ほふ》れぬのか。月も細く、夜の暗さのせいでもあったし、無宿人がめちゃくちゃに暴れるせいでもあった。だから上手《うま》く急所に刃が届かない。

もし無宿人が必死の反撃を試みていたなら、かえって簡単に斬れたはずである。狂乱して逃げ回る人間を斬るのが、これほど面倒くさいとは思ってもいなかった。

――大人しく首を差し出せば苦しまずに済むものを！

憤ったところで仕方なかった。そもそもこの無宿人が死ぬ必然性は全くないのである。単に、少年同士の意地の張り合いの犠牲になっただけのことだった。

刀を一振りするたびに胸がむかついた。それに耐えて刃を振るっている自分にも、ずたずたにされながらまだ生きている無宿人にも、信じがたいほどの怒りを感じた。

こんな有様は聞いたことがなかった。どんな講釈師の講談にも、芝居の演目にもない。

だがそれらと同じくらい現実感がないまま、無宿人の背を抉《えぐ》り、胸を裂いた。刃先が頭《ず》蓋《がい》に当たり、お堂の軒板に当たった。下手な角度で相手の骨に斬り込んだせいで、刃こぼれが生じているに違いなかった。

――なんだこれは！

つい先ほどまで酒を飲み、芝居を楽しみ、談笑していた。なのに気づけば浅草のお堂にいて、軒下で眠る無宿人たちを遊び半分で殺傷する騒ぎに巻き込まれていた。いや、巻き込まれるどころか、それと気づく遥《はる》か前から渦中に置かれていた。

いったい何に対して怒ればよいかもわからなくなってきた。そのくせ無性に腹が立つ。闇雲な怒りの余り、相手を殴りつけて動けなくさせてから斬ろうとしたときだった。

いきなり、何かに刀を握る腕を押さえられた。無宿人の仲間が、背後から自分を羽交い締めにしたのかと思った。それほど咄嗟に動きを封じられていた。

実際は一本の棒で、小手を押さえられているに過ぎない。そのことに遅れて気づいた。見ればただの棒ではない。丁寧に漆を塗り込んだ太い黒杖《こくじょう》だ。その杖《つえ》を目で辿《たど》り、持ち主を見た。

ぎょっとするような男が、そこにいた。

何もかもが太く、でかい。まず長身だった。光國より頭三つ分は高い。尋常ではない肩幅をしており、岩のような分厚い胴体から、唖然《あぜん》とするような太さの腕が生えている。蓬髪《ほうはつ》も、くしゃくしゃの長い鬚《ひげ》も真っ白だった。髪も鬚も、一度も整えたことがないかのように絡まり合っている。一瞬、なぜか激怒した父かと思って肝が凍る思いを味わった。相手の迫力のせいでそう思ったのだと頭のどこかで理解した。だが現実には、父よりだいぶ年上の老人だった。そして、父であれば絶対に着ないような衣服に身を包んでいた。

「咎人《とがびと》か?」

老人が訊《き》いた。無宿人のことだ。光國は、違うともそうだとも答えられずにいる。突然現れた異様な風体の老人と、何より自分の小手を押さえる棒きれのせいで腕が動かせないことに仰天していた。

「違うなら、首を斬る必要はあるまい」

老人の杖が離れた。拍子に光國は前のめりに倒れかけ、たたらを踏んだ。顔を上げると、琴次ら四人も一様に度肝を抜かれた様子で老人を見ているのがわかった。その出《い》で立ちの異様さに比べれば、光國をふくめた若者たちの傾奇《かぶき》ぶりなど上品なものだ。

老人は、どんな傾奇者ですら気が引けるに違いない、燃えるがごとき紅蓮《ぐれん》の色をした服を着ていた。帯も下の着物も、足袋《たび》まで赤い。その赤い衣のところどころに金の刺繡《ししゅう》が入っており、お堂の縁側に置きっぱなしの提灯《ちょうちん》の明かりにきらきら光っている。

腰に差した大小は黒の柄糸《つかいと》、鞘《さや》はくすんだ朱色、それらが不思議と漆黒の杖と合った。何より、こんな馬鹿げた花魁《おいらん》みたいな衣裳《いしょう》なのに、この老人が身に纏《まと》う限り、とんでもなくさまになっているのだ。光國は、これほどの傾奇者をかつて見たことがなかった。

うっ、と呻《うめ》き声が起こった。

新馬だった。目が、老人の後ろに向けられている。光國もそちらを見た。もう一人、若い武士がいた。どこの武士か、すぐにわかった。提灯の紋に見覚えがあった。

「北条《ほうじょう》家――」

天傘が、掠《かす》れ声で口にした。光國は血の気が引くのを覚えた。北条は、駿河《するが》田中《たなか》二万五千石の大名である。もちろん御城に登るし、咄嗟に顔は思い出せないが、父も自分もその当主と面識がある。もしこの有様が北条の当主の耳に入れば、確実に父に伝わる。

いったいなぜそのような家の者が、こんな夜更けに、こんな場所にいるのか。光國からすれば、たまったものではない。この武士は、自分の顔を知っているかもしれないのだ。水戸徳川家の世子の顔を。父の激怒する顔が浮かんだ。自分の身勝手さが招いたとは考えず、悲運を呪う思いが湧いた。

――いっそ殺すか。

たった今まで、さんざん人間の肉を裂き、骨を砕き、返り血を浴びていたばかりである。昂揚《こうよう》のあまり、殺気をこの老人と若い武士にまで向けかけた。その途端、

「その傷ではじきに死ぬ」

蓬髪の老人が言って、ひょいと動いた。一瞬で光國の剣の間合いから外れている。もし老人に斬りかかれば、背を若い武士にさらすことになる。意図してやったのか、ただの偶然かわからなかった。どちらにせよ、

――斬れない。

老人の背を見ているだけで確信に襲われた。戦慄《せんりつ》で全身が粟立《あわだ》っていた。そんな光國の様子などまるで頓着《とんじゃく》した様子もなく、老人が、ひいひい泣き続ける無宿人のほうへ歩み寄った。わずかに片方の脚を引きずるような歩き方だった。それが島原の乱で受けた傷のせいであることを、このときまだ光國は知らない。

「苦しまずに済むようにしてやる」

老人が無宿人の肩に触れた。無宿人はあっさり仰向《あおむ》けに倒れた。あれほど力の限りに

逃げ回っていたのに、何をどうされたのか、あっという間に老人に捕まっていた。

老人は倒れた無宿人の上にのしかかり、片方の膝《ひざ》で押さえつけていた。巨大で凶暴な虎が、獲物に食らいつくさまが光國の脳裏にまざまざと浮かんだ。そんな虎など絵でしか見たことがないのに、ひどく克明な連想だった。相手を蹂躙《じゅうりん》するようでもあり、きつく抱擁するようでもあった。

無宿人の声が、ぷつんとやんだ。老人の膝が、相手の咽《のど》を押さえたのだ。それだけで、無宿人は声一つ出せず、身動きすらできなくなっていた。

気づけば老人の手に鋭い光があった。脇差しの刃だ。いったいいつの間に抜いたのか。

老人が、無宿人の鎖骨の上の辺り――缺盆《けつぼん》を、ぶつりと刃で刺した。そんなところを刺すなど、それまでの光國の知識にはなかった。それも、刃がすっかり隠れるほどの深さで潜り込んでいた。無宿人の手足がびくんと震えた。老人はするすると刃を抜くと、反対側の缺盆も刃で刺した。先ほどと同じように鍔元《つばもと》まで深々と押し込み、それから相手の衣で血を拭《ぬぐ》いながら抜き取った。

無宿人は死んだ。老人が立ち上がって脇差しを鞘に収めたときには、もう、一個の死体がごろんとそこに転がっているだけだった。

光國は立ちすくみ、瞠目《どうもく》し、ただ抜き身の太刀を握りしめたまま凍りついている。さんざん振り回し、刃こぼれさえ生じてしまった太刀だった。恥と、そして驚愕《きょうがく》に襲われていた。老人の、蠟燭《ろうそく》の火を指でつまんで消すような静かで美事なとどめの刺し方に、完全に見とれてしまっていた。

北条家の家臣にこんな強烈な男がいるとは聞いたこともない。いったいこの男は何者なのか。疑問が口から飛び出しかけたまさにそのときだった。

「さすがは、宮本武蔵《みやもとむさし》様」

提灯を持った若い侍が、背後で感嘆の声をこぼすのが聞こえた。

四

「……馬鹿なことをしたもんだ」

ことの次第を聞くと、兄は茶を点《た》てる手を止めずに、やれやれと顔を横に振った。

兄が将軍家光《いえみつ》から賜った桜田《さくらだ》邸の、茶室である。兄は近習すら遠ざけ、二人きりで話を聞いてくれた。そういう優しさに甘えて、光國は拗《す》ねた調子で言った。

「後に引けなかったんだ。わかるだろう」

一昨日の夜、悪仲間どもにはめられて無宿人を一人、なます斬りにしたことを兄にだけ話したのである。子供の意地の張り合いの結果、まったく関係のない無辜《むこ》の人間が、無惨に死んだ。これほど馬鹿なことはない。血まみれで泣きわめく男の顔が、脳裏に焼き付いてしまって忘れられない。罪悪感に襲われるというより、ひたすら後味が悪くて、光國は腹の辺りをさすりながら、

「吐き気がする。汚らしい御器かぶりを一匹呑《の》まされて、そいつが生きて腹の中で動いてる感じだ」

「よせ」

気色悪い喩《たと》えに、兄がのけぞった。ゴキブリ《かぶり》は兄が苦手とする数少ないものの一つだ。

光國の言葉を雲散霧消させようというのか、茶碗《ちゃわん》から手を離し、煙を払うように振った。

「な、気分が悪いだろう？」

「だからといって、おれにうつさないでくれ」

兄は辟易《へきえき》した様子で、もう一方の手も振った。光國はむきになって、

「斬りたくて斬ったわけじゃないんだよ」

「わかっているさ」

兄はやんわりと優しく返し、ようやく茶碗を差し出した。

「それで、お前の仲間はどうしたんだ？」

「逃げたよ」

茶を睨《にら》みながら、吐き捨てるように言った。

間抜けなことに、いつの間にか悪仲間は四人とも消えていた。宮本武蔵と呼ばれた、あの紅蓮の衣服をまとった老人が、無宿人にとどめを与えるさまに度肝を抜かれていたため気づかなかったのだ。

四人が逃げ去った理由は、あの老人ではない。老人とともにいた若い侍が、北条家の

家紋入りとおぼしき提灯を持っていたからだ。

北条家は豊臣秀吉《とよとみひでよし》によって滅亡寸前にまで追い詰められた一族である。だが、徳川家康と姻戚《いんせき》関係にあったことや、豊臣秀吉に殲滅《せんめつ》の意思がなかったことから、血筋は保たれた。

徳川は北条に代わって関東を手に入れ、北条も関東の覇者たる地位から転落したとはいえ、今も名門とみなされ、れっきとした大名として市内に邸宅を賜っている。もちろん当主は参勤のため江戸城に登る。いつどこで出くわすかわからないし、顔がばれれば偽名として用いる表徳《ひょうとく》など何の意味もない。四人が四人とも、自分たちが仕組んだことの責任から逃げた。光國に、ともに逃げろと言ってくれた者は皆無だった。

ついでに言えば、老人も一緒にいた若い侍も、光國に事の次第を聞こうとはせず、

「――埋めるか？」

老人が光國に訊《き》いたのみである。

そのとき光國は刀を握りしめたまま、目をみはって立ちつくすばかりだった。何を埋めるのか咄嗟《とっさ》にわからなかった。ややあって、死者を葬る気はあるか、問われたのだと理解した。だがそのときにはもう老人と若い侍は光國に背を向け、その場から去っていた。

提灯の明かりが遠ざかり、やがて見えなくなった。

光國は死者とともに取り残された。何をすればいいかもわからず虚空を睨むばかりだ

ったが、結局、死者を葬ることもせず、邸《やしき》に戻った。

途中、刃にこびりついた血を川べりで洗った。血が乾いて、拭うだけでは落ちなくなっていた。月明かりにもそれと分かる刃こぼれが刀に生じているのを見て、歯軋《はぎし》りするほど悔しい思いに襲われた。己の腕前の未熟さに腹が立った。悪仲間どもの企《たくら》みにも、まんまとはめられた己の愚かさにも、ごろんと転がる無惨な死体にも、ただ怒りを覚えた。

邸に戻った後、懐に入れていたはずの手帖《てちょう》をなくしたことに気づき、怒りのあまり喚《わめ》き散らしたい思いに駆られた。それで翌日、浅草に再び行ったが、死体はなく、手帖もなかった。お堂の住職らは誰かが庭で死んだことにさえ気づいていない様子だった。

「怖い顔をしてないで、喫《の》んでくれ。おれの茶が冷める」

兄に言われ、ようやく光國は茶を口にした。美味《うま》かった。ささくれだつ心が宥《なだ》められる気がした。

「遊ぶなとは言わんさ。江戸は楽しい。だが遊ぶ相手は選ばないとな」

湯を汲《く》みながら、兄が言う。相変わらず涼しい顔をしているが、幼いときと違って光國が怒りを覚えることはない。むしろ話しているだけで落ち着いた。兄に相談して正解だったと安心した。

「もうあんな連中とは遊ばねえよ」

わざと伝法《でんぽう》な調子で言った。あんな情けない仲間たちなど、何人失ったところで悲しいとも思わなかった。気がかりなのは、一件を見られたこと、誰かが死体を片付けたこと、手帖をなくしたことだ。そして兄は、その筆頭について、こう言ってくれた。

「その宮本武蔵という男について、御城で訊いてみよう。北条の家紋に、紅蓮《ぐれん》の衣という、とんでもなく目立つ男だ。噂の一つや二つは聞けるだろう。なんなら北条家の当主にも訊いてみるさ」

「ありがたい。助かる」

光國はすっかり兄に甘えている。のこのこ北条家を訪ねるわけにはいかないのだから、仕方なかった。無宿人を斬ったところで幾らでも言い訳はできるが、もし悪仲間どもが結託してあることないこと言い出せば、光國一人が咎《とが》めを受ける可能性もある。何より父・頼房《よりふさ》が烈火のごとく怒るだろう。

しかしそれにしても、

(竹の字に、頼りすぎだ)

我ながらそう思うが、ついそうしてしまうほど頼もしいのが兄・竹丸《たけまる》だった。十八歳で下館五万石を拝領して以来、御城での評判も上々で、将軍家光の覚えもめでたかった。しばしば将軍の舟遊びに招かれ、日光社参では供奉《ぐぶ》を任じられている。

さらには二年前の二十一歳のとき、前髪を落とすとともに、今度は讃岐高松十二万石に移封され、今光國がいるこの桜田邸を賜った。御三家の次男三男たちに与えられる石高は、せいぜい二万石か三万石だ。兄は書類上は、光國の弟ということになっているから、これは途方もない大抜擢《ばってき》だった。

だが兄が本当に喜んだのは、領地でも邸でもない。元服の際に与えられた名だった。

「今日から私は、頼重《よりしげ》だ。松平《まつだいら》〝讃岐守《さぬきのかみ》〟頼重だ」

兄はその日のうちに、そう光國に教えてくれた。父の頼房から一字もらったことが、とてつもなく嬉《うれ》しかったのだ。光國にもその気持ちはわかった。父との血縁を公認してもらえるかどうかわからない不安は、兄や光國のみならず、水戸家の子供たちに共通のものなのである。父の沈黙はある意味、異様なほど徹底していた。水戸徳川家に子供が生まれるたび、家臣たちはその扱いに神経を使い、不思議なことに父の意向を伺おうとせず、将軍様や、光國の伯父《おじ》にあたる尾張家や紀伊家たちの意向に従うことが多かった。

なぜそうなのか、光國にも兄にもいまだにわからない。ただ、

「この一字がもらえただけで、私はいい。満足さ」

兄は万感を胸に秘めてそう光國に告げた。

徳川連枝の中でも大抜擢されたとはいえ、水戸徳川ではなく松平を名乗ることは、兄に悲しみや寂しさをもたらす。いくら松平が徳川連枝を意味する栄誉ある姓であるとしても、また一つ、家族と故郷から引き離されることになるからだ。光國にもそれがわかった。だがどうすることもできなかった。

（なんで、おれなんだ）

兄が水戸藩邸から去ってからも、その問いは消えないままだった。なぜ次男である自

分が水戸徳川家の世子となったのか。なぜ兄を追い出すことになったのか。時が経てば経つほど、その問いを抱くたび、何か硬くて鋭いもので、ちくりと胸の内側を刺されるような痛みを覚えるようになっていた。

しかも情けないことに、他ならぬ兄が、こうして優しく話を聞いてくれるときほど、そうした問いも痛みも和らいだ。

「いつ江戸を発《た》つんだ」

ぽつっと光國が訊いた。参勤交代は大名の義務だ。兄が去年の六月に参勤で江戸に戻ってから、一年が経つ。そろそろ帰藩を命じられる時期だ。今、兄が江戸からいなくなることが不安だった。

「八月だ。あとふた月近くある」

兄はすぐに光國の不安を察したようにそう言ってくれた。

「大変だな」

光國はそんなふうにしか詫《わ》びの気持ちを表に出せずにいる。参勤交代における大名行列は、藩を挙げての事業に等しい。準備だけでも相当の労力と出費が伴った。

「側役の者が手配してくれるさ。私がもっぱら大変なのは、駕籠《かご》に閉じこめられっぱなしの退屈な時間をどうするかということだよ。それより父上の湯治に付き合うほうが大変だ」

このところ父が傾倒しているのは、庭造りに学問、そして湯治だった。どれも藩政が安定している証拠である。頼房が水戸藩を拝領して以来の藩政が実を結び、近頃はだいぶ財政にも余裕が出ているようだった。光國が望むままに〝傾《かぶ》いて〟いられるのも、安定傾向にある藩財政のお陰だ。

「親父どのはともかく、兄上こそ湯治に行ったらどうだ。腎虚《じんきょ》が治るぞ」

にやりとなって光國が言った。腎虚は、夜の営みに励むあまり精が涸《か》れて病弱になることをいう。新妻を迎えた男に対する一般的な揶揄《からかい》の言葉だが、女性の産後の肥立ちと同じように、油断ならないものだと考えられていた。

兄はこの年の四月に、土井利勝《どいとしかつ》の娘であるお妙《たえ》と祝言を挙げたばかりだった。もともと穏やかな性格で、人の心を見抜く力に長《た》けていた兄が、最近ますます落ち着きぶりを上げたのも、嫁を迎えたからだというのがもっぱらの噂だ。光國も、どことなくそれが事実である感じを受けていた。お妙は見るからに佳《い》い女で、光國はけっこう本気で兄の身を心配してもいる。兄は病に弱い性質《たち》らしく、先年も江戸滞在中に高熱を出して、ひと月余りも寝込んだことがあったからだ。

「月役《つきやく》の間ぁ、つづしみを守っているさ。うぢは長くでなあ。十二日はあっぺよ」

兄が急に水戸弁になって返した。女性の月のもののことだ。少なくとも七日の間は営みは控えるのが普通だった。

「月の半分近くはぁ長すぎだっぺ」

光國も調子を合わせて笑い、しばらく下世話な話題を楽しんだ。

「それで、その宮本なにがしの所在が知れたら、どうする気だ？」

ふいに兄が馬鹿話をやめて訊《き》いた。口調も江戸のしゃべり方に戻っている。

「さあな」

光國が言った。相手が何を考えているかわからないのに、どうするもなかった。ただ、相手の正体も所在もわからないのが嫌だった。

「もしお前を咎める気があるなら、その場でお前を取り押さえて、役所へ突き出していただろう」

兄が言う。光國もうなずいた。確かにそれだけの伎倆《ぎりょう》を持った老人だった。

「下手に会いに行かないほうが、無難だろう。きっと相手も、お前に関わるつもりはない」

「兄上がそう言うんなら、そうなんだろうな」

「じゃ、何が気になるんだ？」

光國は腕組みをした。しばし宙に目を向け、

「見たこともない殺し方だった」

ぼそりと告げた。

「殺し方を教わりに行く気か？」

兄が呆《あき》れ顔になり、

「くれぐれも、その男に剣の勝負を挑んだりするな」

そう警告した。光國は口をへの字に曲げた。

「おれが負けると思ってるんだな」

「勝ち負けの問題じゃないよ。剣術は大切だが、それで藩を治められるわけじゃない。お前は水戸家の世子なんだ」

兄にそう口にされることほど重たいことはなかった。光國は渋々うなずいた。実のところ、一個の若い傾奇者《かぶきもの》としては、血気に任せてあの老人に挑んでみたいという気持ちもなくはなかった。

「母上は元気か」

兄が急に話題を変えた。さらに釘《くぎ》を刺すためだと知れた。

「元気でやってるさ」

「あまり不安にさせてやるな。この一件も、なるべく母上には知らせるな」

「わかってるよ」

とはいえ母の久子が、自分の所行を知ったらどう思うか、ということはさっぱりわからなかった。母は光國の生活についてはまったくと言っていいほど何も言わなかった。

やがて小姓が茶室の外から兄を呼んだ。二十三歳の若い藩主は、やり手の家老たちによって藩政から遠のかされるか、逆に藩政の中心になって忙殺されるかだった。そして兄はまぎれもなく後者であり、中でもとびきり優秀な君主の一人とみなされている。

「ずいぶん邪魔したな」

光國は作法通り一礼し、立ち上がった。兄は邸《やしき》の門の近くまで送ってくれた。

辞去する間際、一度だけ兄が呼び止めた。

「子龍《しりよう》」

「なんだ？」

「赤はよしておけ。お前には藍《あい》が似合う」

何かと思ったら服装のことだった。衣の帯も刀の帯紐《おびひも》も赤で揃えていたのである。知らず知らずのうちに、あの老人の紅蓮《ぐれん》の衣服に影響を受けていたことを、このとき初めて悟った。むっとなったが、それも一瞬のことだった。なんとなく気に入っていなかったのが自分でもわかったからだ。あの老人への対抗心が、またすっと和らいだ。兄と話せて良かった。心からそう思った。

「おれも思ってたんだ。これじゃ疱瘡《ほうそうよ》除けのお守りみたいだって」

光國は我が意を得たりというように笑って言った。

「お前にはもう必要ないさ」

兄は涼しげに微笑んでくれた。

五

数日して兄からの手紙が届いた。

藩に帰る準備があるので会って話す時間がないことを詫びていた。藩に〝帰る〟という表現に、またちくりと胸を刺される思いを味わった。兄から帰るべき場所を奪ったのは他ならぬ自分だった。

『お前が見たという提灯《ちょうちん》の家紋は、北条のものだが少し違うようだ。田中藩の北条ではなく、旗本のほうらしい』

と手紙にあった。本来、北条家の跡継ぎとなるべきだった人物に、北条氏長《うじなが》がいる。だが家臣たちが、主君の弟の子である氏長を拒んだ。結果、家康の甥《おい》にして保科正直《ほしなまさなお》の四男である氏重《うじしげ》が養子となって北条家を継いでしまった。氏長のほうは、ことの次第を知った家康が哀れんで、旗本として取り立てたのだという。

『この北条氏長、若い頃から軍学者として名高い。お陰ですぐに分かった』

のち幕府から西洋式の大砲を用いた戦術の研究を任され、北条〝安房守《あわのかみ》〟氏長となって、江戸の大目付にまで累進し、大身旗本になる人物である。だがこの頃はまだ、五百俵取りの一旗本に過ぎない。

そもそも北条家は戦の用意が甘かったため、豊臣の軍勢に惨憺《さんたん》たる目に遭わされた。その痛烈な後悔の念が子孫に託されたか、北条氏長は生涯にわたって独自の軍学を築き上げる一方、多数の兵法者とも交友を持っている。そしてその一人である、流浪の兵法者が、

『宮本武蔵だ』

という。

『小笠原《おがさわら》の当主・忠真《ただざね》どのから聞いたから間違いないだろう。というのも、豊前小倉《ぶぜんこくら》十五万石の小笠原家の家老の名を、宮本伊織《いおり》という。これは宮本武蔵の、養子だそうだ』

ついで、

『宮本武蔵は、昔、伯父《おじ》上の尾張徳川に仕官しようとしていたようだ』

と書かれていて、光國には、驚きより納得のほうが強かった。

伯父の尾張徳川義直《よしなお》は、文武両道を究めることにとてつもない情熱を燃やす人だ。その伯父が仕官を許していたかもしれない兵法者。その一事で、俄然《がぜん》、あの老人に対する興味が強まった。だが、そもそもなぜ仕官できなかったのか。兄の手紙ではこうあった。

『伯父上に千石を要求したらしい』

呆気《あっけ》にとられた。そんな石高を、たかだか一兵法者に過ぎない男にくれてやる伯父ではない。先述の北条氏長が、この宮本武蔵の仕官を支援していたらしいが、他ならぬ〝千石〟という尋常ならざる武蔵の要求が、氏長の全ての努力を無にしてしまった。

無茶苦茶である。本気で千石取りになりたいのか、それとも仕官が嫌で、わざと法外な要求をしているのか。どちらにせよ、光國からすれば桁外《けたはず》れの傾奇者である。

肝心の居場所については、

『品川の東海寺《とうかいじ》にいる。住職と既知の間柄らしい』

とのことである。

『将軍様の覚えのめでたい住職だが、一筋縄ではいかない人物だ』

僧たちと将軍家の古い確執については、光國もなんとなく聞き知っている。

光國がまだ幼かった頃のことだ。今は上皇である後水尾《ごみずのお》天皇が、仏僧たちに紫衣《しえ》を贈った際、幕府が天皇の独断を咎《とが》めたのだという。

後水尾天皇は幕府の横やりに激怒し、譲位して院政を敷くことを選んだ。仏僧たちも抗議したが、幕府は彼らを流罪《るざい》に処した。いわゆる〝紫衣事件〟である。

『そのとき処分された僧の一人に、沢庵宗彭《たくあんそうほう》という人物がいる。全国の武家や寺院、公《く》家《げ》にいたるまで、相当な影響力を持っているらしい』

と兄の手紙にはあった。紫衣事件に関わる幕府の閣僚たちの矛盾を鋭く指摘し、糾弾した苛烈《かれつ》な禅僧で、流罪者名簿の筆頭に挙げられた男だった。

そんな人物がなぜ今、住職でいられるのか。どうやら秀忠《ひでただ》亡き後、将軍家光が、彼らを弾圧するのではなく、和解や懐柔を選んだかららしい。配流されていた僧たちに恩赦を与えたのみならず、家光自身が進んで沢庵に帰依《きえ》し、品川に東海寺を建てる際にも何かと援助していた。

「寺か」

光國は顔をしかめた。父が寺嫌いのせいか、光國にも同じ傾向があった。寺が嫌いというより、僧と称する者たちが不快だったのである。

江戸の仏僧の大半が、修行など大してせず、ろくに仏門の学識もなく、檀家衆《だんかしゅう》から金を吸い上げ、酒池肉林を愉《たの》しむ生臭坊主どもだったからだ。

だが、先の事件の顚末《てんまつ》を考えれば、そうした僧たちとは違うらしい。まさか天皇から紫衣を賜る人物が、無学であるはずがなかった。

なんであれ正体も居場所も判明した。さらに次から次へと思いもよらなかった名がぞろぞろ出てくる。これで興味を持つなというほうが無理だった。

千石を要求する流浪の兵法者。幕府に逆らって配流の身となった僧。この組み合わせに惹《ひ》かれた。

(面白い)

兄へ御礼の返事をしたため、家臣の一人に届けるよう頼んだ。そして身支度を調えるや否や家人の目を盗んで邸を抜け出し、即日、品川へ向かっている。興味が湧けばまっしぐらに突き進むのが光國の性《さが》だ。馬場で金を払って馬を借り、驀進《ばくしん》した。

途中、馴染《なじ》みの居酒屋で、上等な酒とつまみを買った。土産である。手ぶらで訪れるより、そのほうが恰好《かっこう》が付くと考えてのことだ。頭の中では気の利いた口上を幾つか考えながら、目的の寺を目指して馬を駆った。

品川は正しくは江戸ではない。宿場町である。だが実際は江戸の遊里として機能していたし、繁盛していた。〝北の吉原〟に対し〝南の品川〟と言われるほどで、女郎の数だけでも千人近くいる。どの女も、岡場所などよりはるかに高額だった。海に近いことから、食品、衣服、建材その他あらゆる物流にも恵まれ、何より稼ぎ上手な船頭が多く訪れては散財した。

光國の遊び場所は、小石川邸が江戸北部にあることから、もっぱら浅草や千住、吉原である。品川には滅多に足を運ばなかった。そのせいで、いつもと違う緊張感があった。傾奇者《かぶきもの》たちはそれぞれ馴染みの場所を持つ。余所者《よそもの》が現れればすぐそれとわかる。

寺の場所はすぐにわかった。建てられてから五年ほどの新しい寺だ。その立派な門前の廏舎《きゅうしゃ》を借りて馬をつなぎ、敷地を横切りながら、己の出《い》で立ちを何度も確かめた。伊達《だて》に染めさせた木綿の小袖《こそで》に、びろうどの襟を立てた、狩りの衣裳《いしょう》たる〝鷹野《たかの》の装い〟と称する出で立ちである。色取り取りの糸を用いた脇差しの柄《つか》を真っ直ぐ前に出して〝つっこみ差し〟にし、拳《こぶし》を大きく振ってのし歩く。最近では御城に登る際も同様でいることが多く、光國の教育役としてつけられた家臣たちはその姿を見て身も世もなく嘆いた。

若い僧たちが光國の姿を見て、眉《まゆ》をひそめたり、ぎょっとなったりした。

玄関口で、年配の僧に来意を問われ、

「浅草の死人《しびと》。こちらに居られる宮本武蔵どのに、そうお告げ下され。すぐおわかりになるはず」

堂々とした振る舞いを崩さず、丁寧に口にした。口調まで乱暴であるよりも、むしろ慇懃《いんぎん》なほうが傾奇者として迫力が出ると考えていた。

僧はじろじろ光國を見ながら奥へ引っ込み、かなりの時間が経ってから戻ってきた。

「どうぞお入り下さい。住職様と宮本様が、お目通りをお許しになるとのことです」

むかっ腹が立った。侍に対して、お目通りとはなんだ。まるで大名のような態度だった。近頃は商人でも僧でも羽振りの良い者はこういう態度を取ることを、岡場所通いや居酒屋通いで知っていた。

「かたじけない」

むしろますます慇懃な言葉遣いをしつつ、ぎらぎらとした目で相手を見つめた。怒気をあらわにする虎のような若者を前にして、僧は少しばかり迷ったようだが、結局、何も言わず案内してくれた。光國の迫力に圧倒されたのではない。この寺にいる兵法者なら、この程度の若者をどうとでもしてくれると思っているのだろう。ますます面白くなかった。

僧の後について廊下を進むうち、中庭を挟んだ向こうの廊下を、ぞろぞろと集団が移動しているのを見た。武士の一団である。どいつも屈強な体格をしていた。

「宮本様のお弟子様たちです」

光國の視線を察して、僧が告げた。言外に、光國が狼藉《ろうぜき》を働けば彼らが殺到するぞと言っていた。あれほどの数の武士がいるとは想像もしていなかったが、光國は表情を変えることなく、ぞんざいにうなずき返している。そもそも喧嘩《けんか》を売りに来たわけではないが、内心では、さすがに計算外であることに舌打ちしていた。てっきりあの提灯を持っていた若い侍くらいしかいないだろうと思っていたのだ。これでは相手の気分次第で、いつ叩《たた》き出されるか知れなかった。

ほどなくして奥の間に辿《たど》り着き、

「いらっしゃいました」

僧が言って障子を開けた。

果たして、いた。

部屋の中央で、あの蓬髪《ほうはつ》の老兵法者が、巨大な紙に筆を走らせている。雪景色に、雁《かり》の絵を描いているところだった。右手ではなく、左手に筆を持っている。左利きなのだ。ただそれだけのことだが、この男がそうしている姿を見ると、一種異様な感じがした。

仰天するような紅蓮《ぐれん》の衣服ではなく、朱色の襟に、驚くほどすっきりとした柿渋色の衣を着ていた。これもまた意表を衝《つ》く傾奇者の衣裳と言えた。

絵には、浮き立ったり侘《わ》びを感じたりというのがなかった。絶無だった。研ぎ澄まされた危うさだけが、ひしひしと迫ってくる。こんなしろものが茶室に飾ってあったら、くつろぐどころではない。緊張で息が詰まるに違いなかった。

その傍らには、掛け軸にするための紙に、既に記し終えた書があった。それもこの男の手になる書と知れた。しかもその字がふるっている。

『戦』

この一文字である。背筋が寒くなるような冷徹な筆致だった。

宮本武蔵。男の名が、感じたこともないような畏怖《いふ》を伴って脳裏で明滅した。正直、部屋に入る前から、浅草にいたときと同じように、度肝を抜かれて凍りついてしまった。

部屋には男の他に、痩《や》せこけた住職と、浅草で見た、あの若い侍が端坐《たんざ》している。

住職の風貌《ふうぼう》と坐相《ざそう》にも驚かされた。喩《たと》えるなら、一個の刃だった。光國が父から与えられた銘刀をはるかにしのぐ鋭さをたたえた刃だ。

右目を金属の何かで覆い、紐《ひも》で頭に結わえ付けている。よく見ると小振りな刀の鍔《つば》だった。実際に見たことはないが、仙台藩の先代当主・政宗《まさむね》が、同じように潰《つぶ》れた目を刀の鍔で覆っていたという。

配流の際の過酷な生活で右目を失明したのだろう。瞬《まばた》きもせず老兵法者の筆さばきを見つめる左目の、深沈とした眼差《まなざ》しが、なんとなくそうだと告げている気がした。

若い侍のほうは空気のようにそこにいた。知性に満ちた目で老兵法者の筆を追い、兄とはまた違う、怜悧《れいり》な穏やかさに身をひたしている。父が学問のために邸《やしき》に招く神道家や儒学者たちとよく似た、おそろしく小難しいことを考え続けているであろう静かさだった。

その三人がいる部屋に、堂々と入るつもりだった。だができない。いつのまにか案内していた僧は姿を消している。開け放たれた障子のそばで、光國は、馬鹿みたいに立ちすくんだままだった。

やがて老兵法者が、ゆっくりと筆を置いた。部屋にいる三人とも絵から目を離さない。

まるで光國がそこにいることにすら気づいていないような様子だった。かと思うと、

「水戸家の御曹司《おんぞうし》が、何の用だ」

老兵法者が、いきなり言った。

得体の知れない獣が低く吠《ほ》えたような声音だった。

六

身分がばれている。一瞬、男が発する圧気もあいまって、ぞっとなった。だがそのせいでかえって肚《はら》は定まった。来る途中で考えた口上の一つが、ころりと口をついて出た。

「助太刀の礼に」

そう言って、両手の酒とつまみを掲げてみせた。

若い侍が、ぽかんとした顔でこちらを振り返った。

武蔵と沢庵は無言。どちらもまだ絵に目を向けている。と見るや、

「むふっ」

いきなり沢庵が噴き出した。しかつめらしい顔が、こうまで変貌するのかと光國のほうが仰天するような笑顔になっている。こんな笑顔をされては、目の前にいる相手は誰でも思わずつられて笑ってしまうだろう。右目を覆う金属の鍔さえ、どこか道化た印象に様変わりしていた。

証拠に武蔵までもが僅《わず》かに口もとをほころばせている。まさしく鬼も笑う福面だった。

光國は、あえてむっつり真面目な顔でいる。無宿人をよってたかって斬殺《ざんさつ》しようとしていたのは自分たちなのだ。とどめを刺してもらったことを〝助太刀〟などというのは、いかにも大げさだった。だが大げさに振る舞ってみせることも傾奇者の流儀である。光國は憮然《ぶぜん》としたまま、大股《おおまた》で部屋に入ると、武蔵からやや離れたところに、どさりと土産を置いた。本当は相手の眼前に突き出したかったが、何をされるかわからない気がして、それ以上近づけなかった。そのせいで妙に遠回りに相手に近づくことになり、まるで若い虎が、老熟した獣を警戒してうろうろするようだった。

「悪くない傾《かぶ》きぶりですな」

武蔵が言った。光國ではなく沢庵に向かってである。

「酒の味次第さ」

沢庵が懐を探り、大振りの茶碗《ちゃわん》を取り出した。

茶碗にふっと息を吹きかけて埃《ほこり》を払い、立ち上がって酒瓶に近づいた。また音もなく座ると、断りもせずに酒を茶碗に注ぎ、がぶりと飲んだ。

「うん。悪くない」

光國が呆《あき》れるほど、無造作な飲み方だった。おそらく茶も同じように喫するのだろう。茶の道に入れ込む武士たちが揃って嫉妬《しっと》するに違いない、美事に自然《じねん》の所作である。

「御坊、私の酒です」

今更のように武蔵が真顔で咎《とが》めた。

「下戸《げこ》のくせに、けちなことを言うな」

沢庵は知らん顔でさらに茶碗に注いでいる。

肝心の光國は突っ立ったままだ。座れとも言われない。あまりに所在がないので、その場にどかりと腰を下ろした。代わって若い侍がすっと立ち上がり、

「私が酒杯と膳《ぜん》をご用意しましょう」

ほとんど物音を立てぬ足取りで、部屋から出て行った。剣術か舞いか、あるいはその両方の修練の経験があるのか、いずれにせよ並大抵の腕前ではないことが、その足運びから見て取れた。

部屋に残されたのは、酒をがぶがぶ飲む沢庵と、一向に土産に興味を示す様子のない武蔵、そしてさっそく次の口上に詰まった光國の三人である。みな無言。光國は、途方もない緊張を覚えているような、それとは逆に、かつてなく心静かでいるような、ひどく曖昧《あいまい》で判然としない気分に襲われた。この二人とどう会話すればいいのかわからず、

「なんで、手を貸してくれた?」

ようやくそう話しかけた。

「うるさかったからだ」

武蔵の返答は身も蓋《ふた》もない。

「うるさいと人を殺すのか?」

むきになって質問を続けた。

「そういうときもある」

あまりうるさいと斬るぞと言われているようで、その殺伐とした風情に、光國は思わず見惚《みほ》れた。邸でも御城でも、こんな人間は見たことがない。

近いのは、今は亡き水戸藩附家老の、中山信吉くらいだ。中山は水戸領地を徳川家のものとすべく、在地郷士《ごうし》と血で血を洗う闘争を経験していた。

「妙なのに懐かれたのう」

沢庵が酒を飲みながら茶々を入れた。光國はむかっとなった。人を犬猫みたいに言うな。反射的にそう口にしかけたが沢庵に遮られた。

「よもや水戸家の御曹司とはの。無宿人相手に辻斬《つじ》り遊びか」

口調は穏やかだが、芯《しん》に厳しい叱責《しっせき》の念がこもっている。近頃は父に叱られても平然としている光國だが、後ろめたい気持ちを突かれて苦々しい気分で一杯になった。その気分をごまかすように、

「なんで、おれが水戸家とわかった？」

乱暴な調子で二人に訊《き》いた。あまりにこの二人と格差がありすぎて、丁寧なほうが迫力が出るなどと考えていた自分は、とっくにどこかへ引っ込んでしまっていた。

武蔵が懐を探り、きちんと綴《と》じた和紙の束を取り出すと、ぽいと光國の膝元《ひざもと》に放った。

手帖《てちょう》だ。それも、光國の手帖だった。詩や出会った人や美味《うま》い店、あるいはそのとき

どきの思いを書き綴《つづ》る、光國の生涯の癖となるしろものだった。

確か手帖のどこかの頁で、署名の際の手蹟《て》をいろいろと試した記憶がある。〝源光國〟と書いたり〝水戸徳川光國〟と書いたりした。どちらにせよ何者か丸わかりである。

中身を見られた。そう思って、わけもなく顔が赤くなった。

「どこで拾った？」

「あの翌朝、弟子たちに死者を運ばせたとき、みつけたと聞いた。お前のだろう」

武蔵はそう言いながら、絵に加えるべき手を思いついたか、再び筆を執り、

「梅の詩は、どれも悪くない」

呟《つぶや》くように言った。手帖にしたためた光國の詩のことだ。それから、ひょいひょいと雪原に並ぶ木々を描き添えた。武蔵の美事な手際に目を奪われつつ、光國は頬に血が上るのを覚えた。誉められたのか、けちをつけられたのかもわからない。

「拾ってくれたことに礼を言う」

習作の詩を見られた恥ずかしさを無理やり押し殺し、手帖を急いで懐に突っ込んだ。

「詩で天下を取るには、まだ修業が要る」

武蔵が筆を滑らせながら言った。

光國はぎょっとなった。詩で天下を取ろうなどと手帖に書いた覚えなどない。

だがそれが、この男の日常的な思考なのだろう。何をするにしても天下一を視野に入れる。それも夢見るのではなく、完全に現実的とみなす。あまりの驚きに実感が伴わず、

「どこに死体を運んだんだ？」

ひとまず光國は話を元に戻した。

武蔵は顎《あご》をしゃくった。どこというのではない。ここだった。この寺だ。

沢庵の左目が、じろりと光國を睨《にら》んだ。

「なんで、この気むつかしい男が、素直に絵を描いとると思う。無縁仏の供養代だ」

だから死体がなくなっていたのか。納得がいくとともに、今度こそ無性に恥ずかしくなって言葉を失った。殺した相手を弔いもせず放置した、情けない若造と見られているのだ。

そこへ、先ほどの若い侍が三人分の酒杯と、つまみを置くための盃《さら》を持って戻ってきた。

酒杯をおのおの前に置き、自分も端坐《たんざ》して、武蔵、自分、そして光國の順に注いだ。先ほど沢庵が武蔵を下戸と呼んだが、その通りらしく、武蔵の酒杯だけ舐《な》める程度の量しか注がなかった。

「お相伴にあずかります」

武蔵が頷《うなず》くのを待ってから、若い侍はひといきに酒杯を干した。端正な所作で、飲みっぷりが良い。

「確かに、美味《おい》しゅうございます」

そう言って、にっこり光國に笑いかけた。侍というより学者のような理知的な風貌《ふうぼう》で、笑うと目が細くなった。岡場所の女からは、さぞうけが良いだろうなと光國は思った。

「失礼だが、お主の名は？」

相手の丁寧さに引きずられるようにして尋ねると、

「これは失敬。私は、山鹿素行《やまがそこう》と申します。陸奥国《むつのくに》は会津《あいづ》の浪人です」

とのことである。歳は二十三だそうで、ずいぶん身なりがいい。それもそのはずで、

「北条氏長様や小幡景憲《おばたかげのり》様より軍学を、廣田坦斎《ひろだたんさい》様より神道を、林羅山《はやしらざん》様より朱子学を、学ばせて頂いております」

当代きっての有識者たちの門弟である。特に、林羅山は、二十三歳で徳川家康に抜擢《ばってき》された智者で、現在も幕府が擁する学者たちの筆頭である。そのような高名な師を持てば、おのずと山鹿自身も食い扶持《ぶち》には困らない。武家の子弟に学問を教えるだけでも、かなりの実入りになるだろう。

「宮本様と、沢庵様からは、お二人が見出《みいだ》された、最も新しい教えを賜っております。宮本様の〝五輪書〟と、沢庵様の〝剣禅一味〟の教えです」

山鹿が言い添えた。〝五輪書〟とは、武蔵が概略を著《しる》している最中の兵法書だという。

「宮本様が生涯をかけて学ばれたことを記される書。その校正を手伝わせて頂いています」

もう一方の〝剣禅一味〟のほうには光國も聞き覚えがあった。伯父《おじ》の尾張徳川義直が、尾張柳生《やぎゅう》から学んだのだ。剣術や軍学を、禅法と一体のものとするという、武術界で大

流行した思想である。その創始者が、目の前にいる瘦《や》せこけた老人であることに少なからず驚かされた。

「禅は好かない」

ぼそりと武蔵が言った。この岩石のような屈強な大男が、ちびちびと酔いを警戒するように酒を舐めている。伸び放題の髪と爪が、いっそうその仕草を、野生の獣じみたものに見せていた。

「お主のようになれん者が禅を学ぶ。何人《なんぴと》も、お主の剣を全て学びきることはできんよ」

さらりと沢庵が返す。こちらは水でも飲むように酒を体に流し込んでいる。

どちらも、途方もない年月をかけて見出したものと一体になっているのが見ていてわかる。だがそれがいったい何であるのか光國には片鱗《へんりん》すらわからない。

名だたる識者たちを師に持つ山鹿が、率先して頭《こうべ》を垂れ、教えを請うているのが武蔵と沢庵なのである。傾奇者《かぶきもの》の理想は、文武に秀でることにあるが、この二人の老人はその点で桁違《けたちが》いだった。

(化け物だ)

光國もようやく酒杯を口に運び、そこで初めて、自分の両腕に鳥肌が立っていることに気づいた。先ほどから、背から頭にかけて痺《しび》れるような戦慄《せんりつ》が走りっぱなしだった。

学問にしろ武道にしろ、今の光國からすれば山鹿にすら到底かなわないだろうことは短い会話からでも明白だった。こんな男たちと酒を飲んでいることが信じられなかった。父や伯父たち、あるいは将軍様と一緒にいるときですら、こんな気分になったことはない。

「当事者が現れたのだから、私のほうの供養代は、もういいでしょう」

そういえば、というように武蔵が言った。だが沢庵はきっぱりとそれを否定した。

「駄目だ。お主が冥土《めいど》へ送った死者であろうが」

「そこに、殺し損ねた子供がおりますが」

「けちけちせず、もう一枚か二枚、遺《のこ》して死んでゆかんか」

「御坊より先に逝きますかな」

「今生《こんじょう》の別れのために江戸に来たのであろうが。お前の絵も書も高く売れる。世の飢えた者を救うには銭が要る。せめてお前が殺《あや》めたのと同じ数の人を救って死ね」

武蔵は小さくうなずき、

「気が向けば」

大して気のなさそうに言った。

沢庵はやれやれというような顔でいる。そのくせその左目はひどく優しく武蔵を見ていた。どんな人間に対してもそういう眼差《まなざ》しで見るのだろう。たとえどれほど罪深い者でも、貴賤《きせん》の隔てなく、慈悲と厳しさの両方で接する住職であるように光國には思われた。

そしてまさに貴人の身分である光國に対しても、容赦なくその矛先を向けた。

「お前さん、暇だろう」

「えっ？」

いきなり決めつけられて、光國は酒杯を運ぶ手を止め、素《す》っ頓狂《とんきょう》な声を発した。

「退屈だから力が余る。明日から七日間、ここで働け。それが供養代だ。酒は毎日持って来なさい」

一方的に言いつけ、がぶりと酒を飲んだ。光國は呆気《あっけ》にとられている。

「なんで、おれが？」

つい聞き返してしまった。沢庵の左目が、ひたと光國を見据えた。圧気に満ちた眼力に、木剣で胸を突かれたような思いを味わった。

「将軍様に、この一件の次第をお聞かせしようかのう」

沢庵が怖い声で言った。将軍家光がこの住職に帰依《きえ》していることを、やっと思い出した。そんなことをされたら父の頭上を通り越して徳川一族全てに知れ渡ることになる。父の怒りは層倍になるだろう。下手をすれば水戸家の恥を雪《すす》ぐため、父は光國を斬りかねない。

その様を想像して顔が引きつった。完全にこの住職の言うがままだった。

汚いぞ、この漬け物じじい。相手のしなびた顔を見ながら心の中で悪態をつくのがやっとだった。たくあん漬けが、まさにこの住職が考え出したものであることを光國は知らなかった。

七

ふてくされた気分で邸《やしき》に戻り、自室で寝転がって手帖《てちょう》を開いた。
たちまち猛烈に腹が立った。いたるところに朱筆で添削がなされている。習作を勝手に見られたことでさえ胸がむかつくのに、いちいち詩句に『風趣悪し』だの『創意無し』だの書かれている。そればかりか、書きかけの詩句に、勝手に続きの句を考察されたりしていた。たとえば、

君が辺り　思う心の　通い路《じ》を

という詩句の後の空白に、

『雪、埋《うず》む』

などという思案が朱《あか》い字で書き足されているのである。恋しい相手が住む〝辺り〟を思い、心の中でのみ日夜通っている道、という恋の詩趣に対し、それを埋めて覆い隠してしまう雪、という句を持って来ようというのだ。実際、悪くなかった。いや、悪いどころではなかった。まさに当意と言えた。

恋心を歌った詩を、人にいじくられた気分の悪さを脇に置きさえすれば、これが素晴らしい添削であることは認めざるを得なかった。

つた。
なのは、どのように道が隠されてしまうかだ。詩趣の発揮しどころ、腕の見せどころだ
いう詩趣だ。道が隠される、という詩趣は和歌ではしばしば目にするものである。肝心
といった歌がある。想い人へ通ずる道を、どうか隠してしまわないでくれ、雲よ、と

雲な隠しそ　雨は降るとも

きみが辺り見つつも居《お》らん　生駒山《いこまやま》

万葉集にも、

「雪か」

思わず口に出して呟《つぶや》いてしまった。

ふと思いついて、朱筆のさらに脇に、『初雪』と記した。何かが、音を立ててはまっ
た気がした。父からもらった鳥撃ち銃で獲物を仕留めたときのような気分だ。

事実、このときは完成に至らないが、これよりしばらくのちの、ある冬の朝に、

君が辺り　思う心の　通い路を

降りな埋《うず》みそ　今朝の初雪

と詠んで家臣に贈っている。

これがきっかけとなって、急に朱筆の添削が気にならなくなってきた。思えば自分の
自由な詩趣を、真っ向から批評されたことなどない。むろん、傅役《もりやく》として光國につけら
れた父の家臣には、小野言員《おののときかず》のような文人もいる。だが、そうした教育係と、この添削

をした者とは、態度において画然と違った。

（詩で天下を取るには）

武蔵の言葉が卒然とよみがえった。天下。その二文字が突如として胸を熱くさせるのを覚えた。同時に、あの老兵法者には詩文の素養もあることが理解された。単なる手慰みではない。体系化された歌学を、しっかりと身につけているのだ。

和歌だけではない。漢文にも注釈や添削がされていた。さらには、光國が挑戦し始めたばかりの和文にも朱筆が入れられていた。

『梅は、詩も文も良し』

という評に、にたりとなった。

和文を書こうと思いついたときから、光國は一つの題材を抱えていた。梅にまつわる架空の出来事である。それも、他人の庭から梅の木を奪ってくるというものだ。

あるとき通りがかった家の庭に、美しい梅の花が咲いているのを見つける。どうしてもその梅が欲しくて、家の主人と交渉するが、にべもなく断られてしまう。花を求める思いは募り、やがてある雨の降る晩に、こっそりその家の庭に忍び込み、梅の木を根から掘り返して持ち出す。そしてその夜のうちに邸の片隅に運び、それを自らの手で植え直す――

梅は光國が生涯愛した花である。母・久子は、光國をみごもったとき庭に梅の種を植えた。己の誕生を意味する梅の木を、他者の庭から奪って来るという筋書きに、ひどく痛切なものを感じていた。

（なんで、おれなんだ）

梅の木を譲ることを拒む家の主人は、光國に世子の座を与えたものの、その理由は何一つ教えてくれなかった父やその家臣たちだった。梅を奪うことは、兄に対して自分がそうしたという思いのあらわれだった。雨の降る晩は、光國に諦《あきら》めをもたらす全てのもののあらわれだった。それでもその雨の中を真っ直ぐ憑《つ》かれたように進む己の姿に、多くの願望を投影していた。

一つ一つ理屈をつけて考え出したわけではない。ただ自然と、梅の花という存在を中心に、己の心が語り始めるのを感じたまでだった。その一切を書き綴《つづ》ることに、熱に浮かされたような喜びを感じていた。まだまだ断片的な下書きしかないが、完成した暁には、

『梅花記』

そういう題をつけるつもりだった。自分の心のあらわれであるその和文に、どんな朱筆が入れられているか見たくなって、紙をめくる手が速まった。果たして、あった。ただし評ではない。一言、

『京人《きょうびと》に評を請う』

と記されていた。

これで武蔵がどこで歌を学んだかわかった。京都である。まさに和歌の本場であり、

朝廷を筆頭とする日本文化の中心だった。

己の詩を、京人に見せて評を請う。それも、朝廷に出入りするような生粋《きっすい》の文化人を対象としているのは明らかだった。想像するだけで、どしりと肚《はら》に重いものを感じた。単に評価をもらうのではない。和歌随筆の本家本元に挑めと言っていた。

この上なく合理的で、この上なく傍若無人だった。あの老兵法者が流浪の身で居続け、養子が家老にまで昇り詰めた理由もわかる。こんな考え方をしてのける人間は、どうしたって世間の枠組みからはみ出る。大名からすれば、いつ自分に刃向かうかわからない相手だ。家臣として召し抱えても、この男についていける人間は限られている。一軍の将には向かず、一兵の身に甘んじる男でもない。

この泰平の世で、いまだに下克上《げこくじょう》の世を生きるようなものだ。完全に時代とずれていた。その上、無視するにはあまりに特異で、結果、つかず離れずの関係ができあがる。武蔵を仕えさせることは無理だが、その養子を仕えさせて、そのつど武蔵との関係を柔軟なものにしていくしかない。

誰も御《ぎょ》することがかなわない一頭の獣のような男だった。武蔵の度を超した派手な衣《い》裳《しょう》には、兵法者の常として、自己を宣伝する意味もあるだろう。だがそれ以上に、どこまでも世間と相容《あいい》れない鬱屈《うっくつ》が、ああいう姿として炸裂《さくれつ》しているように思えた。

まさに本物の傾奇者だ。なんという男と遭遇してしまったのか。一種呆然《ぼうぜん》としているところへ、ふいに室外から小姓が声をかけてきた。

「殿がお呼びです。宴にご同席されることを望んでおられます。どうなさいますか」

「行くと伝えてくれ」

断れば小言や叱責《しっせき》が待っているだけだった。それに、東海寺の銭亀《ぜにがめ》じみた住職がどう出るかわからないのだから、なるべく父の機嫌を取っておいたほうが得策である。

さっさと身支度を調え、宴席に向かった。部屋の入り口で膝《ひざ》をつき、

「子龍、参りましてございます」

頭を下げ、丁寧に口にした。名もあえて幼名を使った。傾《かぶ》いた気分のときは、もっと乱暴な態度をとるのだが、今日はとことんしおらしく、存在感を出さないことに決めていた。どうせそのほうが、退屈な宴席から早めに退出することができる。できれば早く自室に戻り、朱筆の添削と、新たな詩想や創意と向き合いたかった。

「来い。お前も話を聞いておけ」

父が言った。顔を上げると、父やその家臣たちとすっかり懇意となった佐賀《さが》藩の家老たちに加えて、紀伊徳川家のほうの伯父《おじ》である頼宣《よりのぶ》が家臣とともに座っていた。みな酒が進んでいる様子だが、くつろいでいるという感じではなかった。むしろ異様なほど緊迫した熱気に満ちている。

まさかさっそくあの住職が一件をばらしたのか。そう警戒しつつ、己の座席につくと、

「戦になるやもしれぬ」

だしぬけに父が言った。

「……戦、ですか？」

目をみはって父を見返した。父をはじめ大人たちは誰も笑わない。とすると父の下手な冗談ではない。だが、どこで戦が起こるのか。脳裏で幾つも名が思い浮かんだ。加賀《かが》前田、伊達《だて》、毛利《もうり》、島津《しまづ》……どれも現実味がない。御城で顔を見る大名たちの誰も、江戸幕府に叛旗《はんき》を翻すとは思えなかった。

「明国《みん》が滅ぶ」

と告げたのは伯父の頼宣だ。

「明？」

みはったままの目が痛くなって、ぱちぱち瞬きした。いったい何の冗談か。本当についていけなくなった。中国大陸を支配する巨大な国が明ではなかったか。豊臣秀吉が万軍に海を渡らせ、攻め入らせても、微動だにしなかった国ではないか。

「清《しん》と名乗る国が勃興《ぼっこう》しつつあります」

佐賀藩の者が言った。この藩は長崎奉行を任されていることから海外情勢に長《た》けていた。

「その兵、勁烈《けいれつ》にして明国の兵を駆逐しつつあると聞きます。明国は首都を移して抗戦することを決めましたが、勢力挽回《ばんかい》には至らないでしょう。亡国は時間の問題かと」

とんでもない話だった。日本が泰平の世を迎えたこのとき、中国大陸の巨大国家が危機に瀕《ひん》している。わけもわからず光國の血が昂《たか》ぶった。そしてさらに伯父の頼宣が、こんなことを言った。

「明は、我ら日の本の兵に義援を求めているそうだ」

「義援」

その言葉を繰り返しながら、光國の脳裏で、戦装束《いくさ》をまとった自分が、船に乗って中国へ向かうさまが克明に想像された。どきどきした。この自分がついに戦を経験する。そう思うだけで興奮でどうにかなってしまいそうだった。

父も頼宣も同じらしい。頼宣は大きくうなずき、

「将軍家と、尾張の兄者《あにじゃ》がどうお考えになっているかわからぬが……わしと頼房は、義援のため兵を率いること、やぶさかではないと考えている」

さすが父の兄だと思えるような、にやりと獰猛《どうもう》な笑みを浮かべてみせた。

「私もお供させて下さい」

即、光國は言った。大人たちが心地良さそうに笑った。

「さすがは天下の副将軍の血筋。勇猛ですな」

佐賀藩の者が嬉《うれ》しげに言う。〝副将軍〟などという職名は存在しないが、なんとなく水戸藩主のことを、そう呼ぶようになっていた。尾張や紀伊に連なるには、石高が低く、官位も低い。そのくせ、江戸を守護する上では北方に対し重要な地理に配置され、戦時には膨大な犠牲者を出すことが明白なのである。そうしたことから、水戸の存在意義は何より戦にあるとされた。有事の際は将軍の代理として先頭に立ち、旗本衆に下知《げち》する

〝副将軍〟であるという風潮が定まりつつあったのである。

頼宣も、ここにはいないもう一人の伯父である義直も、そうした水戸の事情を知っているから、頼房が〝副将軍〟と呼ばれることをさして嫌がりはしない。

父はまんざらでもなさそうに、

「供をさせる前に、一つ訊《き》く。もし、戦場で、わしが倒れたらなんとする？」

これにも即座に光國は答えている。

「父上の屍《しかばね》を踏み越えて戦います」

いつもしかつめらしい顔を崩さぬ父が、呵々《かか》大笑した。みな楽しそうに笑っている。

「そうだ。それが武士だ」

父も伯父もそう言ってくれた。光國も嬉しくなって笑った。そうしながら、ふと、あることに気づいていた。父も戦場を知らないのだ。父だけではない。伯父の頼宣や義直も。将軍家光ですら戦陣の中に身を置いたことはなかった。全国の大名たちも、今や戦時を経験した者のほうが少なくなっている。父も伯父たちも、みな、武将としての器量をもてあましながら泰平の世に甘んじていた。

（戦か）

漠然と、戦国の世の再来を夢想した。たちまち気分が昂揚《こうよう》した。それだけではない。心の底にわだかまっているものが、すっと薄らいだ。それが何であるか、このときはわからなかった。ただ、

（おれは武士なのだ）

そのことを全身で実感し、たまらなく良い気分だった。

八

沢庵に命じられた通り、翌日から寺通いが始まった。我ながらなんでこうまで人の言いなりになるのか不思議になるほど、律儀に、唯々諾々と従った。

「まだここが浄《きよ》められていませんよ」

最初に寺を訪れたとき玄関先で案内してくれた年配の僧が、いやみったらしく廊下の隅を指さす。光國は内心でむかつき罵《のの》りながらも、何も言わず雑巾《ぞうきん》で指さされた箇所を拭《ぬぐ》った。ほとんど意地だけでやっていた。調子にのるなよクソ坊主ども。見てろ、お前らが驚くほどぴかぴかにしてやる。ある意味、この上なく真っ直ぐな気持ちで、命じられた仕事をこなしていった。掃除だけでなく、薪《まき》の扱い、廏《うまや》の用意、屋根の修理までやらされた。

驚くことに沢庵をはじめとして東海寺の僧たちは全員、なんでもできた。料理も裁縫も大工仕事も、てきぱきとこなす。後年の光國はそれに輪をかけて、鞍《くら》の修繕や障子の張り替えまで自分でやる大名として珍しがられることになるのだが、このときはまだ何も知らない若者である。育ちの良い無知の御曹司《おんぞうし》と見られるのが嫌だったから、知らないことはずけずけ訊いて吸収に努めた。もともと光國は人一倍旺盛《おうせい》な好奇心の持ち主である。だいたいの基礎くらいは、なんであれ、たちどころに覚えた。

何日も立て続けに同じ時刻に出かければ家人に怪しまれるが、これについては沢庵が、いつの間にか手回ししてくれていた。例の山鹿素行が師事する林羅山の講義を、光國が聴きに行っているという噂を流してくれたのである。この噂を聞いた傅役《もりやく》たちは、光國がついに行状を改めたと解釈し、歓喜のあまり神仏に感謝を捧《ささ》げ、にやにやでれでれした顔で、光國の外出を黙認するようになった。

光國が汗みずくで働くのをよそに、沢庵と武蔵はもっぱら来客の相手をしていた。そうでなければ沢庵も武蔵も、それぞれ招かれて出かけていった。二人と話をしたがる者は貴賤《きせん》の別なく多数にのぼり、確かにちょっとした大名並みの忙しさだった。

五日目、調理場に薪を積み終えたとき、何人かの坊主がうどんを打っているのを見た。叩《たた》いてこねて打つ作業を見ているうち、自分もやりたくなってきた。

「おれにもやらせてくれ」

偉そうな顔をして調理場に入っていき、坊主どもに交じってやってみた。うどんは普通、祭事ででもなければ口に出来ない食べ物だ。そこらの屋台に行けばいつでも食べられるのは江戸や大坂くらいのものである。水戸にいたときは滅多に食えない食品だったこともあり、麺《めん》打ちには興味があった。打ち方が見たくて、江戸中の店を巡って職人たちの技を見物していたこともある。

包丁で綺麗《きれい》に揃えて切り、見よう見まねで茹《ゆ》でると、

「大したお手並みです」

「こりゃ美味《うま》そうな」

坊主たちに誉められるので、なんだか嬉しくなった。

「ご住職には、おれが運ぼう」

調子に乗って椀《わん》まで用意し、盆に載せて、いそいそ運んだりした。

部屋に行くと、またぞろ武蔵が絵を描き、それを沢庵と山鹿が見ているという図に出くわした。ただし今回は、武蔵もあまり〝その気〟ではないらしく、寝転がって肘《ひじ》を突き、右手に頭を乗せた状態で、紙を斜めに見ながら左手だけでさらさら描いている。いかにも全身で〝面倒臭い〟と訴えている。そのくせ、描かれたものは抜群の輝きを放っていた。それも、殺気に満ちた輝きである。

一羽の鶻《はやぶさ》の絵だった。獲物を見つけた瞬間の、爛々《らんらん》と見開かれた両眼や、今まさに展《ひろ》げんとする両翼、飛び立つべく岩を蹴《け》るかぎ爪に、ぞっとするほど冷酷な〝殺意〟が表れていた。しかも飛び立つ岩のあちこちには、鶻が以前に貪《むさぼ》り食ったのだろう、千切れた雁《かり》や鷗《かもめ》の首が並んでいた。仕留められた獲物の体は跡形もなく、代わりに鶻の雛《ひな》たちが、残った肉片をついばんでいる。

「あんたの想像か？」

思わず訊いた。武蔵がちらりとこちらを見た。

「鶻は捕らえた獲物の首を食い千切って、とどめを刺す。殺した相手の首は嫌いらしい。巣から見えないよう、蹴って遠ざける。千切れた首が幾つも同じ場所に溜《た》まっているのを、よく見かけた」

「本当に見たんだ」

ぽつんと呟《つぶや》いた。それこそが、自分とこの老兵法者の最大の違いだった。自分だけではない。父や伯父《おじ》もそうだ。この老兵法者は、戦を見たことがある。実際に幾たびもの斬り合いを経験したのだ。

「さっさと置け。せっかくのうどんが冷める」

沢庵に言われてやっと絵を凝視するのをやめて盆を置いた。三人がめいめいに椀を取って麺をすすり、光國も自分の分を食いながら、

「戦が始まるかもしれない」

どういう反応が来るか見たくて言った。

「明国か」

さすが沢庵だった。もう聞き知っているのだ。光國は、この老住職もまた、戦国の終《しゅう》焉《えん》を見届けた人物であることを改めて実感させられた。だが、

「他国の戦だ。日本が手を出す理由はない」

沢庵はにべもなく言った。

「明が義援を求めてるんだ」

「戦に参加したとしても恩賞は出ないでしょう」

山鹿が穏やかに口を挟む。

「なんでだ」

「中国では、武将が自ら帝《みかど》に即位します。日本では、徳川幕府はあっても、徳川朝廷はありえない」

その怜悧《れいり》な物言いが、いささか気に障った。山鹿を睨《にら》みつけ、鋭く言った。

「だからなんだ」

山鹿は少しも物怖《ものお》じせず、

「清国は新たな帝を立てました。もう明国の皇族には、日本の武将に恩賞として与えられる土地も財産もほとんどありませんし、領民に日本の武将を受け入れるよう命令する力もないでしょう」

「清は逆賊だぞ」

「いえ。それが清国の巧みな点のようです。私が聞く限りでは、明の皇帝を滅ぼしたのは、同じ明の武将だそうです」

「なんだって？」

「そもそも明国に義援を請われ、その逆賊たる武将を誅《ちゅう》したのが清国です。そののち清国は前皇帝の陵墓を称《たた》え、明国の後継者たることを宣言し、民もこれを迎え入れたそうです」

「なら簒奪者《さんだつしゃ》だ。出来たばかりの国なら、攻めやすいはずだ。明に力がないというなら、それだけ日本が自由に土地を奪うことができる」

「そうして日本は、清国からは賊と呼ばれ、明国からは侵略者と呼ばれるわけです」

「む……」

「朝鮮の王国は日本を支援せず、立場上、清国の皇帝と、明国の残党、その両方とつかず離れずの関係を保つでしょう。日本だけが孤立し、四面楚歌《そか》になりかねません」

理路整然とし過ぎていて、光國はだんだんむかついてきた。まるで一つの国が、一個の人格を持った人間であり、誰にでも簡単にその動向を判断できるかのような物言いだった。国というのは、もっと不確定でどうなるかわからない巨大な生き物のようなものだ。そのことは幕政や藩政に尽力する父や家臣たちを見て学んでいるし、光國も肌で感じている。

「ですが」

と、ふいに山鹿が調子を変えた。

「一つだけ、日本が堂々と清国と戦う道があります」

「なんだ」

「清が、朝鮮ないしは日本に攻め入るならば、この私も、一兵として戦いに赴くでしょう」

それまでの怜悧さが嘘のように言葉が熱を帯びていた。さながら燧石《ひうちいし》が発する火花である。自然と周囲に熱を広げ、集団をめらめらと燃え上がらせる力を持った言葉だ。

光國はにやりとなった。この山鹿もまた、論理で計算しつつも、内心では武士として の気概を刺激され、自分が戦場に立つことを夢想し、熱気を抱えているのだ。

「美味いな」

ふいに武蔵が言った。光國と山鹿の熱意など知らん顔で、うどんをすすっている。

「善哉《ぜんざい》、善哉」

沢庵も同意した。年の割には頑丈な歯で、

「こしがあるわい」

もぐもぐと丁寧に味わって食っている。歯みがきは、もっぱら僧と武士の習慣で、農民や商人たちに比べ、老齢でも歯が丈夫な者が多かった。

「お前さんが打ったのか？」

沢庵が訊《き》いた。光國は反射的にうなずいた。

「腕に自信があると見える。確かに美味い。よし、檀家衆《だんか》に振る舞う分もお前が打て」

「今日の仕事は終わったぞ」

誉められてまんざらではなかったが、さすがにそれだけの数を打つのは骨が折れた。

「進んで行う姿勢がなければ、供養も何もないわ。五日間も無駄にしおって」

沢庵が食い終わったうどんの椀に、光國が持ってきた今日の分の酒を注いだ。

さすがに腹が立った。弱みを握られたとはいえ、調子に乗ってこき使われてはたまらなかった。

「無駄？　どれだけ働いたと思ってるんだ。掃除もやった。薪《まき》も運んだ。庭木も刈った」

「そのくせ、起こりもせん戦のことなど考えとる。名も知らぬ者を殺《あや》めることに何の疑いもない」

「戦に備えるのが武士だぞ」

「お前さんに備えられるのは具足だけだ。心はどこにもない」

まさに侮辱だった。光國はそう信じた。怒気を発して、虎が唸《うな》るように言い返した。

「いつでも戦場で死ぬ覚悟だ。おれも家臣たちも日々の鍛錬に怠りはない」

これは真実だった。剣と馬をはじめ、弓、銃、槍《やり》、水練に至るまで欠かしたことはない。兵法書も読破した。父や傅役《もりやく》からは傾《かぶ》いた行為は咎《とが》められても、怠惰を咎められたことは一度もなかった。

「なら、死ね」

低く武蔵が言った。光國が発する怒気など、一発で吹っ飛ばす迫力である。光國のみならず山鹿も息を呑《の》んだ。だが武蔵はたった今、己が発した言葉など忘れたかのように、

「打ち方はいいが、切り方が甘い」

うどんの麺《めん》を一筋、箸《はし》でつまんで持ち上げてみせた。

「ふむ、確かに」

沢庵も調子を合わせている。

「切り方を教えてやる」

いきなり武蔵が光國に箸を向け、

「何を……」

有無を言わせず、光國の額に、ぺたりと麵をはり付けた。冗談にしては度が過ぎた。こんな屈辱を味わったのは生まれて初めてである。怒り心頭に発したが、

「動くな」

先ほどの層倍の迫力で、武蔵が告げた。情けないことに、その一言で光國の体が凍りついた。さらに武蔵が、脇差しを手にとって素早く鞘《さや》を払うのを見て、肝まで冷えた。凄《すさ》まじい一閃《いっせん》が来た。剣風だけで失神するかと思うような一撃である。光國は自分の頭が、縦に真っ二つにされたと信じた。

武蔵が脇差しを鞘に戻し、脇に置いた。それから椀《わん》と箸を取り、残りのうどんをすすり始めた。

その間も光國は動けない。やがて、額からぽとりと麵が落ちた。一つではなく二つになっている。それを拾う手が震えていた。額にはまったく傷がついていない。額にはり付いた麵だけ、僅《わず》かな剣尖《けんせん》で綺麗《きれい》に斬り裂いたのである。信じられなかった。まさに神業だった。山鹿も初めて見たのか、目をまん丸にして真っ二つになった麵を見ている。

「かような鍛錬を積んだところで、果たし合いでは後れを取り、合戦では手傷を負うこ

とがある」

沢庵が言った。

武蔵は食い終わった椀に、酒ではなく茶を注いでいる。

ふと光國は、武蔵が左脚を引きずるようにして歩く理由を察した。真っ二つになった麺を、ぱくりと食った。手も咽《のど》もまだ震えていたが、何とか飲み込んだ。

「脚をやられたのは、果たし合いかい？　合戦かい？」

意地で浮かべた笑みとともに訊いた。どうにか声だけは震えずに済んだ。

「島原」

武蔵は短く答えて茶をすすった。島原の乱である。それが、戦国を知る者、知らぬ者、どちらにとっても最後の戦場だった。

「合戦のことを教えてくれよ」

「大して知らん」

「でも、合戦の場にいたんだろ」

「お前が合戦に出ても役には立たん。死ぬなら、今、死んでおいたほうがいい」

「合戦で死んでも同じだ」

「今なら満足に弔ってもらえる。合戦の場では、首がどこに行ったかわからなくなることがある。首探しに必死になり、結局、違う者の首を代わりにしたりする」

そんなことは考えたことがなかった。ますます自分が戦場を知らないことに悔しさを覚えた。この戦鬼のような男が、なぜ自分に同意してくれないのか不思議で仕方なかった。

「あんただって、また戦国の世になればいいと思ってるんだろう」

つい、すがるような言い方になった。武蔵は果たして、ゆっくりとうなずいた。その仕草を、このときの光國は惜寂の念と解釈した。世の戦が終焉《しゅうえん》したことを惜しんでいると信じて疑わなかった。

そらみろ。やっと同意をつかんだことが嬉《うれ》しかった。この男だって、清国との合戦が始まればいいと思ってるんだ。だが武蔵は、そこで変なことを言った。

「ネズミを飼ってみろ」

「……なんだって？」

「樽《たる》に、つがいのネズミを何匹か入れて、飼え。それで、お前の言う戦国の世を知ることができる」

それが、この男独特の修練の方法なのだと光國は信じた。武蔵の特異さの一つが、並外れた観察眼の鋭さであることは、その絵を見ればわかる。この男は禽獣《きんじゅう》からでさえ、戦いのすべを学び取る。光國もそういうふうになりたかった。

「わかった」

光國は莞爾《かんじ》としてうなずいた。

「残り二日も、無駄かのう」

沢庵が酒を食らいながら、そっと溜息《ためいき》をついた。

九

「ネズミ？」

兄が怪訝《けげん》そうに聞き返した。

「そうだ。確かにそう言っていた」

光國は自信満々でいる。兄の邸《やしき》の茶室にいた。

寺通いを終えた翌々日、御礼がてら兄を訪れていた。兄は政務の合間の短い時間を使って会ってくれた。供養代のため寺に通っていることは手紙で教えていたが、あの老兵法者が教えてくれたことについては直接話したかった。

「戦国の世を知る、か。古兵《ふるつわもの》の言葉だ。ないがしろには出来ないな」

兄も俄然《がぜん》、興味を持ってくれた。

「だろう？」

光國も嬉しくなった。戦場を知る者から授かった知恵である。是非にも兄と共有したかった。

「よし、やってみよう」

さっそく兄が小姓に命じて用意させた。

草履《ぞうり》取りの長屋の裏手に空の樽を置かせ、中に、庭や調理場で見つけてきたネズミを、雌雄三匹ずつ放り込み、古米など餌を与えた。兄の小姓たちも興味津々で、そのましばらく見ていたが、何も起こらない。六匹とも仲良く餌を食《は》んでいるだけだ。

「飼え、ということは、しばらく様子を見ろということだろう」

兄が言った。茶室に戻り、

「それで、寺にはもう行かないのか？」

と訊《き》いてきた。

「仕事はないとさ」

光國は、むすっとなっている。というのも、六日目には掃除に加えて馬鹿げた数のどんを打たされ、七日目もたっぷり働かされたにもかかわらず、これで終わりだとも何とも言われなかった。そのため八日目もなんとなくそのまま酒を手土産に寺へ行ったのだが、

「七日を無駄にしたお前さんに、仕事はないよ」

沢庵にそんなことを言われたのである。供養代の分を働いたことを労《ねぎら》われるでもない。光國からすれば何がなんだかわからない。馬鹿にされた気分だった。

「無駄とはなんだ。とんでもなく働かせやがったくせに」

「無駄、か」

兄は何やら考え深げに呟《つぶや》いている。

「馬鹿にしてやがる。勝手に上がり込んで、坊主どもと一緒に働いてやろうかと思ったよ」

我ながら変だと思うが、そういう心持ちだった。労働をしいられた挙げ句、その全部を無駄と断定され、何もすることがなくなったのである。本心では、沢庵や武蔵と、もっと話をしたかった。合戦について教えて欲しかったし、そうでなくても、ただ接するだけで今までと違う刺激があった。

「なるほど。確かに、そうするべきかもしれない」

兄が釈然としたように言った。

「なんだって？」

「寺に行って勝手に働いてみろ。そうすれば、きっとその住職も、わけを教えてくれる」

ますますわけがわからない。だが兄が言うなら、そうなのだろうと信じた。

そういうわけで、さっそく、翌朝に寺に行ってみた。いつもは昼に訪れていたが、すっかり顔なじみになった坊主どもと一緒に、昼前から掃除をしたり焚《た》き付けをしたりした。

沢庵も光國がいることに気づいているが、何も言ってこない。武蔵は、本格的に絵筆を持つことに気が向かなくなったか、来客も全て断り、庭の木陰で居眠りをしている。

どちらも何も言ってくれない。光國は意地になって働き、ふらふらになって邸に戻った。翌朝も目が覚めるなり、むしゃくしゃした気分に襲われ、さっさと朝飯を済ませて品川へ向かった。

門前に着いて驚いた。沢庵が立っていたのである。他の客ではなく光國を待ち構えていたのは明白だった。というのも、光國の姿を見るなり、

「ついてきなさい」

いやに重々しい調子で言って、寺の裏手へ向かったからだ。

裏手は墓地だった。その一角で沢庵が立ち止まった。桶《おけ》と、わらを束ねた束子《たわし》が置かれていた。

「本当なら、七日目にお前さんに与えていた仕事だ」

そう言って沢庵は、無造作に並べられ、積み重ねられた石の群れを指さした。

おびただしい数である。全て無縁仏の墓石だった。その数に光國は目をみはった。とても数え切れない。中には苔《こけ》むして幾つもの石がひとかたまりのようになってしまったものもある。

「潔白ならば身の苦しみは大したことがない。身外の苦しみは些末《さまつ》なことだ。後悔は身中に生まれて逃れようがない。どちらが苦で、どちらが楽か。選ぶのはその者自身だ」

沢庵が告げた。それがこの老僧の揺るがぬ信念なのだろう。幕府に抗して流罪《るざい》となり、貧苦の中で片方の目を失ったとしても、いや、あるいはそのまま朽ち果てていたとしても、この老僧にとって大したことはないのだ。一切の後悔なく死ぬこと。それが出来る

かどうかが問題だった。

「嫌ならここにはもう来るな。やる気なら、好きなだけ墓石を浄《きよ》めろ」

言うだけ言って沢庵はくるりと背を向け、行ってしまった。

一人残された光國は、墓場の前で呆然《ぼうぜん》としている。とても全て浄められるものではない。つまり、それだけ無縁のまま死んだ者がいるということだ。そもそも寺が無縁仏として弔うには限界がある。江戸全域で無縁死した人間の数は、この何十倍にものぼるはずだった。

しばらくその場に立ちつくしていたが、やがて気持ちが定まった。とうとうあの住職が最後の仕事を口にしたのだ。意地でも成し遂げてみせねば気が済まなかった。

腰の大小を墓地の入り口に置き、袖《そで》をたすきがけにした。それから束子と桶を手に、石の群れの中に大股《おおまた》で踏み込んでいった。

手始めに目の前の石を洗った。苔をすっかり落とし、次を洗う。いつ終わるか知れぬ作業である。寺の裏手にいるため、門前町の賑《にぎ》わいの声も届かない。聞こえるのは風と自分の息づかいのみだった。風が葉を揺らす音が、死者のささやきに思えてくる。まるで賽《さい》の河原にいる気分だった。

（進んで行う姿勢がなければ、供養も何もないわ）

急に沢庵の言葉がよみがえった。その意味が突然わかった気がした。

（起こりもせん戦のことなど考えとる。名も知らぬ者を殺《あや》めることに何の疑いもない）

石を次々に浄めるうち、真新しい墓石に行き当たった。つい最近、ここに葬られた者がいるのだ。

（お助け下さい！　お助け下さい！）

その苔一つない石の向こうから、あの無宿人の絶叫が聞こえてくるようだった。

本当にそうなのかはわからない。他にも新しい石は幾つもあった。だがなんとなく、間違いない気がした。

ひたすら石を浄め続けたせいで汗みずくだった。束子を握る手がじんじんする。だがそれ以上に、あのとき刀を握っていた記憶がよみがえり、両手に熱を覚えた。血の熱さだった。己が斬り裂いた、生きた人間の血肉の熱さだった。

光國は束子を桶の中に落とし、石の前に膝《ひざ》をついた。手を合わせて拝むことは出来なかった。神仏をありがたがる気持ちなど金輪際ない。そんな自分が拝んでも、かえって死者の供養の邪魔になる。そう思った。だからただ両膝に手を置き、じっと石を見つめた。

「ごめんなさい」

ころんと言葉が転がり出た。風が梢《こずえ》を揺らした。死者が、許さない、と告げている気がした。たまらなかった。

思えば武蔵も沢庵も、人を殺したことを一切咎《とが》めなかった。合戦を何百年も続けてきたこの国では、人を殺すことを悪と断定したところで、何の解決にもならない。人殺しが悪なのはわかりきっている。なぜ殺さねばならないかが問題だった。本当に殺さねばならないのか、問い続けるべきだった。殺さずに済む世の中を、どのようにして創り上げるかが、戦国の世を終焉《しゅうえん》させた人々の命題だった。

そんなことは知っていた。古参の家臣たちからは、徳川幕府の存在意義が〝泰平〟にあることを、くどいほど聞かされていた。書を読めば、戦乱で疲弊した国がどのようにして滅ぶか詳細に書かれている。孔子《こうし》は戦を拒み、流浪の身となることを選んだ。孫子《そんし》は兵法を記してのち、孔子の礼学を求めた。戦うすべを磨く者ほど、無用な戦いを避けることを第一とするのが常だった。

わかったふりをして、何もわかっていない若造が、殺さなくていい人間を殺した——

「お前は、わしに似ている」

いきなり声がした。

ぎょっとなって振り返ると、武蔵がいた。初めて見たときと同じ、燃え上がるような紅蓮《ぐれん》の衣裳《いしょう》だった。その手に握った黒い杖《つえ》が、いきなり振るわれた。

座った姿勢から、瞬時に飛び退いてかわせたのは、光國の天性の素質のあらわれである。続けてなぎ払われた一撃も、素早く後方へ足を運んだお陰で、胸元をかすめただけで済んだ。大小の墓石が無秩序に並んだ、劣悪な足場で美事にそうしてのけられたのも、父に仕える武芸の達者たちから、さんざん稽古《けいこ》をつけられてきた賜物《たまもの》だ。

しかしそれでも逃げ切ることはできなかった。次の瞬間、武蔵の体が巨大な雲海のように迫ったかと思うと、ついで全てが真っ暗になった。いつの間にか仰《あおむ》向けに倒され、のしかかられて陽射しを遮られたからだ。そう頭は理解しているが、心は違った。武蔵の身中から、得体の知れない暗黒が噴き出し、自分をすっぽり覆ってしまったのだと信じた。

叫んだ。悲鳴か憤激の声かわからないが、とにかく叫んだはずだった。だが、まったく声が出ない。顔と咽《のど》を、のしかかった武蔵の左膝に、しっかり押さえつけられていた。まるきり獣に捕らえられた獲物の恰好《かっこう》だった。光國は完全に抵抗するすべを奪われた。そのくせ目だけは、こちらを覗《のぞ》き込む相手の表情を間近でとらえることが出来ている。自分を覆う暗黒の中で、武蔵の顔だけが浮かび上がって覗き込んでいるかのようだった。

こんな恐怖は、父に命じられて死者の満ちる川を泳がされて以来だった。いや、あのときは死への覚悟に満たされていた。こんな不意打ちを食らって、どんな覚悟を抱けというのか。光國は恐慌に襲われ、ぶざまに藻《も》掻《が》いた。そんな自分が、まさしく泣いて逃げまどっていたあの無宿人と何も変わらないことを心のどこかが理解していた。

「苦しまずに死なせてやるなら、缺盆《けつぼん》がいい」

武蔵が言った。いつの間にか脇差しが抜かれ、その刃がぎらぎら輝いていた。そしてなんと、その切っ先が、光國の鎖骨の上に当てられた。

ぷつり。本当に刺した。刃が皮膚を貫いて肉に食い込む感触に仰天し、いっそうの恐慌をきたした。

（殺される！）

刺された場所から血がこぼれ出すのがわかった。力の限り暴れ、足で蹴《け》ろうとし、相手の服や体を引っ掻いたりつかんだりした。全て無駄だった。

「このまま深く刺せば、心の臓、肺の腑《ふ》、胃の腑を同時に貫ける。肺が血で満たされれば人は息をすることができない。瞬く間に死ぬ。死んだ後も、傷は残らず、綺麗《きれい》なままだ。首を落としたり、八つ裂きにしたりするより、ずっといい」

武蔵は淡々と説明しながら、ついでもう片方の缺盆に刃を当て、ぷつっと刺した。既に刺された箇所は、深く斬り抉《えぐ》られているのだと信じた。じきに自分は死ぬ。こんなふうに、わけもわからず死ぬなんて。痛烈な悔しさに泣きたくなった。気づけば本当に涙がにじんでいた。

「殺し方を教えて欲しかったのだろう？」

武蔵の声が、どこか遠くから響いてくる。息が出来ず、気が遠くなった。このまま死ぬのかと思ったとき、急に自分を押さえつけていたものが、ふっとかき消えた。

真っ青に晴れ渡った空が見えた。光國は仰向けに倒れたまま、急に明るさが戻ったことに気づいた。

刀を鞘《さや》に戻す音が聞こえた。光國の頭の上の辺りで、武蔵が立って見下ろしている。

跳ね起きたかったが、倒れたまま動くことができなかった。死の恐怖に襲われたせいか、体が痺《しび》れたようになって言うことを聞かない。荒い息を繰り返しながら、逆さまになった武蔵の顔から目が離せなかった。頼むから殺さないでくれ。心は繰り返しそう念じていた。

「わしが教えてやれるのは、この程度だ。あとは自分で学べ」

武蔵は杖を己の頭上へ向かってかざし、

「天地の狭間《はざま》にあるもの、悉《ことごと》くが師だ」

そう告げられた途端、不思議な感覚に襲われた。天が壁のようにそびえ立ち、武蔵が杖で示した一点が中心となって、大地と一緒に自分を取り囲んでいるようだった。天地が自分を取り囲んでいるのは当たり前である。だが当たり前のことが、驚くほど鮮やかに認識されていた。まるで今初めて天地の存在に気づいたという感覚だった。

「何に思い悩んでいるのか知らんが、自分で解決しろ。さもなくば殺してやりたくなる」

武蔵が杖を下ろし、呟《つぶや》くように言った。人生に悩むくらいなら、いっそ殺してやる。そういう思考を自然とする男なのだということを改めて理解し、慄然《りつぜん》となった。恐ろしかったし、感動もしていた。混乱しながらも、この男に出会えてよかったと心の底から思う自分がいた。

ふいに武蔵の姿が視界から消えた。ややあって、

「京の歌人《かじん》に、お前の詩をぶつけてみろ」

予想外に遠くから声が聞こえてきた。純粋に相手が遠ざかったのだとわかった。

光國はようやく身を起こし、武蔵を探した。紅蓮の衣を着た背が、墓地を出ようとしている。大勢の弟子たちが墓地の外で武蔵を待っていた。みな旅装だった。去る気だ。瞬間的に理解した。

「待ってくれ！　もっとおれに教えてくれ！」

立ち上がって叫んだ。たった今、自分で学べと言われたばかりではないか。心が咎めたが、関係なかった。まるで兄が邸《やしき》を去ったときのような思いが湧いていた。

武蔵は左脚を引きずるように歩みながら、最後に一度だけ振り返った。

「京人《きょうびと》を唸《うな》らせろ。そうでなければ詩で天下は取れん」

そうして墓地を出た。弟子たちを率いて、武蔵は去った。その背に光國は死を見た。

（今生《こんじょう》の別れのために）

沢庵が言っていたことを思い出した。おそらく、養子がいる小倉に帰るのだろう。二度と江戸に戻ることはないに違いなかった。

事実、武蔵はこの年、病を得て治癒困難となり、翌年のある夏の日に世を去ることになる。さらに沢庵も、それから半年あまり経た冬の日、死へ赴いている。

光國は悄然《しょうぜん》と突っ立ったまま武蔵の背を見送った。出会ったときと同じように、この短い邂逅《かいこう》もまた突然終わってしまった。やがて入れ違いに山鹿が来て、

「行ってしまわれましたね」

寂しげな微笑みを浮かべて言った。

光國は真っ青な天を見上げた。その天下にあるものみな師だ。そう思ったが、どうすればそうなりうるか、まるでわからなかった。

「合戦が始まれば、また会える。九州か、朝鮮か、中国か。どこかで」

山鹿は返事をしなかった。ただ光國の隣で同じように空を仰ぐばかりだった。

十

「戦など起こりはせん」

言下にそう断言したのは、尾張徳川のほうの伯父《おじ》である、義直だった。

書を返却するついでに、土産を持って伯父に挨拶《あいさつ》するよう、父に命じられたのである。

義直は邸に巨大な書庫を持っており、これを〝図書館〟と称し、無償で人に貸し与えていた。父の徳川家康から膨大な学書を相続してのちも書を蒐集《しゅうしゅう》し、学者たちに新たに編纂《へんさん》させているのだ。

学問に傾倒し始めた父は、当然、この伯父を頼って頻繁に書を借りた。

だが今日の用件は書の返却だけではなかった。父や頼宣をはじめ、島津や鍋島《なべしま》といった大名たちが〝明国義援〟に同意しているが、肝心の将軍や尾張徳川が、どう考えているか探るよう命じられたのである。

光國は幼い頃から、この伯父と馬が合った。父は自分が行くよりも、光國を行かせたほうが義直の本音を引き出せると判断したのだろう。

だが光國の予想に反し、義直は大陸出兵に対しては否定的だった。

「近年、どこの藩も飢饉《ききん》に苦しめられた。備蓄はほとんどない。そんなときに戦ができるものか。全国に怨嗟《えんさ》の念が湧き出し、徳川家に対する恨み骨髄に徹す、などということになりかねん」

「では備蓄が整った暁には、戦をしても良いと――」

「さて、な」

義直はむつかしげな様子でいる。

「将軍様はどうお考えなのでしょう」

「あの男が、戦をしたがるものか」

如実に馬鹿にした言い方だった。最近では光國も、御三家のこういう態度に驚かなくなっている。

家康の子である父たちにとって、甥《おい》の家光などいまだに青二才だった。単に血統の序列によって将軍になったのであり、それを支える閣僚体制が万全であるからこその幕府安泰だと信じている。よって家光の将器に、いささかも期待していなかった。

特に義直は、家光が病床に臥《ふ》したとき、突如として一軍を率いて尾張から参府したことがある。家光が危篤に陥ったとき、自分が将軍となることを世に告げ知らせたわけだ。

お陰で家光は以後、多少体調が悪くとも、〝身は優れている〟と侍医に対し主張するようになってしまったという。

そうした御三家の姿勢はともかく、確かに家光が率先して明国救援のため出兵を命じるとは考えにくかった。家光が得意とするのは懐柔であり交渉である。

「伯父上も、戦はお嫌ですか？」

あえて相手を刺激するつもりで訊《き》いてみた。果たして義直の目つきが鋭くなった。

「わしを誰だと思っておる」

「では戦にご賛同なされると――」

「さて、な……」

途端に、またむつかしげな顔に戻ってしまった。

「合戦と聞けば、確かに身が燃える。胸が熱くなる。だが、すべきでない合戦に夢中になったことで、天下を逃した上杉の例もある。無謀な出兵を命じ、滅びを招いた豊臣の例もある。明国は貿易の上では重要な相手だが、清国が同じように貿易を望むなら、それを拒んでまで戦う理由がない」

「清が貿易を？　攻めてくるのではなく？」

意外だった。胸の中で、何かが崩れるのを感じた。

「かつての元寇《げんこう》のようにはならんだろう。清国がこちらに攻めてくることはなさそうだ」

「なぜ、わかるのですか」

「対馬《つしま》の宗《そう》氏の言だ。いずれ慶賀の時期を選んで、清国大使が江戸を訪れるかもしれない、とな。こちらが、豊臣の大陸出兵は失策であったと考えるのと同じように、向こうにとっても、元の日本侵攻は失策だったと考える者が多いそうだ」

義直も幻の合戦を夢見つつ、現実には起こらないと悟っているのがわかった。

だが光國の心は諦《あきら》めることを拒んだ。諦めるには、一度抱いた昂揚《こうよう》が素晴らしすぎた。

「私は父と同じく、明国義援に賛成です。幕府が新たな領地を得る好機ではないですか」

義直はうなずいた。共感はしてくれるが、賛同はしてくれなかった。それ以上、義直は義援の話題を望まず、光國も虚《むな》しくなるのが嫌で、話題を変えた。そして頃合いを見計らって、訊いてみた。

「宮本武蔵という男を覚えていますか？」

義直は首を傾げた。

「さて、どこかで聞いた気がする名だ」

「兵法者で、以前、伯父上に仕えるという話があったと聞きました」

「わしも、ずいぶん多くの兵法者と会う。仕官の話はしょっちゅうだ。召し抱えた者以外の名まで思い出すのはひと苦労でな。結局、召し抱えなかったのであれば、何か問題があったたか、腕が立たなかったか……。その男が、どうかしたか？」

「いえ、特に……。ちょっと……小耳に挟んだだけです」

「はい。ぜひ拝借したいと父が申しておりました。私も、読みたい書があります」

「ところで、また書を持って行くか？」

「はい……」

「そうか」

しばらく漢籍の話題が続き、それから、光國は悄然として辞去した。

真っ直ぐ邸に戻る気になれず、兄がいる桜田邸に向かった。きっと忙しいに違いないし、これ以上迷惑をかけてはいけないとわかっていたが、どうしても話したかった。

だが実際に行ってみると、

「いいところに来た」

兄のほうが、青い顔をして光國を出迎えた。

「悪いが、あんなものは置いておけない。お前に話して、処分しなければと思っていたところだ」

こんなに心乱された様子の兄を見るのは初めてだった。

「いったい、どうしたんだ」

「ネズミだ」

兄が怖い顔をして言った。武蔵に教えられて飼うことになった、樽《たる》の中のネズミだ。

それがどうしたのか。たかがネズミではないか。

「とにかく見てみろ」

兄に急《せ》かされ、樽が置かれた場所に行った。樽の中を見て、顔から血の気が引くのを覚えた。

「餌はやらせているが、なぜかやめようとしない。まさに地獄だ」

その言葉通り、凄《すさ》まじいまでの共食いが行われていた。確かに樽の底には餌がある。水が入った升もある。だがそういう問題ではなかった。

ネズミが増えていた。それも爆発的な増殖だった。

そのとき光國が思ったのは、算術の初歩で学んだ〝ネズミ算〟である。

武将に算術は必須《ひっす》というのが父の考えだった。糧食や移動距離など、様々な計算ができねば、合戦もくそもない。

その算術の一つである〝ネズミ算〟は、ある期間中にネズミがどれだけ増えるかという問題だ。

正月に夫婦のネズミが十二匹産む。親と合わせて十四匹。これが二月に子もつがいとなって十二匹ずつ産む。親ともに合わせて九十八匹になる。もしこうして毎月一度ずつ、親も子も孫も全部が十二匹ずつ産んだとすると、一年で何匹になるか。

答えは、億の数になる。

正確には、二百七十六億八千二百五十七万四千四百二匹——

ネズミの強烈な繁殖力をあらわす数字である。とはいえ現実には、飢えや病気、あるいは天敵など、様々な要因で、大半が子を作れずに死ぬ。だが樽の中のネズミには天敵がいなかった。飢えもなかった。病気にもならなかったらしい。代わりに空間がなくなった。

光國が見たときは、二十四を超す大人のネズミがいた。子ネズミはもっと多い。そして目も開かぬ生まれたばかりのネズミが、わらわらいた。それら全て、食らい合い、犯し合っている。ばらばらに裂かれたネズミの断片が餌に混じって散らばっており、満腹になったものが、殺し合いをするものの横で眠りこけている。そしてそのそばでは、躍起になって子ネズミを犯す大人のネズミたちがいた。

殺す必要などなかった。餌もあった。周囲は仲間だけで、敵はいなかった。ただ自分の居場所を確保し、広げ、己の血筋を増やすためだけに殺し合っていた。

兄が、嫌悪もあらわに言った。

「父ネズミが生まれた娘を犯して子を産ませる。母ネズミが産んだ子を食う。兄弟姉妹がお互いを引き裂き合うか、犯し合う。そうして子が増え、その子がまた子を産み、いっそう烈しい殺戮《さつりく》が起こる。ひたすら続けて、一向にやめようとせん。君子は親子の別をつけるという。孔子は親と子をわかち、親族同士の婚姻を禁じたというが、このネズミどもには縁がない教えだろうな」

かっと目を見開いて、その凄惨《せいさん》な地獄を凝視している光國は、

——戦国の世の人間もそうだ。

まさに武蔵がこの場にいて、そう告げられた気持ちだった。

（あんただって、また戦国の世になればいいと思ってるんだろう）

そう問うたときの武蔵の表情を、その気配を思い出していた。確かにあれは惜寂の念だった。だが同時に、この地獄を知りながら望んでいるという冷酷な認識だった。人間の残忍さが剝《む》き出しになることへの許容だった。けだものの道と知っていて進みたがっている己への哀惜だった。

たまらなかった。気づけば刀を抜いていた。兄が息を呑《の》むのをよそに、柄《つか》を逆さに握り、滅茶苦茶に剣尖《けんせん》を突き下ろした。こんなものを得意がって兄に教えたことが悔やまれて仕方なかった。目の前で繰り広げられる地獄に、心が耐えられなかった。

吐き気がした。滅多斬りにした無宿人のことが、これまでになくまざまざと思い出された。心底から己を恥じた。おれもこのネズミと一緒だ。こんなけだものは死んでしまえ。

「ぬあっ！　かあっ！」

刃《やいば》が次々にネズミを刺し殺していった。親ネズミも子ネズミも、生まれたばかりのネズミたちさえ殺戮した。どうせ互いに殺し合うのである。全ての息の根を止めねば気が済まなかった。いっそ殺してやりたいと告げた武蔵の気持ちがわかった。

兄も目をみはったまま何も言わない。小姓たちは事前に遠ざけられていた。もしかすると、光國がこのような行為に出ることを事前に悟って、そうしてくれたのかもしれない。

「刃こぼれがあるな」

ふいに兄が言った。無宿人を斬ったときのものだった。光國は刃を振るう手を止めた。

「しばらく私に預けておけ。研ぎ師に直させる。父上に見つかれば叱責《しっせき》されるだろう」

光國はこくんとうなずいた。そこでやっと自分が泣いていることに気づいた。兄が光國の手から刀を取り、そっと懐紙でネズミの血を拭《ぬぐ》った。懐紙を樽の中に落とした。

「焼こう」

兄が言った。樽に蓋《ふた》をし、兄と一緒に運んだ。庭師がいつも落ち葉や伐《き》った枝を捨てているという穴に入れ、硝薬をまき、兄に手渡された燧石《ひうちいし》で火をつけた。

樽が燃え上がった。ネズミの死骸《しがい》が焼ける、しゅうしゅうという音がした。

光國は泣きながら炎を見つめた。自分がなぜ泣いているか、やっとわかった。

戦国の世になれば、兄に対する申し訳なさを抱くこともなくなるからだ。主君を殺し、親を殺し、兄弟同士で奪い合う。力がある者が勝ち、運が強かった者が生き延びて全てを手に入れる。奪うことにも、奪われることにも、心を乱されずに済む。

なんて甘いんだろう。たまらなく恥ずかしかった。

「このネズミの供養には、何をすればいいんだろう」

ぼそぼそと言った。

「その気持ちがあればいい。東海寺でも墓を全て浄《きよ》めろとは言われなかったろう。気づけばいい」

兄はいつものように優しく諭してくれている。光國は炎を見つめたままうなずいた。

「実は、しばらく前に、父上が邸《やしき》に来てな。お前の行状を気にしているようだった」

それを聞いて、ますます悲しさが募った。水戸家の世子の評判を父が気にしているのだ。それで兄に相談した。本当なら兄が水戸家の世子なのに。自分が途方もなく残酷なことをしている気がした。

「おれは、江戸が楽しいんだ。それだけだ。誰かを困らせたいわけじゃない」

涙声で呟《つぶや》くように言い訳した。

「わかってる。父上には心配するなと言っておいた」

兄はどこまでも優しかった。

――おれはまだ、川の中だ。

唐突に、そんな思考が湧いた。十二歳の夏、病み上がりで泳がされた死の川の中にいるのだ。そう思った。自分の力で泳ぎ切らねばならない。自分の力で、揺るぎない心を手に入れねばならなかった。流れに身を捨てて溺《おぼ》れてはならなかった。

「詩を書いてるんだ、おれ」

「知ってるよ」

「いつか、京人《きょうびと》に見せようと思う。京人を、おれの詩で唸《うな》らせてやりたい」

「すごいな」

兄が感嘆した。本心から驚き、期待しているのがわかった。

「お前には素質がある。京都の連中は手強《てごわ》いが、お前なら鼻をあかしてやれる」

「うん」

「頑張れ、子龍」

うなずいた拍子に、また新しい涙がこぼれた。別の悲しみも湧いた。兄に頑張れと言えなかった。何一つ応援してやれなかった。そのことがたとえようもなく悲しかった。

「ごめんなさい」

ころんと転がり出てきた言葉だった。墓石に向かってそうしたときより、ずっと悲しかった。思えば、兄に詫《わ》びたのはこれが初めてのことかもしれない。

「知ってっけ、子龍」

兄が急に水戸弁になって言った。吐露するような調子で、芯《しん》から優しい声音だった。

「おれはな、お前に頼られると、気分が良くなるんだ」

光國は危うく声を上げて泣きそうになった。その衝動を必死に押し殺し、ごしごし涙を拭って、煙が立ち昇ってゆく空を見上げた。

いまだ蒼穹《そうきゅう》に師はなく、教えもなく、心細いような未知だけが、一杯に広がっていた。

明窓浄机《めいそうじょうき》（四）

今、大きな円窓《えんそう》から梅の木を見ている。枝に積もった年明けの雪が、陽射しの下で解けようとしている。冷たい重荷に耐えた幼い枝が、いっときの安堵《あんど》を味わっているようだ。

それは余が、こうして徒然《つれづれ》に筆を執ることで、僅《わず》かながら仮初めの安寧を感じているのと、よく似ている。さながら降り積もった雪が枝をしならせ、ついにはひとかたまりとなって落ちるように、余はこうして胸中の重みを、言葉に変えて書き綴《つづ》っているのである。

いずれ解けてなくなる雪のように、これらの言葉もまた後世に残されず消え去るかどうかはわからない。少なくとも、わざわざ文書として守るよう家臣に命じるつもりはない。あくまで時の流れに預け渡すべきものなのである。

あの男を殺《あや》めたことが、本当に正しかったかどうかは、後世に解答を任せるほかあるまい。余は、あの男の命ごと、その恐るべき理念を葬ることに決めた。だが、そもそも余の生涯そのものが、あの男の理念を生み出す源であったのかとも思わされる。それが真実かはわからない。いずれにせよ、こうして余自身の披瀝《ひれき》を余儀なくされているのは事実である。

果たして、後世の人の中にも、そのように考える者が現れるであろうか。余には想像もつかない。いずれにせよ、それは修史の志を持った者にしか抱けない考えであろう。余が自らの生涯を碑に刻ませたとき、修史のことに言及するつもりは一切なかった。余が四十年にわたり志してきた、この国の歴史を編纂《へんさん》する事業を興したことを、碑に刻む気はなかったのである。

そのことは後世の人から意外に思われるかもしれない。現に、修史に専心する者たちの多くから驚かれた。碑文の校正を頼んだ者からも、修史のくだりを加えるべきとの意見をもらった。

だが余は、史書編纂を命じた者として名を残すことを望んではいない。どのみち、史館の一員として編纂に参加したものの奥付に、名は残るのである。余にはそれで十分であるし、そもそも、余だけが史書編纂を志したのではない。

多くの志ある者たちが、長らく四散する一方であったこの国の史書の断片を蒐《あつ》め、正しく後世に残すことに生涯の大願を抱いていた。それらの高潔なる人々がいなければ、余が史書を光明とみなすこともなかったであろう。

まさに、余が史書を編纂したのではなく、史書が余に編纂を許したのである。歴史を備《つぶさ》に見つめることでしか感得することがかなわない、人倫の大義。それが余を導き、国を導くと信じた。

長い戦国の世が終わり、誰もが、新たな世の、新たな人のあり方を見出《みいだ》さねばならなかった。そして歴史だけが、未知の世をさまよう余らにとっての道標だったのである。

あの男を殺めることになった今も、その思いは変わらない。たとえ、あの男を狂わせてしまったのが、余と、そして史書編纂の事業そのものであったのだとしても。

史書こそ、今も昔も変わらぬ、ゆいいつの光明なのである。

天ノ章（四）

一

「論語にある、『廏焚《うまやや》けたり』の一節に、『馬を問わず』とある。これを『不』ではなく『否』と読むのだ。そうすれば、人の後で馬を問うことになるではないか」

光國《みつくに》は果敢に言い放って、ぐいっと酒を飲んだ。

先ほどから、すでに数えきれぬほど酒を注がれては干しているのだが、光國には一向に酔い潰《つぶ》れる気配がない。気力体力ともに横溢《おういつ》する若い体においては、酒の一升や二升が己を潰すことなどありえない。十八歳となった光國自身、強くそう信じていた。

他方、対面する頭巾《ずきん》坊主は顔も真っ赤で、もはや注がれる杯を干すことも難しく、

「し、しかり……されど儒者は貴賤《きせん》に拘《こだわ》り、仏僧に比べ激しやすく、慈悲に乏しく……」

喋《しゃべ》るほどに、ろれつが怪しくなってきている。

儒者、即ち儒学を修める者は貴賤人畜を差別すること甚だしく、仏僧のような慈悲を持たない、というのが、この頭巾坊主の主張だった。その根拠として、『論語』の郷党《きょうとう》編にある『廏焚けたり』を持ち出したのである。

「廏焚子退朝曰傷人乎不問馬」という一文だ。これは通常、

「廏焚けたり、子、朝《ちょう》（朝廷）より退きて曰《いわ》く、人を傷《そこな》えりやと。馬を問わず」

と読む。廏舎《きゅうしゃ》が火事で焼けた際、孔子《こうし》は人の安否を案じ、馬のことには一切ふれなかったという。孔子の真心であるとされる一節であるが、これは生類を哀れむ仏僧よりも慈悲に乏しい証拠ではないか。そう頭巾坊主は論ずるのだが、この不を否とすると、

「曰く、人を傷えるや否や。馬を問う」

と読める。まず人の安否を尋ね、ついで馬の無事を問うたことになる。

「朱子《しゅし》の註《ちゅう》にこうある。馬を愛せずんば非《あら》ず。しかれども人を傷えるを恐るるの意多し」

光國はすかさず、容赦なく畳みかけた。

「馬を愛さぬわけではないが、まずもって人の身を案じたからこそ、問う暇がなかった

のだ。このように君子は貴賤の別を設ける。だが自他の貴賤に拘ることなく、仁者《じんしゃ》の慈悲を称《たた》えるものだ。孔子は、学術を貶《おとし》める侠客《きょうかく》の子路《しろ》を弟子とした。また、流浪において『家を失った狗《いぬ》』と呼ばれても怒らず、貧者や飢人《きにん》の墓を作って服喪の儀礼をされぬ者たちを哀れんだ。このように、己の貴賤を問わず、ゆえに憤激せず、まず人の身に慈悲を注ぎ、そののち生類を哀れむことが儒者の理である」

流れるように言葉を浴びせられ、頭巾坊主は何やら反論したそうであったが、

「うぬ……ぬ……」

言葉に詰まって唸《うな》り声を発し、ついに酩酊《めいてい》して前のめりに倒れた。ごっとん。頭巾坊主の額が卓台にぶつかって良い音を立てた。その坊主の手から、居酒屋の娘が、ひょいと杯を取り上げ、

「谷《たに》さま、お美事」

うっとりとなって光國に微笑みかけた。見物していた他の客たちが、わあっと歓声を上げた。頭巾坊主の弟子たちが、酔いつぶれた師を担いで慌てて出て行くが、面白がって囃《はや》す者ばかりだった。

光國は涼しい顔で、新たに注がれた酒を干しつつ、周囲の期待の目を敏感に察し、

「夜遊びの徳を積んでばかりの坊主ども。たまには寺に帰って、経書を読むんだな」

と、いつもの台詞《せりふ》を口にした。客たちがますます歓声を上げ、とっくに店から退散した頭巾坊主の醜態をねたに笑い合った。

すなわち偽名《あだな》の『谷左馬之助《さまのすけ》』に、『谷様』をかけて略した、千住《せんじゅ》での光國の愛称だった。

客たちが次々に光國の杯に酒を注ぎながら褒めそやした。『谷さま』は、光國の表徳《ひょうとく》、

「これで八人目ですぞ」

「さすが谷さま」


そして今日、八人目の『論法勝負』に勝ったことから、

「谷の字にかけて、『八合《はちごう》さま』だ。破戒坊主のお山の、八合目だ」

誰かがそんなことを言ったので、『八合の谷氏』とか、さらにかしこまって『弥智合《やちごう》の谷さま』といえば、光國のことを指すようになった。とはいえ当の光國は、

（八人か）

ちょっとやり過ぎたか、という気持ちがしないでもない。

色町に隣接する居酒屋は、たいてい寺の門前町に内包されている。寺の門前が最も人で賑《にぎ》わうことからの必然である。光國が遊び場所としている千住は宿場町で、門前町とは違う理屈で形成された賑わいの場だ。しかし寺の坊主衆からすれば、門前町も宿場町も、参詣者《さんけいしゃ》で賑わうのだから、寺の権威にへばりついた賤《いや》しい商売どころである。そういう考え方だから、町人に対して横柄になる。

そのくせ、破戒を咎《とが》められないよう、わざわざ医者の出で立《い》ちに着替え、色町で女を買い、酒を飲む。医者はもともと僧に倣って剃髪《ていはつ》し、墨染めの衣をまとっているので変

装しやすい。そういう心根の坊主どもほど、派手に金を使うし、店の者に無理難題をふっかけて困らせる。

光國も、そんな破戒坊主どもを姑息《こそく》と見てはいたが、わざわざ衆目の前で法論まがいのことをしてみせるとは思いもよらないことだった。

ここまで続けてしまった理由は明白である。光國が日常的にむかついているからだ。誰に対してというのではない。邸《やしき》での生活全般に憤懣《ふんまん》を抱いていた。

たとえば十七の終わり、光國は邸の女中と恋仲になっている。情熱的なたちで、もっぱら女のほうから光國に秋波を送った。光國もけっこう本気で可愛がり、頻繁に文《ふみ》をやり取りしたものだが、そんな情熱的な女が恋を秘密にしておけるわけがない。御曹司《おんぞうし》からの文を、女中連中にこっそり見せたり、『忍んで仕える女中』であることをそれとなく自慢したりする。

必然、父の耳に入った。

父は生涯にわたって正妻を持たず、生まれてくる子に対しては異様な沈黙や無視を決め込んだ男だ。なのに子らの教育と縁談については大いに情熱を発揮し、光國と女中の恋も放ってはおかなかった。そもそも、女中の親からすれば、武家屋敷での奉公は、あくまで娘がより良い嫁ぎ先を得るための箔付《はくづ》けである。屋敷の主人もそれを承知していなければならない。なのに、水戸《みと》の御屋形《おやかた》様のところへ奉公に伺うと、御曹司に片っ端から手ごめにされるなどという噂が出てはたまらなかった。

よって、女中は家元に戻され、水戸藩士の白石《しらいし》という男のもとに嫁がされてしまった。光國がことの次第を知ったのは、縁談が成って後だ。しかも父から直々に、女に文など送るなと告げられた。

光國からすれば唖然《あぜん》とするやら頭にくるやらで、父のしたことを当然と考える気には全然なれない。そもそも世子決定すら周囲に丸投げした父が、何を今さら出しゃばるのか。

十八となって本元服を迎え、前髪を下ろす段になると、その気持ちが強まった。子供の頃には考えられない心境である。それだけ父に試され、合格してきた自負があった。

だが邸において父の意向は絶対だ。光國は自由を求めて邸を抜け出すことが多くなった。といって以前のように乱暴狼藉《ろうぜき》で憂さを晴らす気にもなれない。あの宮本武蔵《みやもとむさし》と沢庵和尚《たくあんおしょう》に出会ったことで、腕力頼みの発憤に恥ずかしさを覚えるようになってしまった。せいぜい娼家《しょうか》に通って酒を飲み、杯を片手に読書をし、詩を吟じることを愉《たの》しむ。それが十八歳の光國が選んだ自由だった。何より、

「京の文化人《びと》を、己の詩で唸らせる」

この途方もない目標が、有り余る精力の傾注先になってくれた。

詩のための学問修得という、はっきりとした目的があるため、諸学の吸収は速い。

詩趣には確固とした人生観がなければならず、十八歳の未熟な人生観を補うには、読書しかなかった。ときに詩趣に迷ったときなどは、体力に任せての猛然たる読書を行う

ことも《》ある。昼から翌朝まで、一昼夜を徹して書に向かい、ろくに食事もとらない。目は爛々《らんらん》と光り、鉄の錠前すら引きちぎる膂力《りょりょく》をこめて頁をめくり、殺気走った顔で口語訳たる諺解《げんかい》を自ら書き下ろす。

教育係としてつけられた傅役《もりやく》の小野言員《ときかず》などは、光國が学問の道に目覚めたことを喜び、涙を流して神仏に感謝する一方で、もしや光國が父の意向に反逆し、腹を切って死ぬための辞世の句を練り上げようとしているのではないかと本気で心配したという。

全ては、京人《きょうびと》を唸らせるという大願成就のための学問である。詩と書の二つだけが、恋すら自由にならない己に許された、真の自由であり、憤懣のはけ口となってくれた。

そのはけ口に、法論まがいの論破合戦が加わったのは、あるとき千住の居酒屋で、聞き捨てならないことを耳にしたからだ。というのも、他ならぬ医者の恰好《かっこう》をした坊主が、

「先の紫衣《しえ》の一件、思えば、沢庵どのに玉室《ぎょくしつ》どの、ともに軽薄でございましたな」

などと、酒を飲みつつ口走ったのである。同席する二人の坊主も、

「まことに。お上《かみ》の意向をわきまえず、小事に拘《こだわ》った挙げ句の配流《はいる》ですからな」

「恩赦が下されたとはいえ、まあ、粗忽《そこつ》にございますよ」

口々に同意しては、にやにや笑った。明らかに沢庵を揶揄《やゆ》しているのだ。

紫衣の一件とは、ちょうど十八年前、光國が生まれる前年に、幕府がとった強硬策のことだ。長らく形骸化《けいがいか》されていた法度《はっと》に、勅許《ちょっきょ》紫衣法度というものがある。天皇が、住職に紫衣を与えたり上人《しょうにん》号を授けたりする際には、幕府の推挙が必要というものだ。

それまでほとんど誰もが気にかけていなかった法度だった。なのに突然、幕府の推挙なしに紫衣や上人号を得た者は、全て再吟味となることが、幕府より言い渡されたのである。

とはいえ幕府としては、朝幕関係を悪化させる意図はなかったという。幕府の存在感を高めたかったからだし、関ヶ原の合戦後の〝大不況〟において、おびただしい失職者が出た武士社会をどうにかしなければならなかったのだ。新たな職分を創設すれば、それだけ俸禄《ほうろく》を与えられる者が増える。吟味役に強権を与える気はなく、むしろ仏教界も素直に従うだろうという甘い読みがあったらしい。

それが逆に、ことの成り行きを激烈に悪化させた。

結果、仏教界は受諾と抗弁の二派に分かれ、抗弁した沢庵らは幕府権威を蔑《ないがし》ろにしたとして配流。ときの後水尾《ごみずのお》天皇は憤激して譲位し、上皇となった。明らかに幕府の失策である。幕府が推し進めてきた朝幕和合、すなわち徳川家の血と天皇家の血を合一させるあらゆる努力が、水泡に帰した。

沢庵らは配流となってのちも、かえって尊崇の念を集め、配流先の大名が率先して厚遇した。一方で、紫衣再吟味の一件を任されていた、金地院崇伝《こんちいんすうでん》といった幕府お抱えの僧たちは、嫌われ、蔑視《べっし》され、やがて幕府内での地位を失って失墜するまでに至った。

居酒屋でくだを巻く坊主どもは、どうやら、紫衣再吟味に賛意を示した側らしく、

「お上の法度に対し、重箱の隅をつつくような詮《せん》のない抗弁などしおって」

「僧として、ちと、寛容の念にも、理路の筋道にも、不足ありですな」

そう言って笑っているのである。

光國はむかついた。短い期間とはいえ沢庵の人品にふれ、確かに敬意を表すべき人物であることを知っていたからだし、なんであれ陰口を叩《たた》く生臭坊主どもというのは見ているだけで腹が立った。

すっと酒と杯を手に立ち上がって坊主どもに近づき、ぐいと屛風《びょうぶ》を押しのけた。相手が何か言う前に、手近な場所にどかりと腰を下ろし、はったと三人の坊主を順番に睨《にら》みつけ、

「憚《はばか》りながら、お尋ねしたい。沢庵和尚が、重箱の隅をつついたとは、どのような点を言われるのか」

鋭く訊《き》いた。そうしながら、たまたま空になっていた、最も年かさの坊主の杯に、自分の酒をなみなみと注いでみせる。残り二人はぽかんとなっているが、酒を注がれた坊主は、この無礼な若者を蔑《さげす》むように眺め返した。

「お若いお侍様にとって、面白いお話じゃあ、ございません。ですが、こうして杯を満たされた分は、言葉でお返しいたしましょうか」

そう言って坊主はぐっと酒を飲み干すと、すらすらと述べ立てた。

「法度の中に、こういう一節がございます。参禅の修行は、善知識に就いてのち三十年の間、綿密な工夫に費やし、千七百則の公案にことごとく答えるべきである。それらを

了畢《りょうひつ》した者の中で、諸門遍歴し、衆望によって出世が求められ、証拠として一山の連署を得た者は、出世が認められる、と」

光國は聞きながら己の杯を干し、手酌で杯を満たすと、

「なるほど。それで？」

さらに相手の杯に酒を注いだ。坊主はまた飲み干して言った。

「それを沢庵殿ときたら、三十年は長すぎるだの千七百則は多すぎるだのと言って、ごねたのです」

光國はまた酒を干し、自分と相手の杯に注ぎながら訊いた。

「ごねたとは、つまりどういうことか？」

坊主は、どんどん注がれる酒にちょっと眉《まゆ》をひそめたが、若造になめられまいとしてか、しいて顔色を変えず飲んでみせた。それから、酔いのせいで気が大きくなったか、侍が相手であるという遠慮も捨てて、横柄さを剝《む》き出しにして言った。

「今のを聞いていて分からぬのなら、嚙《か》み砕いて進ぜよう。一つは、三十年もかけていては、己は老いぼれて死んでしまうという言い訳である。もう一つは、千七百則もなくとも開悟してみせるという大言壮語である。どちらも僧としてはあるまじき稚拙な暴論なり」

光國はすぐさま杯を干して、自分と相手の分の酒を注ぎ、はらはらした顔でこちらを見ている居酒屋の娘に、おかわりを頼んだ。それから、

「そこもとの言論、僭越《せんえつ》ながら、この私が大いに反駁《はんばく》させていただこう」

さながら相手に斬りつけるがごとくの迫力で告げた。坊主がぎょっとなり、

「な……何を……」

光國は店の娘がおっかなびっくり持ってきた酒を、目を白黒させる坊主たちの杯に注ぎ、

「一つは、三十年の綿密なる工夫の矛盾である。十五歳で修行に入ったとして、師について学ぶこと三十年で、四十五歳。出世のための諸門遍歴には、少なくとも五年はかかるゆえ五十歳。そののち大衆の人望を得て、連署に至るまでには、少なくともこれまた五年はかかるゆえ五十五歳。大灯国師《だいとうこくし》が世を去ったのは、五十六歳である。出世して一年しか時間がない」

ぎらぎらした目で言い放つ光國に、坊主も気負った顔で、注がれた分を胃の腑《ふ》に注ぎ込んでみせた。寺に帰ればそれなりの地位なのだろう。もしかすると沢庵を罵《のの》しるところから、どこぞの寺の住職かもしれない。いつの間にか店中の客が彼らに注目しており、まかり間違っても、こんな若者に気圧《けお》されている姿など見せられるものではない。

「五十五歳の出世、大いにけっこう。開眼するには大いに時が必要である」

酔いに負けまいと歯を食いしばって背筋を伸ばす坊主に、光國が鋭く切り返した。

「弟子たちはいつ師から学ぶのか？」

「なんと……？」

「出世し、大師となった僧から、一年しか学べないではないか。出世者は全て五十歳か六十歳だ。これでどうして次の世代は三十年の綿密な工夫ができようか。よほどの長生でない限り、一人の弟子も育てられず、寺ごと廃れることになるが、いかがか」

「いや……それは……」

「さらに一つ。そもそも、なにゆえ千七百か、ご存じであるか」

「な、なに……？」

「これは宋《そう》代の禅師の目録たる『景徳《けいとく》伝灯録』に、たまたま千七百一人が記載されていたため、一人一則、すなわち千七百則という方便がつけられただけではないか？」

「そ、そうだ。一人一則、大いにけっこう。仏道禅道の深遠なるを思えば、それら千七百の公案を解くのに、三十年でも短いほどだ……」

「千七百一人のうち公案と呼べるものを遺《のこ》したのは、九百六十余名に過ぎなくともか？」

「う……。いや……なに？　そんなことが……」

「そもそも、中国の戦乱で、多くの史書や経典が失われた。もはやこの世のどこにも存在しない千七百の公案とは、いかなるものか？　公案は千七百でなければならぬとする書を挙げられるか？」

「ぐ……」

「そもそも大徳寺《だいとくじ》開山の大灯国師は、百八十の公案を経て開眼したという。その法嗣の徹翁義亭《てっとうぎこう》は、僅《わず》か八十。千七百になんの意味があるか。仏道禅道をよく知らぬ者が、たまたまつけた数字ではないと、どうして言い切れるのか」

「う……」

坊主が呻《うめ》いた。議論に負ける以前に、酒で潰《つぶ》れかけていた。

そもそも光國は徳川家の一員である。法度《はっと》の非を咎《とが》めるべき立場ではないし、法度こそ方便の塊であることはよく知っていた。

つまるところ、法度を出すからには誰もが公平に審理できるようにせねばならず、そのためには、どうにかして具体的な数字を決めざるを得ないのである。しかしそれはあくまで官僚的な都合であって、宗教文化を担う側からすれば、笑止千万のごたくに過ぎない。

そのごたくを方便として用いるならまだしも、字義通りに吟味の根拠とするなど、到底、現実的ではない。沢庵はそう反駁をしたのだと東海寺《とうかいじ》に通っている間に、禅僧どもから聞いていた。たった今、坊主に対して口にしたことも、ほぼ東海寺で聞いた通りのことを告げたまでである。

光國にとっては、正直、どうでもよかった。寺は相変わらず虫が好かなかったし、こういう半端な知識を振りかざして学僧ぶる、横柄な破戒坊主どもが不快だったまでだ。

思った通り、坊主も、残り二人も、ろくに反論できず、いかにも前髪を下ろしたばかりの、身分の知れない若侍に論破されて、しどろもどろで逃げ去るかたちとなった。

（やり過ぎたか）

このときも、激情に任せて店に迷惑をかけたかと、ちょっと後悔したものだ。しかし、

「お美事、お美事」

他の客たちが次々に席を立って光國の杯に酒を注ぎ、大いに喜ぶものだから、なんとなく去ることができず、ついつい偽名ではあれ名乗ってしまったのだった。

それ以来、店の馴染《なじ》みの一人となったわけだ。論破された坊主たちも、このとき光國が名乗った名をどこかで聞きつけたらしく、光國が店にいるところを発見すると、我こそはと光國に酒の飲み比べと議論を、ふっかけるようになった。

もちろん光國も売られた喧嘩《けんか》はことごとく買った。議論のねたも、仏道から儒学、茶から剣の道まで、多岐にわたった。これまでその全てに勝てたのは、光國の教育環境のお陰である。あらゆる道に精通した者たちがずらりと揃っていたし、高価な書物を好きなだけ読める特権を六歳のときより有していた。多くの好学の士が、苦労に苦労を重ねて手に入れるものを、最初から持っていたわけである。

さらには光國自身、本人の自覚はどうあれ、そこらの好学の士など比較にならないほどの猛勉強を己に課していたのは事実だった。特にこの二年ほどは、傅役《もりやく》たちもひそかに驚嘆するほどの勉強量を、体力の限りを尽くして消化していた。

父や傅役たちの要求が高かったこともあるし、自分よりよっぽどできの良い兄がいたから、どちらかというと詩には夢中になるが、学問においては浅学のほうだと信じてい

た。

なのに、八人も論破した。どいつもこいつも生臭坊主どもだが、それにしても、修行と学問にそれなりに打ち込んでいるからこそ、自信をもって光國に挑戦しているはずである。

（おれも、なかなかのものだ）

やはり心のどこかで、そういう気持ちが芽生えてくるのはどうしようもなかった。

（しかし、少しやり過ぎではないか）

このままではあまりに目立ちすぎるし、父や家臣の耳に入ったり、知己の相手に出くわしたりしかねない。五人ほど論破した辺りで、さすがにそろそろ潮時だと思いながらも、

（では、あともう一人くらい、打ち負かしてから消えるとしよう）

ついつい、通い続けてしまうのだった。

「あっという間に八合目とはねえ。お若い谷の旦那《だんな》のことだ。そのうち、江戸中のお坊さん相手に、いただきまで頂戴《ちょうだい》するんじゃないですかね」

すっかり顔なじみになった常連の男が、親しげに酒を注いでくれるのへ、思わず気分が良くなった。

「上手《うま》いことを言うじゃないか。八合目の次は、いただきを頂戴する、か」

呟《つぶや》いた途端、周囲の者たちも同調し、

「それなら今度から、負けた坊さんの袈裟《けさ》でもいただくってのはどうですかね」

「医者だってつらして入《へ》ぇってくんだから、鍼《はり》の一つも手賃にいただきゃいい。それが出せないなら、数珠《じゅず》をいただきましょうかね」

「こりゃあ、今度から、いただきの旦那とお呼びしねえと」

みな揃って痛快きわまりないという様子で言う。実際、彼らからすれば、たまらない憂さ晴らしだった。光國も決して悪い気分ではない。それどころか、

(詩で天下を取る前に、坊主どもで腕試しも悪くないか)

そんなふうにさえ思った。僧は詩作もするし、儒も学ぶ。確かに己を試すには良い相手である。

(次は、詩作で勝負してみるのも良い)

講談に登場する弁慶《べんけい》が、打ち負かした相手から刀を奪ったように、自分も何か他愛のないものをいただくのも、悪くはない。いつの間にか、すっかりその気になっていた。

「では、次の寅《とら》の日にでも、ここに来よう。誰か坊主どもにも知らせておいてくれ」

そう言い放って、いっそう場を賑《にぎ》わせた。

そしてそんな光國が、九人目を相手に、徹底的に敗北した。

二

その日、いつもの通り居酒屋に着くと、異様な空気に出くわした。

店中が、なんだか静まり返っている。人がいないのではない。逆に、入り口に一歩入っただけで熱気を感じるほど、大勢の客がいた。みな、沈黙しているか、ひそひそと小声で話し合っている。そこへ光國が現れ、一斉に客の目が向けられた。

（なんだ？）

てっきり、どこぞの坊主がすでに待ち構えていて、客たちにさんざん大言壮語を吹き散らしているものだと思っていた。事実、二人目から八人目まで、みんなそうだった。

だが今回は違った。よく見ると、店の奥に坊主どもが四人ほど座っている。うち三人は医者の恰好《かっこう》をしているが、最後の一人は堂々たる僧服だった。

光國が近寄っても、四人とも気づいた様子がない。医者の恰好をした三人は一様に暗い顔でうつむいている。かと思うと、三人のうち一人が立ち上がり、

「御免」

なんだか涙をこらえるような悲愴《ひそう》さで出口に向かった。光國の傍らを通り過ぎても、顔すら上げない。残り二人が遅れて後を追い、その席には僧服の坊主だけが残された。

「うん？」

坊主が口に運びかけた杯を止め、光國を振り返った。若い坊主だ。剃《そ》り上げた頭が青々としている。やたらと痩《や》せぎすで、右の目だけが剣呑《けんのん》なまでに鋭い。その左目を見て、

（沢庵──）

うっかりその名を口にしかけた。

目を患ったか、怪我でも負ったか、すがめた左の瞼《まぶた》の隙間から、やや白濁した瞳《ひとみ》が覗《のぞ》いている。

坊主の杯を持たぬ手には、その顔に帯びて左目を隠していたであろう、穴あき銅銭のような金属片に、紐《ひも》を通したしろものが握られていた。

「酒をくれ」

光國は、退散した三人が座っていた場所に、断りもなく腰を下ろして言った。

そうしながら、坊主を見据えた。隻眼の優男《やさおとこ》で、すでにしたたかに酔っているらしく、だらしなくはだけた僧服が、一種凄《すご》みのある色気を発していた。岡場所の女ならば、どこぞで身を持ち崩して逃げてきたかと、一発で警戒するような男だ。世の中への恨みつらみで一杯だという目つきで、じろじろと光國を見つめ、無言で杯を口に運び直している。

店の娘が酒とつまみを載せた盆をそっと置き、

「谷さまに挑まれようとされていた坊様たちを、この方が言い負かしておしまいになったんです」

緊張した顔で告げた。

光國はうなずき、己の杯に手酌で注いだ。杯を口に運ぶ間も、じっと目の前の坊主と視線をぶつけ合っている。

　これまでさんざん傾奇者《かぶきもの》として暴れ回っていた光國にとって、お馴染みの光景だった。憂さを溜《た》め込んだ若者が、評判の相手に喧嘩をふっかけるため訪れた。そのために、同じ目的を持った相手を、先に叩《たた》きのめしておいた。それだけのことだった。

　光國はじっくり相手を観察した。隻眼であることから沢庵を連想したが、全然違った。これまでの、いかにも気位の高い坊主どもと違い、野良犬のような目をした若者だ。凜々《りり》しい顔立ちで、笑えば女も放ってはおくまいが、これほど据わった目をしていてはどんな人間もおいそれと近づかないだろう。

「得意顔で、えびす読みをするという侍は、お前か」

　ぼそりと坊主が言って、飲み終わった光國の杯に酒を注いだ。

「谷左馬之助だ」

　同じように相手の杯に注ぎ返し、

「えびすとは何のことだ？」

　相手に負けず劣らず目を据わらせた。

「お前たち東国の武者どものことだ。なんでも『廏焚けたり《うまやや》』を『否』と読むそうじゃないか。まったくもって、笑止千万」

　光國の顔から表情が消えた。えびす侍とは、西国の者が、東国武士を嘲笑《あざわら》う言葉だ。それをこの坊主は、江戸市中のど真ん中で口にしてみせた。ほとんど捨て鉢でさえある、良い度胸だった。

(京人《きょうびと》か)

坊主からは京訛《なま》りが聞き取れた。光國の胸中で、いっそう好戦的な思いが燃え上がった。

(詩で天下を取る前に、坊主どもを蹴散《けち》らしておくのも悪くない)

ぐっと杯を干しながら、いよいよこの論破合戦に魂魄《こんぱく》を注ぎ込む動機を得た気分だった。

「朱子の註《ちゅう》にある。人を傷《そこな》えるを恐れるゆえに、いまだ馬を問うに暇あらずと」

「そして曰《いわ》く、人を貴《たっと》び、畜を賤《いや》しむ、理はまさにこの如し。人を貴んで畜類を賤しむのは、理として当然だ。孔子が人を重んじ、ついで馬を重んじたというのは、馬がなければ人を殺せぬと考える、えびす者の考えだ」

その痛罵《つうば》に等しい言に、光國は危うく怒りに任せて杯を握りつぶしそうになった。

「なぜそれが朱子の伝える理と断ずることができる」

怒りをこらえて相手の杯に注ぎ、己の杯を干した。

「お前は、論語を読み違えている」

相手も光國の杯に注ぎながら言った。

「なに?」

「『廏焚けたり、子、朝《ちょう》より退きて曰く、人を傷えりやと。馬を問わず』だ。朝廷より退いたとあるからには、孔子が帰宅して、私塾の廏が焼けたことを知ったのだとわかる。これが、そのときの主君である魯侯《ろこう》の馬であるなら孔子も問うただろう。だが、この馬は王の財産ではなく、孔子のものだ。敬う道理はない。そもそも『不』を『否』と読むのは、朱子の註ではない。ただし『百川学海《ひゃくせんがっかい》』に、『否』と読む説がある。お前は朱子と別の論とを取り違え、えびす読みを信憑《しんぴょう》しただけのことだ」

光國は背筋にひやりと冷たいものを感じた。

これまで相手にしてきた坊主どもとは、画然と違う。そもそも朱子の註にまんべんなく目を通せるのは、よほど経済的に余裕のある者に限られてくる。

（まさか、どこぞの大名の、次男三男か）

学問に傾注する藩主の子かもしれない。だが、すぐにどうでもよくなった。気を逸《そ》らせば、この飢えた犬のような目をした若者は鋭く攻め込んでくるに違いなかった。光國はすかさず切り返した。

「確かに、朱子の註たるは、私の誤謬《ごびゅう》であったかもしれない。だが、人を問うのは当然であるが、馬についても問わざるを得ないというのが仁者《じんしゃ》であろう」

「仁は畜類に適合しない。なぜなら、仁とは、二人の人間が互いに果たすべき礼節を意味しているからである。人と馬と、いかなる仁があり得るか。馬はいかにして人に礼節を尽くすか」

「馬は人に従い、人は馬を従わせる。確かに礼節と言うには及ばないが、信頼がある」

「信は、約定《やくじょう》を意味する。馬がいかなる約定を記し、それを守るか。馬の言葉を、誰が理解するか」

坊主が即座に切り返し、酒を注いでくる。疑義を呈するのも速ければ、酒を飲み干すのも速い。光國は何とか押し返そうとするが、いつの間にか防戦一方だった。

（なんだ、こいつは⁉）

見たところ光國とさして変わらぬ年齢である。なのに、その場で書を開いて読み上げているような流暢《りゅうちょう》さで、あらゆる書から引用してくる。博覧強記とはこのことだった。

話題が次から次へと展開していくし、どれもが本質を突く鋭さである。しかも光國よりも酒が進んでいるはずなのに、一向に切れ味が衰えない。

いや、坊主の体が右へ左へ揺れているところを見ると、もはやいつ酔い潰《つぶ》れてもおかしくなかった。なのに、その炯々《けいけい》たる眼光と、刃《やいば》のような弁舌に、いまだかつてない感覚を味わった。たまらなく苦々しく、しかも逃げ場がない。互いに発する一言一言が、容赦なく光國の中にあったはずの自信や気概を著しく損なってゆく。

（馬鹿な――！）

とうとう心が悲鳴を上げたが、それでも気力を振り絞って言葉を戦わせ続けた。これまで八人を論破しておきながら、ぶざまな姿を衆人に見せるわけにはいかなかった。

話題は論語を中心として多彩に変化し、ついには光國が最も苦手としている、史書へと移った。というより、この野良犬坊主が少しずつ光國の弱点を探り、ついにその最も柔弱な部分を見つけ、切り込んできた感じだった。

「……聖人君子とは、ことを憎んで人を憎まぬ者をいう。仁を重んじ、孝を尽くす。『論語』からその義は明らかである」

光國が言った。ほとんど一般論にすがらざるを得ないほど窮地に立たされていた。

「確かに、儒者が範とすべき人物に、伯夷《はくい》と叔斉《しゅくせい》がいる。王位に就くはずだったが、どちらも孝と謙をもって次男に位を譲り、仁をもって武《ぶ》王による誅伐《ちゅうばつ》を止めようとした」

坊主が言った。その右目が、ぎらりと尖《とが》った光を発した気がした。

「しかし、彼らが詠んだ采薇《さいび》の歌には、恨みが溢《あふ》れている」

「采薇？」

咄嗟《とっさ》に聞き返していた。しまったと思ったがもう遅い。坊主が畳みかけてきた。

「武王放伐を咎《とが》めながらも、なすすべなく、かの王の周《しゅう》国に住むことを恥じて西山《せいざん》で薇《わらび》を採って暮らしたものの、ついには餓死した、伯夷と叔斉の歌だ。司馬遷《しばせん》は『史記《しき》』を記す上で、この采薇の歌をもって君子への疑義としているのだ」

「疑義……？」

また聞き返してしまった。君子の定義に、疑義を呈するということ自体、ついていけなかった。

坊主はそんな光國を嘲笑うでもなく、

「曰く、『天道、是か非か』と」

ぼそりとした口調で告げた。まるで己自身の怨恨《えんこん》を吐き出すような言いざまだった。天道は──人を正しく進ませてくれる道は──本当に信じるべき正しい道理なのか。天にまで疑義をぶつける。完全に光國の想像を超えた。

光國は必死に記憶を探ったが、茫漠《ぼうばく》として論説にならなかった。確か、采薇の歌は詩《し》経《きょう》におさめられておらず、この坊主が言うように『史記』のどこかに記されていたような気がするという漠然とした知識しかない。しかもそれが、孔子による聖人君子像や天意に、疑義を呈するなどとは考えたこともなかった。

こいつは『史記』を読んでいる。手に入れるのが難しく、高価な書物を、読みこなしているのだ。

(この男、僧ではない)

僧形《そうぎょう》をとる者は多くいる。医者しかり、御城の碁打ちしかり。士農工商に明確に振り分けられない役職は、とりあえず僧の姿にさせておく。そしてその、本来は僧ではない者に、学者がいた。

それも、儒学を専心する儒者が、特にそうだった。

(しまった)

相手をこれまでと同じ破戒坊主とみなし、『論語』を主題にしたのが過ちだった。

相手は間違いなく、光國以上の研鑽《けんさん》を積んだ儒者だ。勝てるわけがない。

(負ける──)

冷たい確信が湧いた。もはや手も足も出ない。このままでは相手の好きなように翻弄《ほんろう》され、浅学ぶりを暴かれるだけだった。まさか九人目でこんな強敵が現れるとは思いもよらず、痛恨の念が湧いたとき、いきなり異変が起こった。

杯を口に運びかけた坊主の手が、ぴたりと止まった。そのまま動かない。光國は、研ぎ澄まされた言説がいつ飛び出してくるかと身構えていたが、相手が微動だにせず宙を見ていることに気づいた。

何か効果を狙ってのことだろうか。ふいに坊主が身を屈《かが》め、顔を前に出した。光國も、せめて態度だけでも負けまいと、身を乗り出した。

そこへ、いきなり坊主が吐いた。

それまで水のように酒を流し込んでいただけに意表を衝《つ》かれた。さしもの光國がかわせず、坊主の口から噴出する、どろどろに濁った反吐《へど》を、まともに正面から浴びた。

（――殺す！）

顔中を酸っぱい反吐まみれにされて息が詰まり、視界を奪われながら、咄嗟にそれしか考えられなかった。反射的に立ち上がり、左手で刀の鯉口《こいぐち》を切った。侮辱といえばこれ以上はないほどの侮辱である。すぐさま斬り屠《ほふ》りたかったが、とにかく視界が戻らない。

「み……水！　水だ！」

慌てて手をさまよわせ、居酒屋の娘が持ってきてくれた椀《わん》をつかみ、中の水を勢いよく己の顔にかけた。なんとか視界を取り戻し、袖《そで》で触るもけがらわしい汚物を拭《ぬぐ》いつつ、一刀のもとに斬り殺してくれんと構えながら、相手を見た。

ちょうどその首が向こうへ遠のいていくところだった。

いったん前のめりになった坊主が、なんと反吐まみれになって白目を剝《む》き、今度は仰《あお》向《む》けに倒れてゆく。斬ろうか斬るまいか逡巡《しゅんじゅん》しているうちに、またもや宙に向かって反吐を噴かれ、光國はたまらずとびすさった。

どさり。坊主の体が崩れ、己の反吐の中に落下した。

一同、言葉もない。反吐まみれになった隻眼の坊主が、高らかにいびきをかき始めた。

光國はしばらくそのまま酒に溺《おぼ》れた坊主を睨《にら》みつけていたが、やがて刀を元に戻すと、卓台に叩《たた》きつけるようにして銭を置いて言った。

「酒代と……そやつの介抱代だ。くれぐれも道ばたに捨てて凍え死にさせるな」

言葉はともあれ、声は殺気に満ちている。居酒屋の店主も娘も恐れをなして声を発せず、ただ、こくこくうなずいた。

光國はきびすを返して店を出た。こちらは大酒しても、いささかも足取りが変わらない。ただ、反吐の臭いにまみれているのは相手と同じだった。心底むかついたが、

(——相手が下戸《げこ》で良かった)

心の中の正直な部分が、助かったと告げていた。

三

「いよいよ、史書に目覚めたか！」

浮き浮きした調子で口にしたのは伯父《おじ》、尾張《おわり》徳川義直《よしなお》である。

あの反吐坊主との論戦が半端に終わった数日後、光國は伯父の邸《やしき》を訪れている。目的は、伯父が蒐集《しゅうしゅう》した大量の蔵書にあった。しかも伯父は最近では自得に飽きたらず、日本の史書の少なさを憂い、自ら史書編纂《へんさん》事業を起こして、多数の学者を招聘《しょうへい》しているらしかった。

「どうだ、お前も我が事業に加わってみぬか」

義直は目を輝かせて言った。どうやら本気で誘っているらしい。

「いえ。己の浅学をさらすだけですから。まずは伯父上から書をお借りし、向学の思いを新たに、読みたく思っております」

光國も本気で言った。我ながら、とことん自分らしくないほど殊勝な言葉がするする出てきた。それだけあの反吐坊主に負けたことが響いているのだ。酒に勝って、論戦に負けた。しかも最後には、詩を引き合いに出された。

今思うと、あれは光國が詩を得意とすることを悟って、わざわざ史書と合わせてぶつけてきたのではないのか。単に儒学の知識で論破される以上の屈辱だった。なんとしてでも弁舌を磨き、捲土重来《けんどちょうらい》を期さねば気が済まなかった。

「この国の史書は四散して久しい。誰もが浅学だ。志あらば、いつでも来るがいい」

義直はあくまで光國を事業に引っ張り込みたいらしい。丁重に御礼を述べつつ遠慮しようとして、咄嗟に思い出した。

「伯父上は、史書編纂のため、林家《りんけ》一党に助力を得ているとか」

「そうだ。林羅山《はやしらざん》先生と、その子息らにな。羅山先生には、しばしば講義を頼んでいる。とはいえ老体であるので、最近は子息のほうが代わりに弁じることが多いな。羅山先生は傍らで、子息に誤りがないか見ておられる」

「儒学や史書についても講義して下さるのですか？」

「むしろ、そちらのほうを好むようだ。多くの大名が『吾妻鏡《あずまかがみ》』や兵書ばかり講義に求めるのでな。難解な教義については、羅山先生が弁ずることもある。興味があるのか？」

「はい。ぜひ講義を拝聴したく思います」

光國は即答した。林羅山は、家康《いえやす》が見出《みいだ》した幕府お抱えの学者である。家康亡きあとはいったんその弟が招聘されて羅山は暇を得たが、今の家光《いえみつ》のとき、再び招かれている。義直も家光も、羅山の講義を好むだけでなく、聖堂や学校設立に協力していた。

羅山の本願は、学問を追究すると同時に、万人に広めることにあった。国に道があるかどうかは、優れた学校が存在するかどうかで決まるというのが羅山の考えなのだという。

「よし。わしが講義を請おう。羅山先生のことだ。すぐに応じてくれるだろうな」

義直が言った。

羅山は〝教える〟ことに関して、無邪気なまでの情熱を抱いている人物だ。ある藩主が、年の暮れに羅山を宴席に招き、いつか論語を学びたいと口にしたときも、

「では、明日からにも始めましょう」

羅山は講義書を持って、大晦日《おおみそか》に現れ、講義を行ったという。

そういう性格だから、もともと京で育ったにもかかわらず、家康に従い、江戸に来て開幕を見届けた人だった。

「どうか宜《よろ》しくお願いします」

光國は念を押し、借りた『史記』を水戸藩士に運ばせ、邸に戻った。『史記』といっても百三十巻全てではない。本紀を数冊と列伝を十冊ほどである。そう簡単に読破できる書ではないし、今はとにかく列伝のほうに用があった。あの反吐坊主がくりだしてきた伯夷と叔斉について読むためである。

果たして、冒頭にあった。

古代、殷《いん》の末期のことだ。孤竹《こちく》国の王子たる伯夷は、父が三男の叔斉に位を譲りたがっていたことから、その遺言に従い、国を譲って出奔した。だが叔斉は兄を差し置いて位に就くことを不孝不仁として、兄を追って国を出た。結果、残った次男が国を継いだ。

兄弟は文《ぶん》王を慕って周へ向かったが、すでに文王は世を去り、息子の武王が殷の紂《ちゆう》王を討つべく戦を起こそうとしていた。二人は武王に、父親の死後すぐに戦を起こすこと、主君である王を討つことを、不孝不仁として説いたが聞き入れられなかった。
のち武王が興した王朝で生きることを恥とした二人は、西山に隠れて暮らし、やがて餓死した。
その死の直前に詠んだというのが、采薇の歌だ。
かの西山に登り　その薇《び》を采《と》る
暴を以《もつ》て暴に易《か》え　その非を知らず
神農《しんのう》・虞《ぐ》・夏《か》　忽焉《こつえん》として没す
我いずくにか適帰《てつき》せん
于嗟徂《ああゆ》かん　命の衰えたるかな
あの西山に登り、薇《わらび》を採って暮らしている。暴力をもって暴力に取って代わりながら、誰も過ちに気づこうとしない。神農や賢明なる王たちが築いた正しい世の中は消え去り、私にはもはやどこにも帰属するところがない。ああ、全てが終末であり、天命は衰えてしまった――
この伯夷と叔斉の選択と嘆きを紹介しながら、『史記』の筆者たる司馬遷が提示しているのが、
「天道、是か非か……」

であった。

論語では、伯夷も叔斉も憎しみとは縁遠い、自ら飢えて死んだ聖人である。だが司馬遷の『史記』にはそれとは真逆の、覇王を非難し、恨みを天にまで訴える二人がいた。

だがこのときは、二つの異なる人物像につじつまが合わず、咄嗟《とっさ》の解釈のすべもなく、

「ふうん……良い詩だな」

それだけを思った。なんとなく、おれと兄の竹丸《たけまる》も、一緒に薇を食っていたかもしれないな、と考えた。本当なら世子であったかもしれない次男の亀丸《かめまる》が、四歳で死んでしまったりしなければ、兄も自分も、今とはずいぶん違う立場になっていたはずだった。

「どちらが詠んだのかな」

ぽつんと呟《つぶや》いた。伯夷と叔斉、どちらの手による詩か。これまたなんとなく、二人で作ったのではないかと思った。兄弟が飢えて死ぬという悲惨さは実感されず、漠然と、幸せな光景が浮かんだ。

兄と弟が、ともに国を捨てて山に隠れている。なんだか幸せすぎて、胸が苦しくなってきた。兄も弟も、全てを譲り、全てを捨てて生きた。

「それなのに、なぜこんな詩を書くんだ」

どうにも理解しきれなかった。胸の苦しさが邪魔をして、上手《うま》く考えることができない。

ぼんやり采薇の歌を眺めていたが、やがて他の章に移った。読書は自得に任せ、自然

と頭に入るのを待つのが光國のやり方である。そのまま漢籍の黙読に集中するうち、胸の苦しさが消えていった。

代わりに、あの反吐《へど》坊主の鋭い弁舌がよみがえった。必ず勝ってやる。そう思い定めたときの光國は止まらない。そのまま夜更けまで読み、さらに翌朝早くから読んだ。

ひたすら読書に没頭し、四日ほど経ってのち、義直から講義の誘いが来た。父に許可を求めたところ、当然のごとく許された。邸を出る際、父から、土産を持たされた。

「水戸の煙草だ。羅山先生は煙草を好む」

水戸藩の赤土《あかつち》という地で採れる、良質な煙草の葉である。

父もここ数年、本格的に学問に傾倒しており、林羅山門下の学者たちを招くことがあった。その父が言うには、林家は下戸《げこ》が多く、酒の代わりに煙草を好むのだという。

「では煙管《キセル》を一緒に贈りましょうか」

光國が言うと、父はかぶりを振った。どうやら林羅山は、やたらと煙管にこだわる性分らしい。近頃の黄金《こがね》作りの煙管を非難したり、男と女が交互に煙管で一吸することを軽薄と断じたりして、せっかくの煙管が退廃の傾向にあることを嘆くとのことである。

「面倒だ。ふれずにおけ」

父が言うので、光國も従った。父に言わせるのだから、よっぽどだった。

水戸家の儒者たちを従者とし、煙草の葉を持たせて義直の邸《やしき》を訪れた。

従者は、人見卜幽《ひとみぼくゆう》と辻了的《つじりょうてき》という儒者で、どちらも林羅山とは面識があり、その講義拝聴を望んでのことである。

三人とも義直がいる部屋に通され、慇懃《いんぎん》に御礼を述べた。それからいよいよ講義を受けるため、広間に移った。

広間にはすでに義直の主立った家臣たちが坐《ざ》しており、講義の始まりを待っている。義直が席に着き、光國と従者たちも、与えられた場所に座った。

講師を呼ぶため、義直の小姓が広間を出た。ほどなくして小柄な老人と、二人の若者が現れた。

林羅山と、その二人の息子たちである。三人とも剃髪《ていはつ》し、僧服をまとっている。着座し、羅山が講義に招かれた喜びを述べ、三人の学者一族が揃って頭を下げた。

再び彼らが顔を上げるまで、光國は、かっと瞠目《どうもく》して見つめている。

煙草好きの老人はほとんど視界にも入っていなかった。老人がつれてきた二人の若者のうち、弟と思われるほうに注視していたのである。

やがて、相手も、光國の視線に気づいたようだった。病んだか傷を負ったかして失われた左目を、紐《ひも》と銅銭のような金属片で覆った若者が、光國の姿をみとめて、はたと動きを止めた。

金輪際、間違えるはずもない。

あの、反吐坊主だった。

四

むかむかしながら光國は講義を聴いていた。

内心のむかつきを表に出すこともままならない。よりにもよって伯父《おじ》の義直とその家臣が居並んでいるのだ。ここで怒りをさらけ出すことは、当然、居酒屋がよいを自ら告白するに等しい。

恥と言えば公衆の面前で反吐を浴びせられるというのも筆舌に尽くしがたい屈辱だ。これとて口にはできない。武士に反吐を浴びせるなど無礼のきわみであり、光國の常識では、たとえ相手が将軍お気に入りの儒者の息子であろうと斬っていい。というより斬るべきだ。そうせねば、むしろ光國の恥となる。だがそれでは学説の力で負けたまま終わってしまう。人は斬られた者の学問明敏なるを称《たた》え、光國を浅学の徒と嘲笑《あざわら》うに決まっている。

だから斬れない。斬るなら、弁舌で勝ってからでなければならない。

「巧言令色、鮮《すくな》し仁、というところの『仁』とは、本心の徳にして万物を愛するの理と言えます」

講義の内容は、『論語』の基本である学而《がくじ》篇である。

穏やかに講義を務めるのは、林羅山の二人の息子のうち兄のほうだ。名を林春勝《はるかつ》、号を鵞峰《がほう》、歳は二十八。父譲りの記憶力と怜悧《れいり》な弁舌の持ち主で、質疑があれば、どんな小さなことでもたちどころに答える。たとえば義直の、

「さて、後漢《ごかん》の光武《こうぶ》帝だが、漢の高祖《こうそ》から始まって何代目だったかな」

という問いに、

「九代です」

と即答してのける。

博識の人とは、大名にとって行秘書、すなわち供をする〝生きた辞書〟だ。学書の内容をことごとく網羅した辞書など存在せず、ゆえに学者の出世の道の一つは、己自身を辞書と化さしめるほど徹底的に記憶力を養うことにあった。

その鵞峰の講義を、弟のほうは無感動な面持ちで聴いている。居酒屋で光國に舌鋒《ぜっぽう》と反吐とを浴びせまくったこの男、名を林守勝《もりかつ》、号は読耕斎《どっこうさい》といった。歳は光國と四つしか違わぬ、二十二歳。

講義が始まる前、光國は義直からその名を聞いている。そのときは、〝読耕〟とはまた洒脱《しゃだつ》な号をつけたな、と感心したものだった。言葉の響きが〝独行〟あるいは〝独耕〟に通じ、隠者然とした潔白さと、若者らしい意気盛んな有様が、ともに字面から感じ取れる。

もちろんここに至って、読耕斎の名は完全に怒りの対象となった。ときおり思わず睨《にら》みつけてしまうのだが、読耕斎本人はほとんど講衆に目を向けない。挨拶《あいさつ》の際、光國と

しばし見つめ合ってからというもの、こちらのほうへは一瞥《いちべつ》すらしていなかった。

動揺した様子はなく、業腹《ごうはら》なほど涼しげな横顔を見せている読耕斎であったが、きっと内心では度肝を抜かれているに違いない。そう光國は信じた。まさか自分がさんざんに論破した相手が徳川家ゆかりの武士だとは思ってもいなかったはずである。いつ光國に咎《とが》められ、斬られることになるかと不安を抱いているからこそ、こちらを見ないのだ。

しかし、そうではなかった。

兄である鵞峰が、講義でこう告げた。

「仁につきましては、人を哀れみ、慈悲することのみを指すと思われておりますが、むしろそれは仁の全体の一部でありましょう。仁は、人畜の両者をも兼ねる広い意味での思いやりなのです」

これは林家独特の解釈でもあった。儒家の唱える〝仁〟の意義が、人ばかりか動物にも適用される。純粋な学説という以上に、仏教勢力への対抗からだった。

仏僧たちの中には、儒者の慈悲は人にばかり向いていて他の生命を蔑《ないがし》ろにしていると論難する者がいる。必然、信仰心の篤《あつ》い大名たちや将軍家の者たちも同様に儒者を難じる。

それに対し、林羅山が用意したのが、〝仁の全体〟という考え方だった。論語の教えの中心たる仁の定義の拡大解釈である。仁は、仏教の殺生《せっしょう》戒や姦淫《かんいん》戒といった様々な戒をも内包し、決して仏教的慈悲より狭いわけではない。そういう主張だった。

それこそまさに光國が、あの居酒屋で、反吐坊主こと読耕斎に向かって口にしたことだ。それを読耕斎は、〝えびす読み〟と嘲笑い、滅多斬りに反論した。

なのに、今このとき、読耕斎の表情に何ら変化はなかった。表情どころか、小癪《こしやく》なほど落ち着いた坐相《ざそう》にも、動揺や緊張は毛ほども見られない。

このとき初めて光國は、読耕斎の一種独特な坐相に気づいた。読耕斎の坐《すわ》り姿には、妙な刺々《とげとげ》しさというか、ひどく尖《とが》った孤絶感があった。決して孤高の涼しさではなく、何やら胸のむかつく思いを抱いていて、それを表に出すまいとしているような感じだ。実のところ今の光國自身と鏡映しの体《てい》である。だが光國にはわからない。はっきりわかったのは、

（おれを恐れていない）

この一点である。咄嗟《とつさ》に、立ち上がって怒鳴りつけたい思いに駆られ、ぐっと堪《こら》えた。

殺気を込めて見つめたが、読耕斎は相変わらず涼しげな横顔をさらしたまま気づきもしない。

（小癪なやつだ）

わざと気づかないふりをしているというより、この場にいる全員に関心がないかのようだった。徳川御三家の筆頭たる尾張徳川家の邸に来ておきながら、良い度胸である。まさに読耕ならぬ〝独耕〟の風情で、光國はちょっと感心しそうになる自分を、それこそ殺気をはらんで抑えつけた。

そうこうするうちに兄の鵞峰が講義を終え、代わりに読耕斎がまた別の講義を始めた。

「浅学不肖の身ではございますが、父兄に代わり、わたくしが務めさせて頂きたく存じます」

言葉は丁寧で、態度も穏やかだが、尖った孤絶感は消えなかった。兄と違って、書物を開きもしない。こんなものは丸々諳《そら》んじていて当たり前だと考えているのだ。

内容は『史記』の管仲《かんちゅう》伝である。史書は、他の教義書のたぐいと違って、内容を質問されれば、まず一般論で逃げることはできない。先ほどの光武帝が何代目であるというように、何々の書に、これこれこう書かれていると答えねばならなくなる。なのに書物に頼らず己の記憶力だけで講義を行おうとしているところに、勇猛なまでの不遜《ふそん》さがあった。

(伯父上の前でその態度か)

光國は、これまた感心しかける己を、胸の内で雑巾《ぞうきん》のように絞って踏みつけた。

学問好きで知られる尾張徳川家である。その主人を前にして不遜な態度を取ることができるのも、とんでもない範囲での知識の蓄積があると同時に、くそ度胸をも持ち合わせているからだ。

証拠に、義直とその家臣たちの質問も、兄のときより多くなったが、読耕斎の回答にはいささかも遅疑逡巡《ちぎしゅんじゅん》するところがなかった。

曰《いわ》く、管仲が斉に仕えてその王を覇者とするにあたり、古来の制度を改めた。その際、斉の国土を幾つに分けたか？

「二十一の郷です」

曰く、四維の緩みは亡国の原因となる。この四維とはなんであるか？

「廉、恥、礼、義です」

曰く、斉は北の山戎《さんじゅう》を討伐し、周王室への忠誠を誓わせた。この山戎の国の名はなんであるか？

「楚《そ》です。斉はこれを討ち、盟約のもとに置きました」

曰く、斉の桓公《かんこう》が、周から任じられた職責は？

「方伯《ほうはく》、すなわち周の東方を守護管轄することです」

云々《うんぬん》――まさに生きる辞書だった。史書に疎い光國からすれば、感心するなどというものではない。呆気《あっけ》にとられて怒りすら忘れそうになった。

しかも林家と義直の本領発揮は、講義がひと段落してからにあった。

「なにゆえ仲尼《ちゅうじ》（孔子）は、これほど優れた臣である管仲を君子と称さなかったのであろうか」

義直が疑問を発した。明白な解答を求めてではない。家臣もふくめた自由な討論が目的だった。

「史記を記した司馬遷が言うように、王道ではなく覇道をもって仕えたからでしょう」

家臣の一人が言い、これに別の家臣が疑問を返して、

「管仲の行いのうち、何が王道でなく、何が覇道であったのだろうか。孔子の弟子である子貢《しこう》は、はかりごとをもって斉が魯を討つのを防いだが、これはそもそも孔子がそのようにして魯を救うことをはかったのではないか」

などと言う。これに、再び義直が問う。

「王道には仁が不可欠である。管仲の行いには仁が欠けていたのであろうか」

すると家臣たちが、仁とは何かという先ほど鵞峰が弁じた講義を踏まえて、あれこれと討議する。管仲には仁があったとする者と、欠けていたとする者とがそれぞれ意見を述べ、それに対し、林家の兄弟が学書の内容をもとに肯定したり否定したりする。ときおり義直が羅山に質問し、羅山もその子ら以上の記憶力を発揮して答えを述べる。

「管仲に、仁がなかったとは言えない。義を見てせざることなく、ゆえに勇もあった」

やがて義直が各論をまとめるようにして言った。

「だが、そもそも本来の主君を討たれ、戦に敗れてのち、斉に仕えた。忠孝に欠け、信に欠けたところがある。それゆえ仲尼も、あえて管仲を君子と称さなかったのではないか」

軽々に断定せず、あくまでこれまでの論議を踏まえた上で、一応の解釈を述べる。

ここでもまた、光國は、うっかり反吐《へど》坊主への怒りを忘れかけた。みな感情に任せて激論を爆発させることもなければ、知識に任せて空論をもてあそぶこともない。きわめて理路整然と、相反する考えを検討し、その場にいる全員の学識を高めてゆく。

これぞ学問と言わんばかりの、尾張徳川家の学識の高さに光國は舌を巻いた。とても自分が口出しできる場ではない。ただ傾聴するばかりだし、それが悔しいとも思えない。この程度の議論は日常茶飯事であるのだと、どの家臣の顔も無言で告げていた。

ここにきて光國は初めて、居酒屋での法論まがいの行いそのものを恥じた。この意気盛んな議論の場に比べ、なんと浅ましいことか。自分もなかなかやる、などと生臭坊主どもを相手にいい気になっていた己を、目に見えない鋭い刀で、真っ二つに叩《たた》っ斬られた気分だった。と同時に、

（負けっぱなしでいられるものか）

にわかに向学発奮の念が強烈に湧き起こるのを感じた。やはり来てよかった。このような場を知るのと知らないのとでは、学問を身につけようとする姿勢に、雲泥の差が生じるのは明らかである。

それでも、反吐坊主への怒りが消えることはなかった。というより、むしろますます燃え盛った。

（おれを嗤《わら》っているのか）

光國に怯《おび》える必要がない理由はただ一つ。義直が光國の暴挙を許さないと知っているのだ。むしろ議論に参加できずに黙って聞くしかない光國の浅学さを心の中で大いに嗤っているに違いない。

そう信じた。このときはまだ、それ以外に、読耕斎が光國を前にして淡々とした顔を

していられる理由を考えつかなかった。

やがて講義の時間が終わり、義直の指示で家臣たちが、何人か席を立った。すぐに邸《やしき》の者たちが膳《ぜん》を運び、てきぱきと茶や酒や菓子が出され、ついで食事が用意された。

その間も、今日の講義の内容を踏まえた議論は続いている。だが驚くほど自然と、厳密きわまりない学問の場が、くつろいだ酒宴の場に変貌《へんぼう》していた。まるで餅《もち》を搗《つ》いたあと、水をかけてこねるような塩梅《あんばい》だ。それまで厳密な定義を前提として、論旨を踏み外さず着々と議論が行われていたのに対し、この酒宴の場はより柔軟で、閃《ひらめ》きや発想を楽しむ空気があった。

そしてそこでも、光國は彼らの議論に呆気にとられた。

話題は四書五経から種々の和書に及び、おそろしく幅が広く、内容が深い。そして義直はその議論の向かう先を、もっぱら神道の教義に求めた。徳川家は、将軍が仏教に帰《き》依《え》することが多いのに対し、御三家は神道と儒学に傾倒することが多い。そして義直が林羅山と神道について話すとき、それはただ単に教義を身につけるというだけにとどまらなかった。

「世の天地《あめつち》を開いた、天神七代の第一たる国常立尊《くにのとこたちのみこと》は、一神が分身し、諸神の総体となりました」

羅山が言う。父が告げた通り下戸《げこ》らしく、酒はほとんど飲まずに、ぷかりぷかりと美《う》

味《ま》そうに煙草を味わっている。そうしながら、

「人の心が一つであってもその様子は一人の身中で万別。これも国常立尊のあらわすところです」

と語ってみせる。これに義直も、

「対極から万物が生じ、万物を理が貫く。天と地と人、この三才を貫く理こそ神道の神である」

などと、儒学の理論をもって、神道の理念を描き直してみせる。まさに〝沿革を改める〟議論だった。神道という古来の宗教観念を、より緻密《ちみつ》な理論をなす儒学でもって構築し直す行為である。

今まさに宗教そのものを創り上げようとするかのような義直と羅山の会話に、十八歳の光國がついていけるわけがない。酒を注がれるまま飲むばかりだった。

かと思うと、ふいに義直が光國のほうを向いた。

「子龍《しりょう》よ、今日はお前が来るというので、邸の者たちが揃って浮《うわ》ついておったぞ」

いきなりそんな話を振られた。

「そうですか」

としか光國には答えようがない。

「そのうち我が邸でも人垣が崩れかねんな」

義直はそう言って笑った。人垣が崩れるとは、しばらく前に御城の門前で本当にあっ

た話だった。ちょうど光國が登城するとき、蝟集《いしゅう》していた町人たち男女の群れが、どこぞの大名の家来たちと押し合いへし合いして、堀に落ちかけたことがあったのである。

しかもそれが、光國が登城する姿が見たくて江戸の男女がわんさか集まってきたからだ、などという噂となって流れた。光國にとってみればわけのわからない理屈である。

「私のせいではありません。たまたまです」

光國は呆《あき》れて言った。だが義直は妙にしつこかった。

「たまたまではないぞ、子龍。お前目当てに集まる者たちが増えて、まとめて城の堀に落ちんとも限らんそうではないか」

「そんなわけがないでしょう。私は見せ物ではありませんよ」

少々腹を立てて言い返した。読耕斎の隻眼がこっちをちらちら向くのが癇《かん》に障った。

実のところ、これは光國のほうが間違っていた。江戸の男女が多数、光國を一目見たくて集まったのは事実だったのである。もちろんそれは、夜ごとの悪所がよいが江戸市中でとっくに噂になっていることを意味する。偽名である表徳《ひょうとく》として〝谷左馬之助〟などと名乗ってはいても、町人たちのほうはそれが水戸家の御曹司《おんぞうし》であり、かの徳川家康の孫にあたる人物であることを薄々知っていた。

それで噂の真偽を確かめようと人が集まったのである。光國は立ち居振る舞いも目立ったが、何よりその相貌《そうぼう》が人目を惹《ひ》いた。母は水戸随一の美女と呼ばれた女である。さらに光國は、父に似て頑健な肉体をしている。まさに眉目《びもく》秀麗たる若武者そのもので、人目を惹かないほうがおかしい。

まず町の女たちが多数、光國にのぼせた。ついで男どもが光國の傾奇《かぶき》ぶりを噂した。いずれも、家康の孫である若者が、血筋をひけらかすことなく市民と交わっていることを痛快に思った。

こうしたことは、ことごとく城の老中たちの耳に入る。将軍の知るところとなり、そして御三家にも伝わる。というのも幕府は常に、民衆の動向を探らせるため、馬鹿げた数の密偵を市内に放っているのだ。人の集まる場所、人の噂にのぼる人物は、残らず情報収集の対象とする。

そして光國が人を集めたという点に、幕閣の面々は注目した。幕府にとって人望こそ重大事だった。為政者ほど世上の評判に神経を尖《とが》らせる。武威を示す一方で、人望のある人材を求め、己自身の名声か、あるいは己が属する〝お家〟の支えとしようとするものだ。

「そのような根も葉もないことを仰《おっしゃ》るのはおやめ下さい、伯父《おじ》上」

だが光國は、学説で話題に交じれぬ自分を義直が哀れんで話しかけているのだと思い、無性に恥ずかしかった。読耕斎の視線がますます気になり、その坊主頭をぶん殴りたくなってくる。

だが義直はまだやめなかった。

「羅山先生、〝吾《わ》れ十有五にして学に志す〟とは、まさにこの子龍のことですぞ。以前はたびたび、これの父親から、息子の行状がけしからんと相談されたものです。だがなんのことはない。こうして武道に優れ、詩歌文学を志す、立派な若者に育っている」

などと、わざわざ孔子の言葉を出し、いっそう光國の羞恥《しゅうち》を煽《あお》った。講義の最中にただの一度も質疑を口に出来なかったくせに、学に志すなど言えたものではなかった。

「作詩をされるのですか」

羅山が嬉《うれ》しげに言った。漢詩は林家が得意とするところだ。歳旦《さいたん》に行われる林家の作詩は、この頃すでに風物詩となっており、林家の詩をもらってようやく新年を迎えた気分になるという者もいた。

光國も林羅山の詩は、たびたび伯父たちや父を通して知っていた。風趣に富んでいるとは言えないが、平仄《ひょうそく》の法をはじめ漢詩の作法に関してはまさに教科書的な正確さだった。

この話題は、光國にとって大いに助け船となってくれた。

「はい。ぜひ先生に私の詩を添削していただきたく思っております」

「それはそれは嬉しい限りです。私でよろしければ、いつでも何篇でも拝見したいものです」

皺《しわ》だらけの顔をくしゃくしゃにして喜んでいる。どうやら本当に詩が好きらしい。

「ありがとうございます」

言いつつ、ぱっと考えが閃いた。光國はその考えをすぐさま口にした。

「ではさっそく今日の講義と今宵《こよい》の月を題に、詩趣を得られないか、伯父上のお庭をお借りし、探して参ります。つきましては、私と歳の近い、ご子息の読耕斎様とともに作詩をしてみたく存じますが、いかがでしょうか」

と、殺気がこぼれ出さぬよう気をつけながら、読耕斎を一瞥《いちべつ》した。

「それは素晴らしい。これ、靖《せい》。謹んで水戸御曹司にお供させていただきなさい」

靖というのが普段の呼び名らしい。一方で、御曹司というのは特に源《みなもと》家の子息の敬称である。徳川家康以来、一族は清和源氏《せいわげんじ》を称していることから、そういう呼び方をされたのだとわかった。その様子には、徳川家に対する学者的な忠心が感じられた。

徳川家が源氏を称したのは、かつて国を統べるため三河守《みかわのかみ》の叙任を朝廷から授かるためであったという。新田《にった》氏の支流、得川《とくがわ》氏の系統に連なる清和源氏である。その証拠は実は存在しないのだが、羅山は率先して、徳川家の主張をことごとく肯定するつもりであることが窺《うかが》えた。

なぜそうなのか光國にはわからない。このときはただ、上手《うま》くこの場を抜け出して、読耕斎と二人だけで対峙《たいじ》できるきっかけを作れたことで、内心にやりとなっていた。

「承知しました、父上」

読耕斎が穏やかに頭を下げる。態度は神妙だが、その独特の尖った気配が、ちらりと強まったように光國は感じた。名指しされたことで、いよいよ向こうも本性をあらわし、光國に思うところをぶつける気でいるのだ。そう光國は信じ込んだ。

灯《あか》りが用意され、光國と読耕斎が揃って庭に出た。義直も羅山も、まるで仲の良い二人を見るかのように、微笑ましげな様子でいる。

尾張家は君臣揃って文武両道であるばかりか、庭も美事だった。光國と読耕斎は、灯《とう》籠《ろう》の灯りを頼りに月下の池のほとりにやって来た。相変わらず読耕斎は無頓着《むとんじゃく》な様子で、額面通り月を見上げて思案している。そのふてぶてしさに、はらわたが煮えくり返る思いだった。

(――成敗してくれるか)

さっそく手が脇差しに伸びかけたが、

(いや、待て)

ここで殺してどうなるものでもない。やっとのことで怒りを制し、

「よもや、儒者とはな」

できる限り平静を装って言った。読耕斎がようやく月から隻眼を離し、まるで今初めて光國がそこに出現したとでもいうような様子で、まじまじと見つめた。

それから、途方もなく業腹《ごうはら》なことをぬかした。

「やはり、どこかでお会いになりましたか」

光國は、憤激を堪《こら》えるあまり、胃の腑《ふ》をぼろ雑巾《ぞうきん》のようにねじ切られる思いがした。

「貴様、このおれが、わからんとでも申すか」

低く虎が唸《うな》るような獰猛《どうもう》な声を発した。並の相手なら震え上がるところだ。しかし読

耕斎は、かえって涼しげな面持ちになり、

「はて……この私が、水戸様の御曹司と……？　どこで……？」

小憎らしいほど落ち着き払った様子で自問している。

その様子に、光國はやっと馬鹿げた可能性に思い当たった。あのとき読耕斎は、初手からしたたかに酔っていた。先ほどの酒宴でも、林家は揃って酒をあまり飲まなかった。一族全員、下戸《げこ》だというのは本当らしい。となると、あのとき読耕斎は、ほとんど正体をなくしながら光國を論破したことになる。しかもその上、泥酔してぶっ倒れてのち、目覚めとともに一夜のできごとを忘れ去った。

そんなことは、とても許せない。人を愚弄《ぐろう》するにもほどがある。

「千住だ。ほら、居酒屋だ。僧どもがいたろう。ええい、谷左馬之助という名に覚えがあるはずだ」

相手の記憶をよみがえらせたくて、ついついわめいた。

「ふうむ」

読耕斎はきょとんとしている。その涼しげなつらのせいで、なぜか光國のほうが遠い昔の記憶を呼び覚まされた。

（かしこまり候）

兄だ。よりにもよって、幼い頃、思い切り兄にぶん投げられたときの記憶だった。そのときと同じくらい悔しかったし、自分の中の大事な何かを無遠慮に傷つけられた気がした。

首の骨をへし折って、池に沈めようか。本気でそう思ったとき、やっと読耕斎がうなずいた。

「ははあ、えびす侍が、水戸の世子どのとはな」

記憶とともに、辛辣《しんらつ》な口調まで戻ってきたらしい。その打って変わったずけずけとした物言いに、光國は思わず鼻白んだ。そんな光國をよそに、

「だが解《げ》せないな。おれが相手をしていたのは、僧どもだったような……」

読耕斎は、まだ少々混乱しているような調子で、独りごちている。

「貴様は、おれに反吐《へど》を浴びせたのだぞ」

たまらなくなって光國は言った。ほとんど子供のようにわめいていた。

「本当か。ひどいな」

読耕斎が顔をしかめた。記憶がないせいか、完全に他人事《ひとごと》の調子である。

「ひどいのはお前だ。おれがひどい目に遭わされたのだ」

苛々《いらいら》して地団駄を踏みたくなってきた。

「ふむ……。確か、『廏焚《うまやや》けたり』の一節の、『不』を『否』と読む侍がいるという噂を聞いて、居酒屋に行ったのだが……ちょうど、おれもむしゃくしゃしていたんだ」

妙に言い訳がましいことを言う。そして逆に、こんなことを訊《き》いてきた。

「なぜ朱子を読まない？」

「なに？」

「なぜ史記を読まず、数多《あまた》ある書を読まなかった？」

「手元にあれば読んでいた。貴様は生まれながら儒者の家に育ったから――」

「違う」

「何が違う」

「水戸家の蔵書だ」

「……なんだと？」

「おれが読ませてもらった書の多くは、水戸家のものだ。知らないのか」

光國は絶句した。押してもびくともせず、何をされたかわからないうちに、ひっくり返されている。そして自信を保つために大事な何かを、あっさり覆されてしまう。これではまるっきり、子供の頃、兄にぶん投げられたときと同じではないか。

「水戸家……？　伯父《おじ》上の蔵書ではなく？　なんでだ……」

「水戸家は京にゆかりが深い。お前の乳母は、もともと朝廷の女房だぞ。水戸家ならば秘蔵書の書き写しを許してくれる公家《くげ》も多い」

全て事実だった。呆然《ぼうぜん》となる光國に、読耕斎がまた別のことを訊いた。

「幾つだ、お前」

馴《な》れ馴《な》れしいどころではない。相手のその一言で斬り殺してもおかしくなかった。

「十八だ。それがどうした」

ようやく戻ってきた殺気を込めて言い放った。

「おれは二十二だ」

「だからどうしたと言っている」

「四年の差は大きい。若年のうちはな。立志の齢《よわい》にも届かぬうちでは読んだ書の多寡も、弁舌の優劣も、実のところ大した問題ではない。たとえ学書の一説のみであっても、それを深く理解し、己のものとする契機を得るほうがよほど大事だ」

だから居酒屋の一件など気にするなと言っているらしい。光國は遅れて、もしかするとこれは相手に情けをかけられているのだろうかと思った。そのせいでさらに怒りが増し、

「ふざけるな」

ぎらぎらと睨《にら》みつけた。読耕斎は少し身を引いたが、怯《おび》えはなく、静かに身構える感じだった。

「つまり、挑みに来たというわけか」

読耕斎が独り言のように呟《つぶや》き、何度かうなずいてみせ、

「ここでやるかね」

「なに?」

「そのために今日の講義に出席し、おれを連れ出したのだろう。今ここで討論といくかね?」

「伯父上の庭だ。おれの勝手はできん」

反射的にそう返していた。これも相手を恐れたのではなく、十全に身構えるためだった。

「それに、あまり時間が経てば、人が来る」

「確かに、父や兄に茶々を入れられるのは面白くない」

「あの居酒屋でどうだ。いや……貴様、どの店か思い出せるか」

「うむ。まあ……、行けばわかるだろう。で、いつだ？」

「次の望月《もちづき》。月のない夜はやめておいてやる。酔った貴様が暗闇をさまよって堀に落ちぬようにな」

「ご親切なことだ。しかしおれは、あまり酒をやらん」

たらふく飲みまくった挙げ句、おれに反吐を浴びせたのは誰だ。そう詰《なじ》りたかったが、相手が覚えていないのでは空気に向かってわめくのと大差なかった。

「今日のことはちゃんと覚えてるだろうな」

思わず訊いてしまった。約束の日の前には、手紙を送ってちゃんと思い出させるべきだろうか。

（なんで、おれがそこまでしなければならないんだ）

あまりの理不尽さに腹が立ったが、どうにもしようがなかった。

「心配ない。今はしらふだ。それに、何やら楽しみになってきた」

読耕斎はそう言って、にやりと笑った。初めてこの男の笑みを見たが、実に食えないしろものだ。悪所の女ならば、警戒して毛嫌いするか、ぞっこん惚《ほ》れ込むか、極端に好《こう》悪《お》のわかれそうな笑みだった。光國からすれば、これほど踏みつけたくなる笑みは、またとなかった。

「決まりだな」

しっかり念を押した。

「決まりだ」

読耕斎が請け合った。

「では詩を作ろう」

「そうするとしよう」

二人、改めて虚空の月を仰いだ。しばらく無言で眺め、

「できたぞ」

「できた」

互いに速さを競うような調子で、ほぼ同時に告げた。

「では戻ろう」

「よし」

読耕斎がぞんざいにうなずいた。光國とともに、きびすを返して来た道を辿《たど》る。とてもお供するというようなものではない。あまりといえばあまりの態度に、

「無礼ではないか。おれは水戸徳川家の世子だぞ」

今さらのように光國が難じた。

「たかが世子だ」

さらりと読耕斎が返した。

「貴様……」

言いさして、光國は黙った。それ以上は一言も発さず、邸《やしき》に戻った。発したくても発せなかった。得体の知れない衝撃に、息が詰まった。

邸に着く寸前、読耕斎が小声でささやいた。

「御曹司《おんぞうし》におかれましては、広く人民に敬われることがお望みならば、傾《かぶ》いた恰好《かっこう》で居酒屋などに通わぬがよろしいでしょうな」

たっぷり揶揄《やゆ》をふくんだ慇懃《いんぎん》さだった。即、ぶん殴るべきところだが、なぜか力が湧かなかった。

――たかが世子だ。

そのたった一言で、胸のど真ん中に風穴を開けられた思いがしていた。

五

ひたすら読書三昧《ざんまい》の日々だった。

かといって一室にこもってばかりいたわけではない。そんな辛気くさい真似ができるものかと真面目に思っていた。一日部屋にいれば、次の日は朝から邸を抜け出す。芝居小屋や料理屋、はては岡場所に入りびたり、杯を片手に書を開くのが光國の好みだった。

今日も、昼過ぎから千住の料理屋の一室を借り、窓の手すりにもたれて二階から通りの喧噪《けんそう》を眺めつつ、酒を運ばせての読書を行っていた。持ってきた書は史記『世家《せいか》』が数冊と、論語『顔淵篇《がんえん》』の注釈書が一冊である。どれも水戸家の蔵書だ。

そのとき読んでいたのは史記のほうだった。ちょうど魯周公の最後のくだりにさしかかったところで、部屋に若い男が入ってきて、呆《あき》れたように言った。

「よく書など読んでいられますね。うるさくないんですか」

通りでは、五人組の大道芸人たちが、大黒天やお多福の張り子を頭から装着しておかしな口上を叫び、物売りや町人たちに、やんやの喝采《かっさい》を送られている。

この頃は、どこの町も大変な賑《にぎ》わいを見せている。真っ昼間から食事代わりに酒を食らう輩《やから》も多く、かと思えば飲み代ほしさに、自前で用意したかぶり物で大道芸をしながら町々を推参する者どもも後を絶たない。年がら年中、お祭り騒ぎだ。そんなやかましい町の一角で、悠々と書を読み、ときに平然と昼寝ができるのも、光國が生来備える、ある種の特技といえた。

光國は挨拶《あいさつ》代わりにひょいと片手を挙げ、部屋の隅に積んである座布団のほうへ振ってみせた。読み終わるまで適当に座って待っていてくれというのである。

「すまんな、山鹿《やまが》。太史公曰《いわ》く、のところだ」

顔も上げずに告げた。これは史記の各章の、総括にあたる箇所のことを言っていた。

「それは目を離せませんね」

男もあっさり同意した。浅草で、宮本武蔵とともにいた浪人、山鹿素行《そこう》である。

山鹿は座布団を持って来て座ると、手酌で酒を飲《や》りつつ、光國が用意させた、つまみの豆腐を箸《はし》で勝手に小皿に分けた。醤油《しょうゆ》もかけず生《き》のまま食い、それから沢庵漬けを皿からとって上品に齧《かじ》った。

「よし」

ばしん、と音を立てて光國が書を閉じた。一挙に読破したときの、爽快感《そうかい》に任せた癖である。

「書を膂力《りょりょく》でねじ伏せようというのですか」

山鹿が呆れ顔になる。高価な書を、なんという扱い方をするのかと目で咎《とが》めていた。

「それで中身が頭に入るならいいんだがな」

光國は真面目に言って、手を開いたり閉じたりしてみせた。父譲りの、火箸を飴《あめ》のように曲げてしまう力を持った手だ。書の二冊や三冊、まとめてねじ切るくらい朝飯前だった。

「論敵を力で討ちたいなら、ご自慢の膂力を用いて、存分にお斬りなさい」

山鹿が涼しげに皮肉った。浅草での一件のことを言っているのだ。

「そういうわけにいかないから、お前を呼んだんだ」

光國は憮然《ぶぜん》となって相手の杯に酒を注ぎ、

「で、どうしたら勝てると思う？」

「林読耕斎どのに、ですか」

「そうだ」

「私、昼餉《ひるげ》がまだなのですが」

しゃらっと山鹿が言って杯を干した。

「食わせてやる。ここの茶漬けは美味《うま》いぞ」

光國が店の者を呼び、食事を頼んだ。さっそく膳《ぜん》が用意され、鯛《たい》の炙《あぶ》りものを混ぜた茶漬けが出された。それを二人してさらさら食い、

「どうだ美味いだろう。湯に使う水が違う。玉川で汲《く》んだ水を買ってるんだそうだ」

などと、光國は通ぶって解説した。玉川上水の開削が始まるのは、これより八年後のことだ。慢性的な飲料水不足にある江戸において、上質な水を使うことは料理屋にとって何よりの箔付《はくづ》けだった。

「ならば玉川の岸辺で店を開けばよろしいのに」

だが山鹿は、まったく感銘を受けた様子もない。

「江戸で味わえるからいいんじゃないか」

光國もつい言わずもがなのことを言い、

「相変わらずの石頭め。そんなだから見目《みめ》は悪くないのに、女にもてないんだぞ」

親切ぶった調子で忠告してやった。江戸における美男の基準は、色白で肌が綺麗《きれい》なことである。やくざ者や傾奇者《かぶきもの》ですら、傷のないさらりとした白肌を自慢するくらいだった。つまりそれだけ、たっぷり日に焼けた屈強な肉体労働者が、わんさといたことになる。

その点、光國は母親の端麗な容色をそのまま受け継いでいて、問答無用で女にもてた。山鹿もそれに劣らず、すっきりとした容貌《ようぼう》をしているが、

「私は妻ある身ですから。それに人品を見目で判ずるやからとは縁がありませんので」

あっさり一蹴《いっしゅう》するのへ、光國も真面目ぶって言い返した。

「酒を飲んでも砕けぬ石頭じゃ、一緒になった女が可哀想だ。嫁のためと思って精進したらいい」

「なんの精進ですか」

「武家の離縁は、町人よりずっと多いと聞くぞ。見合いの場もなけりゃ、相手の顔を初めて見るのが祝言の日、惚《ほ》れる間もなく夫婦の契りだ。当然だと思わないか」

山鹿は深々と溜息《ためいき》をついた。

「御曹司とも思えぬ嘆かわしい言い分ですな。お家のための夫婦であって、惚れたのはれたの、所詮《しょせん》は人の皮一枚のこと。くっつき合いの果ての浅薄な結縁など武家には無用」

「お前だって今いる若い女房の他に、惚れた女の一人や二人はいるだろう」

「おりませんな」

「そんなだから、老いた頃には積年の我慢がたたって山ほど妾《めかけ》を買う羽目になるんだ。家が傾くぞ」

「勝手に決めないで頂きたい」

食後、呆れたことに山鹿は菓子まで所望した。見かけによらず甘党なのだ。光國が東海寺に高価な酒を持参していたことを知っているせいか、遠慮なく光國の懐の中身を食い物に変えてしまう。

「で、どうなんだ。あの反吐《へど》坊主を負かすには、何を学べばいいと思う」

光國が改めて訊《き》いた。

「素人が、関取に相撲を挑むようなものですね。付け焼き刃は、たやすくへし折れるものです」

「たっぷり御馳走《ごちそう》になっておきながら、言うことがそれか」

さすがに光國が苦々しい顔になる。こちらは茶ではなく酒を続けていた。

「林羅山先生のご子息です。私も何度かお会いしたが、おそろしく聡明《そうめい》な人でした。詩歌の享楽にひたる悪癖があるものの、学説の矛盾を見抜く目は、兄の鵞峰どのより鋭いともっぱらの噂です」

「確かに、なかなかの詩を作るやつだ。侮れない」

光國はうなずいた。義直の邸《やしき》で、詩作を口実に読耕斎を庭に連れ出したものだが、実際に光國も読耕斎も、しっかりと月を吟じ、その日の講義を称《たた》える五言絶句を作っている。

林羅山も長子の鵞峰も、光國の詩をしきりと誉めたが、読耕斎の詩も即席とは思えぬものだった。

「私は悪癖と申し上げたのですが」

山鹿が半眼になって咎める。光國はうるさそうに顔をしかめた。

「詩が悪癖なものか。武人のたしなみだ」

「教訓も大義もない、ただの享楽のための詩は悪癖です」

「お前の首は、きっと良い漬け物石代わりになるぞ。首を刎《は》ねられることがあったら言ってくれ。おれが東海寺に寄進して、沢庵漬けを作るのに使わせる」

「御曹司《おんぞうし》こそ、詩で京人《きょうびと》を唸《うな》らせるのでしょう。享楽の戯《たわぶ》れ歌で、天下が取れますか」

「そんなことは百も承知だ、馬鹿」

「馬鹿とはなんですか。武士が詩作を行うのは、文化文明を知らしめることでなければなりません」

光國は面倒になって手を振り、

「詩はいい。おれの望みは、学論であいつを打ち負かすことだ。学者という生き物は、どうもわからん。論破さえされなければ何をされても恥とは思わんような連中に、どうしたら恥をかかせてやれるんだ。たった今たらふく食った一飯の恩義を少しでも感じるんなら教えてくれ」

山鹿の背がすっと伸びた。どうやら恩義という言葉に律儀に反応したらしい。

「夜襲に等しい奇策を講じるべきでしょう」

「たとえば？」

「論戦の最中に酔い潰《つぶ》すといった奇策です」

「馬鹿、反吐を浴びるのは二度と御免だ」

「浴びねばよろしい」

「他にないのか」

「さらには、伏兵ですな。相手の典拠に見当をつけ、それを論難している別の書を探し、己の典拠とすること。相手にとって未知の書であることが肝要です」

「水戸家の蔵書を片っ端から読破している男だぞ。未知の書があるものか」

「秘したる書は、どの文庫にもあるものですが」

「おれの父は、書は秘蔵にしないんだ。尾張の伯父《おじ》上の受け売りでな。書は万人に公開している」

「では、荘子《そうし》をお読みなさい」

「荘子？　なぜだ？」

「巧みに文辞を綴《つづ》り、事実のない架空の話で、孔子をそしり、墨家《ぼっか》を攻撃し、老子《ろうし》の学術を引き延ばして語っているからです。その舌鋒《ぜっぽう》は鋭く、しかも全て架空の話なので反論できず、もし反論されても、とりとめなく奔放に語って逃れることができます」

「それでは、ただの実のない衒学《げんがく》ではないか」

思わず大口を開けて呆《あき》れてしまった。

「孔子も朱子も、老子を異端として論難することはできませんでした。小兵《こひょう》が関取に勝つには、巧みに動いて捕まらず、盛んに幻惑するしかないでしょう」

「小兵とはなんだ」

さすがにむかっとなった。山鹿が真面目くさってうなずいた。

「林家一党は知の巨人です。しかも読耕斎どのは、幕府の老中様方より再三勧められ、このたびめでたく仕官が決まったほどのお方。それまでご本人は剃髪《ていはつ》を拒み、仕官を避けていたとか」

「剃髪を拒んだ？」

「はい。儒家が剃髪せねばならないという正しい教理は存在せず、そのため儒家の剃髪を批判する、同じ儒家や朱子学者も多いのです」

「ほう」

唐突に、ぴんときた。儒家はそもそも仏教とは関係ない。にもかかわらず、幕府の定める風俗規定に従って、僧形《そうぎょう》に倣い、髪を剃《そ》り落とすのが慣例だった。そのことに憤懣《ふんまん》を覚える儒家も多い。

「それに、林羅山先生は仏教嫌いで知られていますし」

「坊主が嫌いなのか？」

意外だった。林家は徳川家に仕えるため、率先して僧形をまとった儒家である。しかも林羅山は、長年の功績を称えられ、将軍家光の指示で法印を授けられている。法印はまさに仏教界における称号だった。儒家というものが、いまだ正式な官職として定められていない以上、儒式の儀礼が正式なものとみなされるはずもなく、ほとんどが仏教的な儀礼によって代替されるしかなかった。

「もともと僧として生活したこともあるそうですが、ご自身の意志で還俗《げんぞく》なさったとか」

「坊主嫌いは、息子たちも同じか？」

「そのようですね」

千住の居酒屋で読耕斎が論破したであろう僧たちの、痛悔の表情をふと思い出した。憎しみすら抱きながら彼らを論破したに違いない読耕斎を、やけに容易に想像できた。

「坊主が嫌いなのに、坊主の姿でいなきゃいけないわけだ」

にやりとなった。それが、あの反吐坊主の最大の弱点だという確信が湧いた。

「儒家の剃髪を批判する者がいると言ったな。文書はないか？」

「あるにはあります」

「貸してくれ。筆写する」

「特に秘したる書というわけではありませんし、一飯の御恩に報いて、こちらで写してお渡しいたしましょう。が……一つよろしいですか」

「なんだ」

「林家は、まぎれもなく徳川幕府の儒官と称すべき、儒家の筆頭です。それを、水戸家御曹司のあなたが攻撃してどうするのですか」

「家は関係ない。これは、おれとあの男の問題だ。学論での果たし合いだ」

「つまり、読耕斎どのに難癖をつけて恥をかかせたいだけだと言うのですか」

山鹿が白い目を向ける。いかにも器量のない相手を見るような目だ。

「先に喧嘩《けんか》をふっかけてきたのは向こうだ。受けて立って何が悪い」

光國はむかむかして言い返した。

「お互いの家も知らずに、居酒屋で口論しただけでしょう」

「口論ではない。学論だ」

山鹿の顔がすっと引き締まり、

「それで、本心では何が気に入らないのです？」

と訊いた。光國がむきになっている理由は他にあると察しているのだ。

「む……」

咄嗟《とっさ》に答えられなかった。答えにくいのではなく、自分でも判然としなかった。

「とにかく、許せんのだ」

「何が許せないのです」

山鹿がするすると問答の間合いを詰めてくる。

「あいつはおれに、許されぬことを口にした」

思わず荒々しい口調になった。山鹿が眉《まゆ》をひそめる。

「はて、何と仰《おつしや》ったのです？」

「このおれを、たかが世子だとぬかした」

山鹿の目が丸くなった。光國が徳川家の世子であるという事実は、諸藩の世子とはわけが違った。

徳川家康の孫にして、御三家の一つの嫡子なのである。まさに貴公子であり、それを、たかがと評する者など、少なくとも武士社会では絶無のはずだった。

「それは、また……大胆不遜《ふそん》ですな」

「だろう？」

「はあ。しかし……いったい、どのような意図でそう仰られたのですか」

「おれが知るか」

「ふーむ」

山鹿がしげしげと見つめてくる。読耕斎の暴言ほどではないにしろ、山鹿も山鹿で、当の貴公子であるはずの光國を相手に、言葉にしろ視線にしろ、ずいぶん遠慮がない。

「なんだ。おれが悪いとでも言うのか」

逆に咎《とが》められているような気分になって言った。

「まあ……どうでしょうね」

山鹿は否定しない。光國は思わず、学問をやると身分上の礼儀を忘れるのかと詰《なじ》りたくなった。だがその前に、山鹿が思案げに言った。

「それで、その……読耕斎どのの発言を咎めようとはされないわけですか」

「言っただろう。おれとあの男の問題だと」

ことを公《おおやけ》にして読耕斎を咎め、たとえば失職させるなど、己の学識に自信がないあまり、家や親に頼って相手に復讐《ふくしゅう》したことになる。そんな情けないことができるわけがなかった。

「賢明なことです。林家は学問の普及になくてはならない、重用されてしかるべき家ですからね。つまらないことで彼らの仕官に傷がついてはもったいない」

山鹿がほっとした様子で言った。完全に林家に味方をしている。

「つまらないとはなんだ。お前こそ人の心配などしてないで、仕官したらどうだ。お前を召し抱えたいという人間は相当いると聞くぞ」

たちまち山鹿は痛いところを突かれた人間特有の曖昧《あいまい》な笑みを浮かべた。

「それほど多くはおりませんよ」

「赤穂藩《あこう》や、松前《まつまえ》、それにお前、もとは会津《あいづ》の出だろう。確か若松《わかまつ》だったか」

「まあ、そうです。よく覚えておいでで」

「肥後守《ひごのかみ》は学者好きらしいじゃないか。仕官の縁を求めりゃいい」

これは会津公こと保科正之《ほしなまさゆき》のことである。ただの一藩主ではなく、二代将軍秀忠《ひでただ》の妾《しょう》腹《ふく》の子、将軍家光の異母弟である。正式な役職はないが、御三家に匹敵する将軍補佐の立場を与えられていた。

光國はそれほど面識はないが、父の頼房《よりふさ》をはじめ伯父の義直や頼宣《よりのぶ》でさえ保科正之には一目置いているようだった。義直などは、〝三人の中でゆいいつ将軍の器と呼べる男〟と評するほどだ。三人とは、家光と、その弟の今は亡き忠長《ただなが》、そして保科正之である。

「私の父は、会津の浪人です。江戸に出ておきながら、そうそう縁故があるなどと言えませんよ」

「ふうん」

「門人の手前、難しいところもありまして。仕官すれば関係を憚《はばか》らねばならない相手もおりますし」

確かに仕官すれば交友関係を制限されることになる。だが学識を買われての仕官ならば、自然と目をつぶってもらえることも多いはずだった。光國は他に理由があることを、あっさり見破った。

「浪人たちか」

「まあ……そんなところです」

山鹿が宙に目をそらした。さすがに徳川家に属する光國に対しては言いにくいのだろう。だが光國は、東海寺通いや、日々の遊びを通して市井の浪人たちの問題を、とっくに知っていた。

徳川幕府の権勢維持の最たる手段が改易《かいえき》であり、これが多数の浪人を発生させていたのである。家を潰《つぶ》され、あるいは職を失った武士は、このときすでに江戸近辺だけでも十万人にも及び、その一族郎党をふくめると凄《すさ》まじい数にふくれあがる。

そうした浪人たちの中には、食うに食えず、夜盗や追いはぎに堕したり、やくざ者に雇われることもあったが、多くは、相変わらず武芸や学識を磨いて再仕官の道を求めた。だが泰平の世となり、武家層はとんでもない数の失業者を抱えていた。仕官の口は少なく、浪人生活は長期化する。そうなると浪人たち同士、連帯感が生まれるのは必然だった。彼らは私塾を開き、学問で身を立て、身についた知識を用いて幕藩体制の矛盾を鋭く指摘するようになっていた。

そして、そういう知識浪人層が形成されると、今度は逆に、たやすく仕官する者を批判する風潮が出てきた。山鹿がすんなり仕官に踏み切れないのも、そのためだった。これまで山鹿の生活を支えてきた交友関係を、仕官の一事で、全て失いかねないからだ。

「仕官さえできればいい、とも思えないのですよ。それに、由比《ゆい》どのの件もありますし」

「由比正雪《しょうせつ》か」

その名は光國も聞いていた。もとは染物屋の息子で、江戸に出て楠木正成《くすのきまさしげ》の子孫を名乗る軍学者・楠木不伝《ふでん》の婿養子となったという。その軍学塾は非常に評判で、千人を超える門下生を擁し、大名の子弟や旗本たちまでもが門下に連なっているとのことだった。軍学好きの伯父《おじ》・頼宣や、幕閣とも親しい。ならばすぐにも仕官しそうなものだが、逆にこの男は幕閣による仕官の誘いを断ったことで、多数の浪人たちから賞賛され、一挙に名声を得たのだった。

そういう男がいるため、山鹿なども容易に仕官しにくいというのである。

「難しい世の中になったな」

実のところ徳川家全体も、幕府の体制維持のための改易とはいえ、浪人たちには同情的だった。家光は老中に命じて頻繁に仕官の道を用意させ、御三家もそれぞれ浪人たちの就職斡旋《あっせん》を行っている。だが結局、浪人の数が多すぎてどうにもならないのが現実だった。

「戦が起これば良かったのにな」

ぽつんと光國が言った。しばらく前、明国《みん》が幕府に義援を要請したことを言っていた。海を渡っての戦となれば、世の浪人たちにも活躍の場が用意されるはずだった。

だが明を滅ぼした清《しん》も、徳川幕府も、互いに海を越えての戦争は望まなかった。清も幕府もいまだ盤石《ばんじゃく》の体制を築いているとは言い難く、戦による疲弊を恐れたのである。

「もし戦になっていたら、この風景は見られなかったかもしれませんね」

山鹿が窓際に寄って、人でごったがえす通りを見下ろした。また別の大道芸人たちが銭を求めて面白おかしい口上を吠《ほ》えている。富める者も貧しい者もみな笑っていた。江戸人には、貧しさを気にしない遊び人が多い。その気になればいつでもどこかに働き口があるし、素人芸の推参ですら銭がもらえるという安心感があるせいだ。

多数の無職浪人が江戸に来たが、彼らがことごとく飢え死にしなかったのも、よそ者が手職で食っていけるだけの多額の金銭の回転力を、この都市が備えているからだった。その大前提が、

〝この都市は戦場にはならないし、盗みも殺生《せっしょう》も裁かれる〟

という生命と財産の保障である。そうでなければ、そこらの道ゆく者を平然と雇えるわけがない。

戦になれば、その大前提が崩壊するかもしれない。実際にそうならなくとも、市民は敏感に戦時に反応し、経済活動を緊縮する。幕府が戦を忌避し、御三家もそれに従わざるを得なかったのは、まさにこの江戸の繁栄に水を差してはならないゆえだった。

「……いつ、清は攻めてくるんだろうな」

それでも、光國は呟《つぶや》いた。戦が起こるべきではないことを今では理解している。だが呟かずにはいられなかった。幻の戦への思いが、いつまでも消えずにいることに、光國自身が驚いていた。

山鹿は何も言わず、切々とした顔で、静かに通りを見つめている。

光國も答えを期待せず、杯を口に運んだ。

江戸の賑《にぎ》わいを、二人して黙って聞くばかりだった。

六

山鹿に会った翌日は、邸《やしき》でひたすら書を貪《むさぼ》ることにした。

本当は外出したかったが、そうしない理由があった。

父に仕える儒家の一人に蔵書の和訓を頼んだのだが、仕上がりが遅いのである。しかも近々、病気の母を見舞うため京にある生家に帰る予定で、とても読耕斎と対決する日に間に合わない。

頼んだ人見卜幽は京出身の男で、キリギリスみたいにひょろひょろ背が高く、学識豊かである一方、剣のほうもけっこうできる。父のいわば〝儒臣〟で、すぐに結論を出さず、じっくりと比較検討する性格が、光國も気に入っていた。

だが今はその性格が仇《あだ》となっていた。とにかく一冊一冊、過去の教書を参照しながら和訓を施す。内容さえ頭に入れれば多少乱暴でもいいし、あとで修正を加えれば足りることだと光國が言っても聞かない。一語一語つぶさに検討し、挙げ句の果てに倦《う》み疲れて進捗《しんちょく》が滞ってしまう有様だった。

仕方なく光國は自分でやることにし、卜幽に作業を打ち切っていいと告げ、代わりに京の公家《くげ》たちから秘蔵の書を筆写させてもらってくるよう頼んでいた。

そんなわけで、朝から部屋に書を運び込んで、教書を参照しながら和訓を施すことに躍起になった。一朝一夕でやれる作業量ではないし、家の嫡子が自らやるのも珍しい。大名連中にも、そこまでやる者のほうが少ない。中には自分で文書をしたためたことなど数えるほどしかないという者もいる。

性格でもあり、父のお試しの成果でもあった。絶対に単独では不可能なことならともかく、自力でやれることを誰かに助けてもらうなどという考えは、幼年期に父の手で根こそぎにされていた。

まずは自分でやれることを徹底的にやる。そして実際、ひととおりやってのけてしまうのだが、その最中に、しばしば妙な苦しさが募って仕方なかった。

（たかが世子だ）

読耕斎の一言がふいによみがえり、胸を衝《つ》かれるような思いがする。最初は怒りを抱いて当然だと思っていたが、なぜかできなかった。ひどく寂しく、力の抜けるような感じが肚《はら》の底に広がった。

そしてそれを振り払うたび、

（詩で京人《きょうびと》を唸《うな》らせる）

その思いが湧き、没頭すべき学書をよそに詩作をしたくてたまらなくなってくる。

というより、そもそも今の状態がおかしいのだ。学問は詩趣を得るためのものに過ぎ

ないはずだった。なのに詩作を我慢してまでなぜ学術を身につけねばならないのか。そうした疑問が湧くたび、

（学説がおれの詩筆を鍛えてくれる）

とにかくそう自分に言い聞かせた。実際、詩は情感のこまやかさを捉《とら》えれば良いというものではない。博識も大いに要求される技芸である。義直の邸で講義に出席したのを機に、林羅山に詩の添削を頼んだのもそのためだ。林羅山の詩は風趣に欠けるというのがもっぱらの評判だが、しかしその正確さは誰にも文句をつけられず、まさに詩の教科書として認められてもいた。

かなり前のことだが、林羅山は幕命で、朝鮮の通信使と漢文で筆談したことがあった。その際、通信使は、来日中に作った百五十もの漢詩を羅山に渡し、返詩を求めたという。

これには幕閣の面々も少なからず身構えたと光國は父や伯父たちから聞いていた。というのも、これは朝鮮と日本の外交において、国の学識の高さを互いに示す、ある種の競争だったからだ。

文化の低い国とみなされれば、様々な外交上の優越を失うのが世の常である。そのことを熟知している幕閣は、ひそかに羅山を支援するため学者を集めようとした。

だが羅山の働きは、幕閣の思惑を超えた。光國からすれば、ほとんど神業というべきものだった。

羅山は百五十の詩を受け取るや、たった一夜でその全てに返詩したのである。

漢詩は単に五文字ないし七文字並べればいいというものではない。相手と同じ韻を用いて詩を作らねばならないし、漢詩の鉄則である平仄《ひょうそく》も合わせねばならない。さらには語句の背景となる故事や、史書にある人物たちが遺《のこ》した名文を網羅する必要がある。

にもかかわらず羅山は相手の詩を片っ端から黙読するや、ついで口頭で返詩を詠み上げ、それを息子が記し、さらには祐筆《ゆうひつ》がその場で清書していったという。

朝鮮の通信使は、一夜にして完成された百五十の返詩に驚嘆し、偽りない大絶賛の言葉を贈っている。以後、通信使と林家は、詩や学説を通して親交を深め続けたのだった――というのが、林家を語る上で欠かせない痛快事だ。

光國が義直の邸で見た羅山は、息子たちの講義をにこにこして聴きながら、ぷかりぷかりと美味《うま》そうに煙管《キセル》を吹かしている大人しい柔和な老人だった。

その老人が、かつて全身全霊をかけて、海の彼方《かなた》の国を代表する文化人と、詩作の勝負を果たしたのだ。そう思うだけで、何やら身震いするような感動を覚えた。

（だから、まず学問だ。おれの詩作のためだ）

だが、にもかかわらず、何かが苦しかった。

しかも、詩作や学論自体が、その苦しみから逃げるすべなのではないか、という思いがどこからともなく湧いてくる。この数年、喜びのままに打ち込んできたこと全てが無為に思えて、ぞっとする。

では、そもそもその苦しみとはなんであるのか。それがわからない。わからないせいで余計に漠然とした苦しさが膨らみ、心が乱れた。いったいいつからそのような状態になったのか。あの反吐《へど》坊主に会ってからか。何もかも判然とせず、とにかく無性に腹が立った。

浅草で斬った無宿人が思い出され、樽《たる》の中のネズミどもが脳裏をよぎる。邸を去ることが決まったときの兄の寂しげな微笑み。幼い頃に馬上で兄にとびかかった後の嫌な気分。

そんな雑多な記憶がとりとめもなく湧いてはさらに心を乱すのだが、それでも自分に課した作業は遅滞なく終えた。午前いっぱいだけで、おびただしい和訓ができあがり、自分でもちょっと驚いた。

小姓の一人に頼んで書を蔵に戻させ、ついで庭で稽古《けいこ》をしていた弟たちに声をかけた。どやどやと皆で台所に行き、その場で家人に昼飯を用意させてさっさと済ませた。

それから、予定している残りの漢籍のうちどれを片付けようかと考えながら、自ら文庫に足を運んだ。ずらりと積み重ねられた蔵書の一角を、ごっそり両手で抱えるようにして持ち、自分の部屋ではなく書室に向かった。文庫に最も近い場所にある部屋で、父が召し抱えた儒臣たちが、文書の清書や校合《きょうごう》を行う場だ。いちいち自室に書を運ばせるのが面倒になったので、卜幽たちがいるそこで自分も作業をするつもりだった。

光國は両手一杯の書を抱えて書室に入り、そこで凝然と凍りついた。

卜幽はいなかった。もう一人、背の低い弁舌の達者な儒臣である辻了的が、頻繁に部屋に詰めているはずだったが、こちらも姿がない。

代わりに、坊主頭の若い男がいた。

銅銭のようなものに紐《ひも》を通した物で、病んだか傷を負ったかした左目を覆っている。

まぎれもない、林読耕斎であった。

あまりのことに、己の怒りが生んだ幻かと思ったが、そんなわけがない。

読耕斎は水戸家の蔵書を読んでいるし、そもそも父の儒臣と親しい。考えてみれば、この書室にいておかしくない人物の一人だった。

しかも憎らしいことに、読耕斎はまたもやこちらに気づいていないらしかった。机の一つに向かって、何かの漢籍を読みながら、すらすら和訓を記している。誰かが来た気配は察しているのだろうが、挨拶《あいさつ》のために顔を上げるということもしない。

相手が気づく前に、きびすを返して自室に向かおうとも思ったが、それでは逃げるようで面白くなかった。かといって同室で和訓をつけていれば、何を読んでいるか一目瞭然《りょうぜん》である。勝負の前にこちらの手の内を明かすことになってしまう。

まずは手にした書物を相手の見えない場所に置き、一つ二つ挑発的な台詞《せりふ》を相手に放ってから、改めて自室に書物を運ぼう。そう考えて後ずさったとき、ちょうど読耕斎が顔を上げた。なかなか相手が部屋に入ってこないことを不審に思ったのだろうが、それにしても、むかつくほど絶妙な間でこちらに視線を向けたものだった。

「これは、世子どの。ご機嫌ようございます」

読耕斎が、ほとんど表情を浮かべず言った。顔は笑っていないが、声は笑っていた。

光國は一歩後ずさった情けない恰好《かっこう》でいる。いかにも怯《ひる》んだような姿で、うっかり羞《しゅう》恥《ち》のあまり頬に血が上りかけた。母親譲りの白い滑らかな頬である。女にもてる上では重宝するが、顔が赤らみやすいのが難点で、こういうとき厄介だった。

「うむ、重畳《ちょうじょう》」

ただちにぐっと姿勢を正して返した。ここで立ち去ってはまさに逃げたことになる。ずんずん部屋に入り、あえて読耕斎の隣の机に書を置いた。

「精が出ますな」

読耕斎が光國の書の束を見て言った。これまた無表情だが声が笑っている。

「これしき、いつもの日課だ」

「恐れ入ります」

読耕斎が小さく頭を下げる。水戸家の邸《やしき》にいるからなのか、義直の邸にいたときとは打って変わった慇懃《いんぎん》さが、かえって胸くそ悪かった。

「卜幽たちはどうした？」

ぞんざいな調子で訊《き》いた。

「用事があるそうです。卜幽どのは、京に帰る前に挨拶をして回らなければならないとかで、代わりに、私が和訓を頼まれました次第で」

「京か。うん」

光國が言った。そういえばそうだった。卜幽が京に帰ることが、そもそも自分で和訓を施すことにした理由なのである。だがそこでふと、読耕斎の後の言葉が引っかかった。

「和訓？」

「なんでも、遣《や》り残しがあるとかで」

光國は呻《うめ》きそうになった。他でもない。光國が頼んだ和訓である。それを、よりによって読耕斎に肩代わりしてもらったのだ。しかも卜幽は光國の頼みであることを素直に喋《しゃべ》ったらしい。読耕斎の口調がそう告げていた。光國が大量の和訓を求める理由は一つしかない。他ならぬ読耕斎との学論のためである。読耕斎はそれと知って引き受けたのだ。

読耕斎とのことは卜幽に一切話していない。だから卜幽に罪はなかった。だがこんな本末転倒の目に遭うとは思いもよらず、お陰で、またもや危うく頬が赤くなるところだった。

「それはご苦労」

なんとか知らん顔のまま言った。

「水戸家のためでしたら、これしきのこと大したことではありません」

言いつつ、読耕斎の口の端に笑みが浮かんだ。光國の反応を面白がっているのだ。

「ありがたいことだ」

光國はその笑みを存分に踏みつけるところを思い描きながら、なんとか平静を装って書を手に取った。読耕斎が軽く会釈する。会話が断たれ、二人揃って書に向かい合った。

光國は完全に意地になっている。もはやこれは前哨戦《ぜんしょう》だった。相手を驚嘆させ、少しでも怯ませるため、必死に書を読み、できる限りの速さで和訓を施してゆく。一切手を休めず、力を振り絞って書に集中した。そしてある長文に出くわし、なんとか読みを記して次の文章へ移ったところへ、

「違いますな」

いきなり横から手が伸びてきて、ささっと朱筆で修正を入れられた。

鼻から火でも出そうな怒りに襲われたが、見れば確かに正しい修正だった。

「後で直そうとしていたところだ」

「もちろんそうでしょうな」

「むろんだ」

「ええ」

それきりまた二人とも黙って書の読解に努めた。光國は、二度と手を出させぬ決意で一語一句に集中している。ときおり食後の眠気に襲われたが、書の語句から詩趣を連想することで振り払った。つい癖で、筆写用の紙の隅に、思いついた詩句の断片を書き込むと、

「ほう」

手は出てこなかったが感心するような声が来て、さすがにきっとなった。

「勝手に見るな」

「これは失敬」

読耕斎は相変わらず、さらさらと和訓を付記していく。答えを見ながら書き写していくかのような速度で、とても追いつけない。不備を見つけて茶々を入れ返してやることなど不可能で、せめて己の手は止めまいと躍起になるしかなかった。

しばらくして読耕斎が筆を置いた。隻眼の瞼《まぶた》を揉《も》み、かと思うと書を片付け始めた。

「どうした。疲れたのか」

光國がここぞとばかりに言った。どうやら気力と体力においては負けていないようだと内心ほっとしたが、実のところ息を抜きたくて仕方なくなっていた。

「延々と続けるのは得策ではありませんな。根を詰めすぎても一辺倒の見方しかできなくなり、むしろ誤謬《ごびゅう》を増やし、進捗《しんちょく》に遅滞を招くことになります」

「うむ、もっともだ」

光國はあっさり同意し、筆を片付けた。相手が先に音を上げたのだから、自分も我慢することはない。これ幸いという気分だった。

「では私はこれで」

立ち上がる読耕斎を、光國が素早く呼び止めた。

「待て。今しばらく邸にいろ。解学の礼だ。卜幽に代わって、茶を振る舞ってやる」

読耕斎は不思議そうに隻眼をしばたたかせて光國を見た。

光國からすればこちらの手の内ばかり明かされてはたまったものではない。少しでも相手の弱みを探る機会を持つべきだった。

「それではお言葉に甘えましょう」

読耕斎が了解し、光國は人を呼んで書を片付けさせ、ついでに茶の用意をさせた。用意といっても大げさなものではなく、炭を運ばせ、茶菓子と庭の草花を持ってこさせただけである。

先に茶室に入って湯を沸かしながら、光國は相手の弱みを探るための思案を練っている。

まず坊主嫌いかどうか確かめよう。だが剃髪《ていはつ》について言及するとかえって勝負の日までに反論を用意されるかもしれない。山鹿に頼んだ文書がまだ届かないのだし、今はうかつに口にしないほうがよかろう。それと、いざというときの幻惑が効くかどうか、軽く荘子の話を振って試してみよう。

そんなことを考えつつ、家人に読耕斎を呼ばせた。

すぐに読耕斎が入ってきた。一応は作法通りだが、口に枝を咥《くわ》えていた。枝にはツツジの花が一輪、派手に咲いている。庭をうろついて失敬してきたのだ。人を食った入室だったが、妙に清潔な色気があってさまになっている。勝手に花を菓子の横に置いて飾り、しかもそれが良い風情だった。

なんだか知らないが苛々《いらいら》して光國は茶を点《た》てた。読耕斎が茶碗《ちゃわん》を取ってするする喫し、

「美味《うま》いな」

いきなりぞんざいな調子になって言った。

本当にそう思っているのだろうが、茶碗の中身がただの水でも同じ返事が来そうな、無造作で肝の据わった美事な態度ではある。問題はいかにして勝負の場でその美事な態度を打ち崩すかだった。光國はさっそく相手の弱みを探ろうとしたが、

「僧形《そうぎょう》は慣れん。特に武家の茶室にはそぐわないな。いかにもヤブ医者か生臭坊主だ」

読耕斎のほうからそんなことを口にされ、出鼻を挫《くじ》かれた。

「……坊主が嫌いなのか？」

探るというよりそのまま相手の言葉を受けて訊いた。

「袈裟《けさ》まで憎い」

読耕斎は真顔で答えた。とにかくよっぽど嫌いらしい。なぜ嫌いなのか訊こうとしたが、

「伯夷伝は読んだのかね」

先に、ずけりと問われた。

「とっくにな」

嚙《か》みつくように言った。さらりと流して僧の話に戻せばいいものを、負けん気を見せ、

「酒で覚えていないと言っておきながら、おれとの学論を覚えてるじゃないか」

「なんとなくな。確か、太史公曰《いわ》くの箇所か采薇の歌か、何かを知らなかったんじゃなかったか」

「両方とも知っているさ」

光國は相手の記憶があやふやなのをいいことに嘘をついた。付け焼き刃ながら、あえて語ってみせた。

「孔子が称《たた》える伯夷と叔斉も、世を恨んで飢え死にした。仁徳を積む者が貧窮し、悪党が栄えることもある。天道、是か非か——天が善人に報いるというのは本当だろうか。司馬遷はそう問うた上で、君子の名が埋もれることを悲しんで列伝を記すとしている」

読耕斎が取り立てて不備を指摘しようとしないことに満足した。かと思うと、

「荘子は、伯夷と叔斉の行いを、無責任に国を棄てたと難じている」

読耕斎のほうから荘子の話題まで出され、

「む、そうなのか」

うっかり素直に知らないことを明かしてしまった。居酒屋での鋭い論戦の構えと違い、読耕斎がいかにも世間話の調子で話すせいだ。

同じ調子のまま読耕斎が言った。

「もっとも老荘の学派は古来、孔子と儒学を排撃してやまず、揚げ足取りに終始している。孔子が称えるからというだけの理由で、あえて伯叔の兄弟に難癖をつけたとも思えるな」

「そうであろうな」

光國は気を取り直し、探りを入れるために続けて、

「だが荘子本人は、楚の威王《いおう》が使者をやって召し抱えようとしたとき、仕官を拒んで己の志のままに生涯を遊んだというぞ」

「羨《うらや》ましい限りだ」

おそろしく意外な読耕斎の感想だった。親子全員が幕閣からの要請で仕官した、筆頭儒家の一員とは思えぬ言葉である。

「羨ましい？」

思わず聞き返した。読耕斎は、ずいぶん青みの残る己の頭を撫《な》で、

「志のままに生涯を遊べるなら、こんななりにならずにすんだ」

急にまた僧形についての話題に戻した。すかさず光國はその好機をとらえて訊《き》いた。

「坊主頭にさせられたことに腹を立てて、酒を浴びていたわけか？」

「まあ、そういうことだ」

読耕斎が苦い笑みを浮かべる。棘《とげ》がびっしり生えたイバラを思わせる刺々《とげとげ》しい笑みだ。

「なぜ仕官を拒まなかった」

「五年、拒んだ。秀忠様に儒をもって仕えていた叔父《おじ》が亡くなったとき、家を継ぐよう言われたときも拒んだ。しかし拒みきれなかった」

「なぜだ」

「父の頼みだ。それを拒んで隠者になることは、ついにできなかった」

「隠者？　世捨て人になりたいというのか？」

　またまた意外だった。それではいったい何のために学問を積むのか。

「出世のための学問は辛《つら》い。その辛さを、おれは父を見て知っている。よく耐えられるものだと感心するばかりだ」

　だが読耕斎は淡々と言った。光國は知らず知らずその乾いた口調に引き込まれた。

「何が辛いんだ。大名相手に進講する身分だろう」

「大名様方が、父に言うのさ。お前のその学問はしばらく棄てて、我らの求めに従えと。上代の律令のことなどいいから、関東の法典を解説せよ。日本書紀は忘れて、吾妻鏡を読め。四書六経《りくけい》は忘れて、三略六韜《りくとう》を講義せよ。朝鮮通信使に国家制度の仕組みなど質問していないで、貢ぎ物を増やさせろと。古来ある聖賢の書の奥義を学び伝えたいと思っても、どうにもならん。辛いことだ」

「尾張徳川家でもそうなのか」

「尾張の殿様はよく学んでらっしゃるし、儒者がいつまでも室町幕府の風習に従って僧形をとる必要はないとおわかり下さっている。だがそれでも、いかんともしがたい。尾張の殿様とて、その家臣が必ずしも聖賢の書を求めていないせいで苦労されている。人気のある兵書や史書を通して、面白おかしく、韜晦《とうかい》した学ばせ方をするしかない」

「ふうむ」

光國は思わず唸《うな》った。今や学問が出世の道の一つと認知されているからには、おのずと聖賢の学書が求められているはずだと漠然と思っていたのである。これでは、かつて徳川家康が家臣に学問をさせようとして苦心惨憺《さんたん》していた頃と変わりないではないか。

「だから、隠者か」

「いや。世が浅学だから棄てるなどと偉ぶるつもりはない。隠者が好きなだけだ」

「なに？」

「おれは伯叔の二人が好きだ。おれが思うに、彼らは国を棄てたのではない。政務を還《かえ》したのだ」

「政務を還す？」

斬新《ざんしん》な発想だった。どんな大名も、領地を変えられることはあれ、政務自体を誰かに譲ることなど考えるわけがない。しかも返還するというのは聞いたこともない考え方だった。

「そうだ。継ぐべき相手に委《ゆだ》ねるためにな。だから無責任というのは違う。もしおれが二人のように西山に行けたなら、それこそ荘子のように志のままに遊んで暮らしただろう。これぞ、隠逸の志だ」

「隠逸を志と呼ぶか」

正直に感心した。世捨て人になることを志と呼ぶなど、これまた聞いたことがない。

だがこれは巷《ちまた》の傾奇者《かぶきもの》に通ずる発想だった。己一個の志に傾注し、その志がどんなに馬鹿馬鹿しくとも、ひたすらその通りに生きてゆく。それが傾奇者の神髄だった。

「それがおれの志だ。兼好《けんこう》法師のように庵《いおり》に隠れ、あるいは一休《いっきゅう》禅師のように碧空《へきくう》夜天を屋根として暮らし、世を離れて真実の聖賢の道を求められたなら、どれほどこの心も清々することだろう」

「なら、なぜそうしない」

「父が好きでな」

読耕斎が言った。無造作なくせに、何もかも納得させられてしまう響きがあった。

「父は今も、聖賢の道は広く学ばれるべきだと考えている。儒式を否定されてもだ」

「否定？」

「たとえば父の師である藤原惺窩《ふじわらせいか》は、家康公に儒式の官服で謁見した。だが父は許されなかった。葬儀もそうだ。おれたち兄弟には、他に二人、兄たちがいた。優しい兄たちだったそうだが、どちらも病で命を終えた。父は儒式で葬儀を行おうとしたが幕府に許されず、仏式にするしかなかった」

「……葬儀すら、か」

光國もこれには自然と共感が湧いた。あの柔和な老人が、我が子を失って嘆く姿が想像されて胸をうたれた。儒式の葬儀は、学者としてというより、子への情愛のあらわれだ。それを否定されたときの心の苦しみは、想像を超えるものがあるはずだった。

「だからといって誰も恨まず、ひたすら聖賢の道の世に広まるを信ずるばかりでな。そのために必死に働くし、そのために家族を犠牲にすることもなかった。世の中、父を指して色々言うやつはいる。だがおれは、そんな父が好きなんだ」

「なら酒など浴びず大人しく仕官していればいい」

呆《あき》れて言った。そうしておけば、光國だって反吐《へど》を浴びるなどという惨憺たる目に遭うこともなかったのである。

「それはそれだ。おれには志がある」

「だが実際は仕官するじゃないか」

「だから、書をもって志を果たすのだ」

「書？」

「この国にも古来、隠者は多い。司馬遷ではないが、世に知られぬそうした聖人たちの列伝を記す。おれが学問の道で、盛徳ある青雲の士とみなされれば、必然、おれが記す古来の隠者たちもまた、改めて称揚されるだろう」

己の大志を語るというには、どこまでも乾いた声、口調である。だがその分、志の成就をみじんも疑っていない自信のほどがうかがえた。何より「青雲の士」とは言ったものだった。司馬遷の列伝冒頭において、聖人たちの名があらわれるのは、青雲の士についたときだけだと語られている。つまり伯夷叔斉を誉めた、孔子のような大人物のことだ。

聖人中の聖人になると豪語しながら、しかもその目的が日本の隠者たちの歴史を記し、賞賛するためだという。どこまでも馬鹿馬鹿しく、どこまでも痛快だった。

「変わったやつだ」

新しく茶を点《た》てながら言った。もはや完全に誉め言葉だった。相手の弱みを探ろうという気持ちはあったが、いつの間にかそれ以上に興味が湧いていた。相手のずけずけとした無礼な物言いも、気づけばすっかり受け入れてしまっている。

「世子どののほどではない」

「なんだその呼び方は」

むかっとなった。せっかく感心してやったのに、またぞろ腹立ちのほうが強くなった。

「はて、御自《おんみずか》ら名乗られたではありませんか。水戸徳川家の世子どのだと」

読耕斎がまたいきなり慇懃《いんぎん》になる。小憎らしいことこの上ない。

「世子という名であるわけがなかろう」

「そうかね」

読耕斎は涼しげだ。そもそも身分を隠して居酒屋通いなどするものではないと皮肉っているわけだが、光國はそのせいで一種異様な苦しみが胸の奥でわだかまっているのを急に自覚させられていた。

学書の山を前にして胸中に湧いていた、あのもやもやと形がなく、かといって振り払うこともできず、ただ抑えつけるしかない苦しみである。

それがなんなのか正体がわからず、咄嗟《とっさ》に読耕斎に何も言い返せぬまま、

「なぜ御曹司《おんぞうし》は学問を望まれる？　人を言い負かしたいからかね？」

慇懃なのだかぞんざいなのだか、ごっちゃになった皮肉の二の矢が飛んできた。

「詩のためだ」

光國が、というより、その心の奥底が勝手に即答していた。

「学説も詩論も、おれにとっては詩趣を得るためにすぎん。おれは詩で天下を取る」

まさに気炎だった。読耕斎が呆気《あっけ》にとられたように右目を丸くし、皮肉を一切消して言った。

「天下とは江戸のことか」

「違う。まさに天下だ。まず京人《きょうびと》を唸らせる。そして四海に名を広める」

読耕斎の志を聞いたせいだろう、かつてなく己の心のままをぶっ放す言い方だった。

「四海か」

読耕斎が感嘆の顔をみせた。光國は大いにうなずき、

「うむ。そうだ」

「ならば良い考えがある」

「なに？」

「ちょうど卜幽どのが京へ行く。必ず京の文人たちと旧交を温めるはずだ。中でも一人、優れた男がいる」

「誰だ」

「細野《ほその》為景《ためかげ》。かの藤原惺窩先生のご子息でな。手強《てごわ》い学者であり歌人だ」

「……藤原惺窩先生の？」

他でもない。林羅山が若い頃に京で師と仰ぎ、今なお私淑する、かつての学問の世界の筆頭者だ。その息子であり、こうして読耕斎の口から名が出るからには、よほどの人物なのだろう。

読耕斎がわざわざそんなことを言い出した意図は明白だった。光國は即座に決断し、

「よし。卜幽に託し、その男に、おれの詩を贈る」

勢いのまま言い放った。相手の挑発的な提案にうかうか乗ったかたちだが、読耕斎は決して挑発の意志があったわけではないようだった。

「いささかも臆《おく》さぬとは、大したものだ。どうやらその志は本物らしい」

今度は読耕斎のほうがやけに素直に感心している。これが居酒屋なら光國の杯に酒を注いでいるところだろうが、下戸《げこ》と茶室にいては、そういう若者らしい振る舞いも無縁だった。何よりいつ反吐が飛んでくるかわからぬ酌など、光國のほうが遠慮したい気分だ。

「当たり前だ。おれの年来の志だ。京の歌人、何するものぞ。その細野という男が、膝《ひざ》を屈して返詩をするところが目に浮かぶ」

読耕斎は面白がるような様子で、にやりと笑った。

「では細野どのに代わり、まずその学識を、おれが試すとしよう」

「次の望月《もちづき》だ」

光國もすかさず返す。だが途端に読耕斎が怪訝《けげん》そうな顔になり、

「朔《さく》じゃなかったか？」

「おい」

「いや冗談だ。忘れてはいない」

「本当だろうな」

光國はちょっと心配になった。この男、隠者になりたいというだけあって、学問以外のことにほとんど記憶力を使わないのではないか。そういう性格だからこそ、型破りの慇懃無礼な態度を平然と取ることができるのかもしれない。なんだか今日ここで話したことも次の日には綺麗《きれい》さっぱり忘れられているような気がしてくる。どこまでも業腹《ごうはら》な男だった。

「まあ、もしおれが忘れていたら、お前の勝ちだ。おっと、そんな顔をするな。面白いことはおれも忘れはせん」

眉間《みけん》に皺《しわ》を寄せる光國をからかうように読耕斎が言った。そしてまたつくづく感心したように、

「詩で天下を取る、か。そんな大言は初めて聞いた。おれも楽しみになってくるな」

「ああ、大いに楽しみにしているがいい」

光國にいささかも気後れするところはない。読耕斎はうなずき返し、

「頑張れ、世子どの」

と言った。

いかにもたわいない揶揄《やゆ》めいた言い方だが、光國は思わず息を呑《の》んだ。

(稽古《けいこ》をしようよ)

またもや兄との記憶が胸をよぎったからだった。ついに叶《かな》わなかった約束が思い出され、大いに混乱した。なぜこうも、この男を前にして兄を連想するのか、訳が分からなかった。

だが、考えてみれば、こうして対等に接することができ、なおかつ勝ちたい思いでいっぱいになる相手は久々である。さらにその上、光國を相手にこんな態度を平然としてのける隠者志願の秀才など、巷《ちまた》で探しても二度と見つかるわけがない。

「いいな。次の望月だぞ。おれとの学論の日だ。ゆめゆめ忘れるなよ」

光國はくどくど念を押して言った。なんだか失ってはいけないものを、必死にとらえようとしている気分だった。

「まあ大丈夫だ」

そんな光國の思いを知らぬげに、読耕斎は軽く請け合っている。

「詭弁《きべん》に暴論、なんでも試してみるんだな。青雲の士と称されるまでは、おれも負けられん」

変わらず棘《とげ》の多い、そのくせ心から面白がっているような笑みをみせて読耕斎は言った。

七

翌日、筆写された文書が、山鹿がよこした使いの手で邸《やしき》に届けられた。

さっそく群書を参照しつつ熟読吟味しようとしたところへ、思わぬ邪魔が次々に入った。

最初は、父の臣であり光國の傅役《もりやく》の一人である、文人武士こと小野言員だった。光國が、その日の教練である馬術を、弟たちに軽く指南してやり、自分はさっさと自室へ引っ込もうとしたところへ、

「おそれながら言上いたします」

ぬっと小野が現れたのだった。きちんと封をした書状を差し出している。歯を食いしばった異様な形相で、光國が書状を受け取らねばその場で腹でも切りそうな気魄《きはく》である。

朝から何やら思い詰めたような顔をしているな、と光國も感じていたが、まさか自分が関わっているとは思いもよらなかった。もちろん傅役である以上、関わっていて当たり前なのだが、自分のしつけに躍起になる老人たちのことなど構っている場合ではなかった。

「なんだ、いったい」

光國は憮然となった。弟たちも近習も馬丁も、みんなが見ている前での直訴めいた行為に、何やら背中がむずがゆくなるような古くさい意地を見せられた気分だった。

「どうかお受け取り下さいませ」

小野が、ずずっとさらに書状を近づけてくる。

「わかった」

光國は面倒臭くなってさっさと受け取った。そのまま邸に戻って着替え、家人に茶を運ばせ、自室で書状を読んだ。光國があんぐり大口を開けて呆《あき》れてしまうほどの明朗闊《かっ》達《たつ》なる一大説教文書だった。

『おそれながら言上』

と、本人が口にしたのと同じ前置きの後は、光國の日頃の〝不行跡〟を咎《とが》める文章が、なんと十六箇条にもわたってびっしり書き付けられている。

脇差しを前へ突き出して差すような品行の悪さを、言語道断の傾奇者《かぶきもの》と難じ、殿中での挨拶《あいさつ》の仕方の悪さを言動浮薄の蓮葉者《はすはもの》と叱責《しっせき》する。光國が好む衣服を咎め、びろうどの襟やら派手に染めた着物を悪しき装いと断じる。また、身分の低い草履取《ぞうりと》りなどの長屋へ平然と足を運んで気軽に言葉をかわすことも、弟たちと岡場所の女たちについて〝色ごのみ〟の話をすることもけしからんと言う。

光國のそうした有様を、江戸中の旗本たちが噂し、水戸家の世子にふさわしからぬ男だと笑っており、これでは父をはじめ水戸家全体が悪しく思われてしまうという。もし光國がそんな悪しき人品のまま藩主になろうものなら、家中《かちゅう》の侍をはじめ領内の百姓みな闇に迷うことになる――

後世、『小野諫草《いさめぐさ》』として知られ、小野家および水戸家所蔵として代々遺《のこ》されることになる文書であり名演説だった。だが、光國は途中まで読んで、正直、がっくりきた。

家を思い、主君を思い、光國を思ってのことであるのはこの上なく確かだが、

（うざい）

光國にとってはその一言である。

江戸中の旗本が笑っているというが、水戸家に詰めている老武士の交友関係がそれほど広いわけがない。おおかた傅役である小野への恰好《かっこう》の皮肉として、光國の所行を持ち出す輩《やから》がいるのだろう。光國も殿中ではそれなりの礼儀を守っているし、何ら批判されるいわれはない。

面倒臭くなってきたところへ、突然、胸を衝《つ》かれるような一文が目に飛び込んできた。

『御そしなれとも御だうりかな』

御庶子《そし》であるとも御道理かな――

その言葉に、肺腑《はいふ》をぐっとつかまれたような苦しさを感じた。

嫡子でない庶子にもかかわらず、光國が水戸家の家督を継ぐのも当然だと、人に思われるような振る舞いをしてこそ、光國を世子に選んだ父・頼房の目鑑《めがね》は確かであったと評判になり、何よりの孝行になるのだ、と小野はいう。なのに世子として選んでくれた

父の恩を忘れて、世の悪口雑言を受けるような振る舞いをするなど、いったいどうしたらできるのかと。

「知るか」

思わず闇雲な怒りが沸騰しかけた。確かに父は自分を世子としてくれた。だが長いこと実子とみなされるかもわからず、必死に父の愛情を求めた結果、大切な兄を家から追い出した。しかもなぜ自分が世子かもはっきりしない。全てが不条理で、どうしようもないことばかりだ。

光國の人品を古武者好みの清潔なものにしたいのだろうが、説得のために父の恩を持ち出すのはやり過ぎだった。そもそも自分の言動が父の迷惑になるという実感がひとかけらも湧かない。むしろ伯父《おじ》の義直や頼宣からは好意的に見られることがしばしばだったし、

「頼房の若い頃にそっくりだ」

と、言われることだってあった。そっちのほうがよっぽど、自分は父の子であるという実感を湧かせてくれる。これは兄弟たち全員に言えることだった。もしかすると、子として認められないかもしれないという不安を抱え、自分はまぎれもなく父の子であるという実感にひどく飢えているのだ。

馬鹿馬鹿しい。なんだこの文書は。くしゃくしゃに丸めて尻《しり》の下にでも置きたい気分だった。そうしなかったのは、さすがにあのくそ真面目の小野が、本当に腹を切ったり

したら面倒ではすまないことがわかっているからだ。それに怒りはやがて消え、妙に力の入らない空虚さが残った。またもや正体のわからない苦しみがむくむくと膨らんでくる。その苦しみをなんとか無視し、

（読耕斎に学論で勝つ。京の細野とかいう男に、おれの詩を贈って唸《うな》らせる）

今まさに直面している勝負に、己を傾注させようと努めた。

だがそこで次の邪魔が入った。

父その人である。といって説教を食らったわけではない。小野から書状を渡された翌日、

「竹橋《たけばし》に行って、機嫌を伺ってきてくれ」

などと言い出したのである。

竹橋には、伯父である紀伊《きい》頼宣の邸の一つがある。その邸には、頼房と頼宣の母親である養珠院《ようじゆいん》様こと、御万《おまん》の方が住んでいる。家康の側室として、御三家のうち二家の生母となった女性である。

「法要ですか」

光國はちらりと皮肉を込めて訊《き》いた。光國の実の祖母にあたる養珠院は、身延《みのぶ》の人、つまり日蓮《にちれん》宗徒だ。しかもおそろしく深く帰依《きえ》しており、家康がこの世を去った年には、日蓮宗の本拠地である身延山で法華経《ほけきよう》の一万部読経《どきよう》という大法要を実行したほどだった。

家康自身は浄土宗で、日蓮宗は大嫌いだった。そもそも浄土宗と日蓮宗のいさかいは、

室町時代からの伝統じみたところがあり、宗徒が互いに憎み合うのもしばしばである。にもかかわらず、養珠院は側室でありながら己の宗派を守り続け、ときに家康を諫めることすらあったという。まさに筋金入りの信仰者だった。

だがその子である頼房は、自他共に認める寺嫌いで、実母の願いにもかかわらず法要を避ける。

とはいえ決して疎遠ではなく、光國も幼い頃は、竹橋の邸の庭でしょっちゅう従兄弟《いとこ》同士で遊んだものだ。養珠院から菓子を食わせてもらいつつ、日蓮様の〝ありがたい〟お話を聞かせられた記憶がある。今でも父の代役として、竹橋に行くこともあった。今回もその手のことだろうと思ったが、

「ただの機嫌伺いだ」

父にしては珍しく、はっきりと目的を告げなかった。

「行って帰ればよろしいですか」

光國は言った。内心では、やることがあると言って拒みたくて仕方なかった。

「しばらくいるのも良かろう」

どうやら養珠院の話し相手をして来いということらしい。用件さえ明確ならすぐに帰れるのだが、それでは下手をすれば数日がかりになる。

竹橋の邸《やしき》には、養珠院とともに紀伊家の娘たちが住んでいた。光國の従妹《いとこ》たちだ。

これが紀伊家の世子である光貞《みつさだ》あたりならば多少は学論の練習もできるだろうが、姫

たちと一緒では、歌留多《かるた》遊びか刺繡《ししゆう》遊びが関の山だ。光國も喫緊《きつきん》の勝負事さえなければ、そういう遊びも嫌いではないが、今はとにかく邪魔で仕方ない。

だが父の言葉に逆らうわけにもいかず、憤懣《ふんまん》を隠して承知した。

（見ろ、おれはこんなにも親孝行者だぞ）

内心で、その場にいない小野に向かって毒づきつつ出かける準備を整えた。

邸に行ってみると、養珠院様をはじめ紀伊家の姫たちみなが歓待してくれた。

「よう大きくなられて。立派、立派」

養珠院はそう繰り返し、光國の男ぶりを姫たちの前で盛んに賞賛した。武家の女たちは揃って退屈をもてあまし、刺激に飢えている者が多い。光國が来ただけで大騒ぎである。そもそも幼い頃から見知っているのだから警戒も遠慮もなく、

「まあ子龍様、それは本当ですか――」

「市井のお話をもっと――」

「日本橋のお菓子を召し上がれ――」

若い娘たちの浮き浮きした気分の大洪水に遭遇し、ちょっと辟易《へきえき》したが、顔には出さず、微笑んで饗応《きようおう》迎合に努めた。

竹橋と日本橋の間には商家が軒を連ねており、養珠院はしばしば姫たちをつれて出かけて行き、寺に寄進するための高価な品を買い求めているという。後から後から菓子やら玩具《がんぐ》やら珍しい絵が描かれた扇やらを見せられては、食ってみろ、使ってみろ、気に

入ったら持って帰っていい、と女性趣味の波を何度も頭から浴びせられた。

顔色一つ変えず応じることができるのも、色町通いの賜物《たまもの》である。もし光國がくそ真面目に女っ気のない武士の生活にひたっていたら、この空気にめまいがしたに違いない。

（みな娘らしくなったものだ）

完全に従兄《いとこ》の視線で、何やら頭上からその場を見下ろしているような気分だった。

おのおの清楚《せいそ》で美しく、中でも、およつ姫というひときわ美貌《びぼう》の姫がいた。歳は十六で、しきりと光國のそばについて話したがった。歳が近いこともあり、幼い頃から特に親しい相手だが、どうも様子がおかしい。やたら熱のこもった視線をこちらに送ってくるかと思えば、目を合わせた途端、顔を赤らめてうつむいたりし、その様子を妹たちにからかわれてますます赤くなったりする。

なんであれ光國の目には、いかにも男っ気のない姫たちの無邪気さとしか映らない。

（おれを退屈で殺す気か）

にこにこしながら姫たちと話すうち、困窮の思いに襲われた。本来は獰猛《どうもう》な虎の周囲で、ひよどりたちがぴちぴち戯れているようなものだ。うっかり小鳥たちを傷つけ、なぎ倒してしまうのではないかと、いちいち言動に気を遣わねばならなかった。

このままでは苦行のような数日を過ごさねばならないと、はたと気づき、

（いっそ楽しもう）

いったん学論も詩のことも頭から追いやり、虚心坦懐《たんかい》となって娘たちの相手をした。

気分はほとんど修行僧だが、嬌声《きようせい》の滝を浴びることにもどうにか慣れてきた。

ようやく日が暮れ、夕餉《ゆうげ》とその後のひとときが終わり、心の底から待ちわびた自由な時間が訪れた。

邸の一室をあてがわれてそこで泊まることにしたが、夜更けまで姫たちに付き合わされてはたまったものではない。庭のお堂を借りてそこに閉じこもった。

番神堂と名付けられた、なかなか立派なお堂である。そこでまず山鹿がよこしてくれた書を改めて読んだ。林羅山が、家光のはからいで法印を授けられたとき、自身の手で記した文書が一つ。そしてそれを激烈に批判した別の学者の文書が一つ。さらには儒者の剃髪《ていはつ》に対する批判や、林家が学問を悪用して権力に取り入り、欺瞞《ぎまん》に荷担したと断ずる、非難の文書などである。

（なんという正直さだ）

羅山の文書を繰り返し読んで思うのがそれだった。

たとえば家光のもとで法印を授けられたときの文書がそうだ。法印とはまぎれもなく仏教における称号である。それを家光はさして深く考えず、羅山の積年の努力を称《たた》えるものとして贈らせた。だが羅山はそのことで思い悩み、なんとか儒者として法印の授受とのつじつまをあわせようとして文書をしたためているのである。

曰《いわ》く、そもそも剃髪は風俗に従っただけであって、呉《ご》の太伯《たいはく》が異国の地に入って髪を切ったり、孔子が郷服を着たのと同じだという。また、法印という言葉は、文書の印を伝えるという解釈ができ、儒家の文献を伝えることに通じるという。

いかにも強引だった。当然のごとく、別の学者がその矛盾を散々に批判していた。羅山も、黙って称号をいただいて知らぬ顔をしていればいいのである。なのに、いちいち批判のたやすい文書を書き、しかも学者同士しか読まぬとはいえ公《おおやけ》にしてしまう。学者としての魂が許せぬのか、もしかするとせめて批判されねば気が済まぬのか。とにかく書かれた文書は美事だが、書いた姿勢は無防備そのものだ。

お陰で、林家の剃髪を批判する材料はたっぷり手に入ったが、良い気分にはなれなかった。むしろそうした矛盾を受け入れ、苦しみながらも、幕府に、ひいては日本の万民に、分け隔てなく聖賢の教えを広めようとする羅山の姿勢に感心してしまう。

(父が好きでな)

急に読耕斎の言葉がよみがえり、あのもやもやとした苦しみが抑えようもなくふくれあがった。こんな父なら、確かに志を曲げてまで、孝行することを選ぶだろうな。小野の諫言《かんげん》の文書をちらりと思い出しながら、読耕斎への共感が湧いた。半ば羨望《せんぼう》だった。

正体の知れない苦しみに意識を奪われつつ、ぼんやりと他の文書に目を通した。

一つは光國も聞いたことのある、あの鐘銘の一件についての批判文だ。かつて家康が、豊臣《とよとみ》討伐の大義名分を欲していた頃のことだ。豊臣方が再建した方広寺《ほうこうじ》の鐘の銘文に、

「関東への大不敬の文辞あり」

として徳川方が突如として凄《すさ》まじい抗議を行った一件である。

　このとき家康は、忠臣・本多正純《ほんだまさずみ》や、僧の金地院崇伝、同じく天海《てんかい》、果ては五山の禅僧七名に、くだんの鐘銘を批判するための〝あらさがし〟を命じたという。

　たとえば、序文が長すぎる、棟梁《とうりよう》の名が書かれていない、文中にある「仁政」はときの後水尾帝の御名が「政仁《ことひと》」であるからけしからん、といった、まさに難癖である。

　さらに家康は、林羅山にも、この鐘銘弾劾《だんがい》に参加するよう命じていた。羅山は命に従って五つの非難を勘文《かんもん》として用意し、そしてそのうちの一つが、

「国家安康とかき候」

　の一事であった。

「家康」

の諱《いみな》を分断したことは不作法であり、ひいては呪詛《じゆそ》に通ずるというのである。

　他にも同じ指摘をした者が続き、この一事こそ鐘銘問題の核心のようにして世に流布《るふ》することになる。だが要は、徳川方がいかにして豊臣方を挑発するかが大事であって、そのための無理難題だった。豊臣方を怒らせ、暴発させるには、むしろ道理が滅茶苦茶であればあるほど有効だったのである。

　事実、それからすぐに大坂冬の陣が起こった。そして羅山はなんと家康から、甲冑《かつちゆう》を着て側にいるよう命じられ、『冬陣記』なる文書を記している。

　家康にとって大坂との戦い自体すら、その後の算段の一つに過ぎなかったことは、陣中で羅山に、古書を研究するよう指示していたことからも明らかだった。諸法度《はつと》の制定

のための研究であり、のちに「禁中並《ならびに》公家《くげ》諸法度」として知られる法度の下準備である。

このときすでに家康は江戸幕府の体制確立をはかっていたのであり、羅山はその渦中に身を置くことを選んだのだった。

京出身の学者にとって、これは相当な覚悟であるはずである。羅山の師の藤原惺窩などは、家康が大坂を討つ気でいると察して、問答も講義も拒否して逃げたという。

だが羅山は、大坂を討つ大義名分を用意することを拒まず、家康との問答にもことごとく応じた。羅山という人間を考えたとき、理由はすぐにわかる。その内心にあったのは、

「豊臣では世に学問を普及させられない」

という強い覚悟であろう。

このとき林羅山、三十二歳。全てを家康の勝利に託しての働きだった。一歩間違えれば批判の雨を浴びて学者生命を絶たれる。しかも法印の一件を見ての通り、羅山には批判を政治的にかわすということをせず、呆《あき》れるほど馬鹿正直に受ける傾向があった。

そしてその林羅山を批判する文書がおびただしく存在することは、光國が手に入れた文書を眺めただけでもわかる。揶揄《やゆ》や難癖もあれば、諸学を踏まえての鋭利な批判もあった。

それでも林羅山は家康の築く幕府に賭《か》けたのだ。どんな批判文を読んでも光國には共

感できなかった。天海や崇伝のような仏教勢力を盾にして批判をかわす者たちに比べ、いささかも逃げずに一身で立つ林羅山のほうを美事だと思った。むしろ羅山は己の身を通し、

（天道、是か非か――）

あの問いを、試みているのではないかと思った。

己は不義か、正義か。己の信じた大義は、果たして万民に喜びを与えられるのか。

そういう問いを抱き続けているからこそ、儒学が本来の姿で受け入れられなくとも、決して諦《あきら》めずに学道普及に人生を捧《ささ》げられるのではないか。

（不義）

その言葉が、いきなり胸の苦しみに重なった。わけのわからない、もやもやとしたものが、初めて正体を見せた気がした。

（不義ゆえの苦しみか）

ぱっと光が生じたような、明解の感覚があった。この機を逃せば、わけのわからない苦しみに襲われ続けることになる。なんとか今見えたものを言葉にしようとしたところへ、またしても邪魔が来た。

かたり、と音を立てて戸が開いたのである。邸《やしき》の者が様子を見に来たのだろう。邪魔をするなと怒鳴って追い返したかったが、あるいは養珠院その人かもしれず、

「どなたですか」

ぐっと苛立《いらだ》ちを抑えて訊《き》いた。すぐに返事は来なかった。暗がりで、小柄な人影が戸惑うように佇《たたず》んでいる。と思うと、

「わたくしでございます」

いきなり、意を決したような、やたら熱っぽい響きのする声が返ってきた。

光國はあまりのことに、ぽかんとなっている。

入ってきたのは、あの美貌《びぼう》の姫君、およつ姫であった。しかも入ってくるなり、姫自ら戸を閉めた。お付きの者が一人もいないことがそれで明白となった。

さすがの光國が思考停止に陥りかけた。日が暮れた時刻、お堂で独坐《どくざ》する男に、武家の姫君が単身で会いに来るなど、物語や芝居ならともかく現実にあるわけがない。女あしらいについてはずいぶん色町で自学した光國だが、このときばかりは野暮もくそもなく、

「何をしているのです」

呆気《あっけ》にとられたまま訊いていた。

およつ姫は答えない。衣の擦れる音をかすかに響かせながら、ゆっくりと光國へ近寄り、手を伸ばせば届く位置にまで辿《たど》り着くと、敷物もないお堂の床に座った。

「何をしているのです。こんな時分に、どうして一人歩きなどしているのです。お局《つぼね》は一緒ではないのですか」

およつ姫は小さくかぶりを振った。灯《あか》りに照らされたその顔は、何か夢でも見ている

ような、熱に浮かされているような面持ちで、双眸《そうぼう》が潤んだように柔らかく光っていた。

「わたくしは、ここへ遊びに参りました」

およつ姫が言った。掠《かす》れがちな声とともに、妖《あや》しく熱を帯びた薫香が迫った。香を焚《た》いているわけがない。この姫君の身体が発する息吹《いぶき》であり香りだった。

「きっと……局も、後から参るでしょう」

嘘だ。ようやく光國は察した。男っ気のない姫君ならではの羞恥《しゅうち》が、自分一人で来たと正直に口にすることを拒んだのである。となると、遊びに来たなどというのも、いかにも稚《おさな》い言い訳だった。もはやどう見ても逢瀬《おうせ》の思いを発散しており、

（自邸で、女が夜這《よば》うか）

心底から驚かされた。とともに、日中はいささかも感じなかった清潔な色香を、はっきりとこの姫に感じて愕然《がくぜん》となった。

すぐそばに座るたおやかな姿態に、ずきりと血が滾《たぎ》った。

（なぜだ――）

だが頭脳は、この異常事態の理由を鋭く探り、すぐさま答えを導き出している。

（まさか、養珠院様か）

よもや紀伊家の姫君が、自分の意志で、これほど奔放な真似をするとは考えにくい。これでは女から夜這うに等しく、そのような賤《いや》しい羞恥をものともしない精神など、町娘ならともかく武家屋敷の奥にいて培えるわけがない。

真相は逆だ。およつ姫の意志ではなく、誰かの意志なのだ。武家の娘は、親の命令に従えと教育される。敵に包囲されたときは遅滞なく自決するだけの精神を叩《たた》き込まれるのだ。命を失うことを受け入れるのだから、命じられて男のもとへ忍ぶことも受け入れられる。

それが、今のおよつ姫の思考だろう。だからもはや何の気後れもなく、光國のもとへ飛び込んできたというわけだった。この姫君にそこまで本気で入れ込まれているとは意外や意外だが、この事態を仕組んだ大人たちの思惑こそ、想像を超えた一事だった。

(養珠院様、紀伊の伯父《おじ》上、そして父上――)

最低でもこれだけの大人たちの了解がなければ、事は運ばないはずである。

竹橋に行けという父の言葉が思い出された。養珠院の歓待ぶりが急に納得できた。つまり紀伊家の当主・頼宣は、本気でこの姫と自分を娶《めあわ》せる気でいるのだ。父も養珠院も、頼宣の意向に賛成したのである。そしてこの一夜を仕組んだというわけだった。

なぜそんな回りくどいことをするかといえば、御三家同士の縁談が公儀の〝御制禁〟だからだ。

三家が強大化して本家を脅かすかもしれないし、何より、近親婚は確実に一族の血を閉ざしていくことになる。従兄弟《いとこ》・従姉妹《いとこ》との結婚は、それこそ聖賢の書の多くが禁じており、一族の結束をはかるかに見えて、実際は弱体化していくことになると警告している。

それでもときに徳川家の中で、近親婚が行われるのも事実だった。

将軍家光の娘・千代姫《ちよひめ》と、尾張徳川義直の嫡子・光義《みつよし》の縁談などは、その最たるものだ。

家光と義直の間の亀裂《きれつ》を修復し、徳川内乱などという馬鹿げた事態を永久に葬り去るための、唯一最高の手だったのである。これが功を奏さねば、他に効果的なすべはない。そういう婚姻だった。

だが光國とおよつ姫はどうか。要は、〝契ってしまったのだから娶せるしかない〟という方便を、今ここで作らされようとしているだけだった。紀伊と水戸が反目しているわけでもなければ、この婚姻に一族の平和が委《ゆだ》ねられているというわけでもない。紀伊家が光國という人材を欲して己のものにしようとしているにすぎない。

だがそんな思考をよそに、光國の心悸《しんき》はおのずと速まり、目の前にいる美姫《びき》に吸い寄せられるような気分が高まっている。姫のほうでも今か今かと待ち構えており、放っておけば女のほうからさらに飛び込んでくるかもしれなかった。

そしてこのとき光國の中で、堪えがたい欲求の苦しさが、己自身の苦しさと、ぴたりと重なった。

（なんで、おれなんだ）

ふっとその思いが湧いた。ああ、そうか――、と心のどこかで呟《つぶや》きが起こった。

何のことはない。正体のわからない苦しみだと思っていたが、実は昔なじみの心情だった。これまでずっと身近だったためだろう。最近では意識することすら、こんなふうに難しくなっていたのかと不思議な気がした。そしてこのとき初めて、

（おれは、不義の世子だ）

はっきりと、己の苦しみを言葉にすることができていた。兄を差し置いて手に入れた世子の座だった。天道に照らして義と断ずることのできない座であり、かといってもはや自分の意志では棄てることすらできないしろものだった。読耕斎が隠者になれないように、光國にも遁世《とんせい》は許されない。そうすれば父や兄が責任を問われることになる。

伯夷と叔斉の詩にふれたときの、胸の痛くなるような思いがよみがえった。その定かならぬ思いが、やっと自分のものになった気がした。

兄は伯夷だった。まぎれもない義の人だった。なのに自分は叔斉になれなかった。自分だけが国に残って、去りゆく兄を見送った。一緒に行くこともできずに。

何もかも己の意志で決められなかった。この先ずっとそうなのだろうか。兄を追い出し、従妹《いとこ》を娶《めと》り、その後さらにまた何かの不義をずるずると重ねて生きてゆかねばならないのか。およつ姫を見つめながらそう思った。この姫とともに永遠の束縛の中で、不義を命じられながら生きていく――

（嫌だ）

心が悲鳴を上げた。速まる心悸と、姫の香りを吸い込むほどに昂《たか》ぶる血気が、深い悲痛の念と相まって、爆発した。

（殺そう）

燃えるような決意が起こった。

それ以外に、この不義の連鎖を止めるすべはない。およつ姫を刺し殺し、清純のままの身で死なせてやろう。おれに想いを寄せているのが本気ならば、この手で命を奪おう。それから、不義を拒んでのやむをえざる殺害であったことを文書にし、以後、御三家と徳川宗家の戒めとしてもらうのだ。その後で、おれが伯父に斬殺《ざんさつ》されようが、腹を切ることになろうが、大差はない。乱心ゆえの殺害ではないと、きっと誰かがわかってくれる。

脳裏に、浅草で滅多斬りにした無宿人がよみがえった。あのような無惨な殺し方はすまい。老兵法者が教えてくれた、とどめの刺し方。痛みも苦しみも僅《わず》かで、傷もほとんど残らない刺殺の方法。

あの綺麗《きれい》な殺し方で、死なせてやろう。

つと、およつ姫が動き、香気が押し寄せた。驚くほどしなやかに、その身が光國の胸へ滑り込んだ。

光國は、右手でしっかりと姫の熱い身体を抱いた。

同時に、左手は脇差しを引き寄せ、柄《つか》を握っている。

姫の香気を存分に吸いながら、血気を殺気に変えて、光國は、かちりと鯉口《こいぐち》を切った。

八

およつ姫の、意想外に肉づきの良い体をしっかりと右手で抱きながら、光國の左手は、音も立てず、するすると脇差しの刃を抜いていった。

殺気を込めて姫の襟元を注視し、苦痛なくその命を絶たんとした刹那《せつな》、

――いや、待て。

はたと我に返った。滑り出んとしていた白刃の切っ先が、鞘《さや》の内でぴたりと止まった。

父の頼房、伯父の頼宣、そして養珠院。この三人に考えを改めさせることができる人物が、一人だけいることを、思い出していた。

他ならぬ、御三家の筆頭――尾張徳川義直だ。まさか義直が、御三家同士の婚姻を肯定するはずがない。義直から言ってもらえれば、父も頼宣も、大人しく諦《あきら》めるに違いない。

(殺さずに済む)

一挙に力が抜けた。さすがに、女を殺して腹を切るなどという無惨なことは、したくなかった。そもそも一方的に殺意を抱いたのは光國のほうなのだが、

(よかった)

ほっと安堵《あんど》しつつ、左手だけで素早く刃を納めた。

「子龍様……？」

およつ姫が哀れな声を漏らすのも構わず、無造作に身を引いた。黙って立ち去ってもよかったが、さすがに相手は紀伊家の姫君である。あとで恨みを抱かれても怖い。

「日も暮れんとしている時分に、そのようなことをなさるべきではないのです」

あくまで清廉潔白の武士を演じ、優しく言った。

途端に、およつ姫が泣き顔になる。決して、女に恥をかかせるつもりではないことを示すために、光國は一つうなずいてやった。自分も辛《つら》いのだ、という意思表示である。

実際、これほどの美姫にすがりつかれれば、血が滾《たぎ》って仕方ないに決まっている。我ながらよく自制できるものだと感心した。

それほど不義への嫌悪が強い、というより、これまた色町通いの賜物《たまもの》だった。本当に女っ気のない清廉の士だったら、とっくに惑乱し、なるようになっていたはずである。

（女に慣れておいて良かった）

つくづく安堵の溜息《ためいき》が出そうになる。だが一方、まったくもって男に慣れていない姫のほうは、なんとも可憐《かれん》な様子で、哀しげに訴えてきた。

「お嫁にして下さると仰《おつしや》りました」

「なに？」

さすがに面食らった。

「邸《やしき》のお庭で。わたくしを、お嫁にして下さると」

光國の脳裏に、漠然とした記憶が去来した。そういえばそんなこともあったかもしれない。だがそれは、互いに七つか八つの頃の記憶である。

「子龍様は、お忘れなのでございますか」

うっかり、当たり前だ、と言いそうになった。

「覚えているとも」

咄嗟《とっさ》に断言してみせたのも、迂闊《うかつ》に女の恨みを買ってはならない、という色町仕込みの自衛である。

正直、姫のこの稚《おさな》さにはついていけなかった。姫は今年で十六。名家の姫が婚期を迎える年頃になって、幼時の頃の無思慮な約束を真剣に口にするなどというのは、ひたむき過ぎて怖いものがある。しかも己のみならず相手も約束を覚えているはずだと思い込むとは、心が過去の一点で停止しているということに他ならない。己一人、そうしたひたむきな純情を心に秘めるのはいい。いわゆる忍ぶ恋というやつで、それはそれで美しい。

だが、その純情に相手を引きずり込めば、まさに巷《ちまた》で不動の人気を誇る心中物語の芝居じみた有様になりかねない。芝居は芝居だから良い。現実になれば悲劇でしかない。もしかするとこの姫は芝居と現実との間に、きちんと垣根を作っていないのだろうか。

そう思って、ちょっと不安になった。

「私もあなたも、もはや童児ではいられないのだ」

お陰で、そんな当たり前のことから優しく言って聞かせねばならなかった。

「……はい」

姫は姫で、その当たり前のことを言われただけで、平手打ちでも食ったような悄《しょ》げ方をしている。これはもう光國に矯正できるしろものではない。とにかく宥《なだ》め賺《すか》して逃げるに如《し》くはなかった。

「もし、貴女《あなた》が紀伊家の姫君でなく、私が水戸家の男でなければ、どれほど良かったであろう。だがしかし、まさにそうであるからこそ、私は貴女と出会うことができたのだ」

せめて両思いであったという記憶を大切にし、それぞれ大人として振る舞おうというわけである。

姫の眸《ひとみ》に涙が溢《あふ》れ、ぽろぽろこぼれ落ちた。この上ない可憐さだったが、とにかく恨み顔はしていない。姫も姫で、それなりに納得しつつあるらしいことに光國は途方もない安心を覚えた。姫が泣き濡《ぬ》れて何も言葉にできないうちに文書の束と刀を手に立ち上がり、

「早くお帰りなさい。私も部屋に帰ることにします」

最後まで優しく言った。

姫は、いやいやをするように小さく顔を左右に振ったが、遮二無二すがりついてくるような真似はしなかった。光國は、あくまで断腸の思いでいるような素振りを見せつつ、

姫に背を向けた。実のところ一緒にいる時間が長引くほどに、だんだんと据《す》え膳《ぜん》なんとやらいう思考が首をもたげつつあった。

灯《あか》りはそのままにし、お堂から庭に出た途端、どっと疲労に襲われた。血は昂ぶったままで、苦しいほどうずいて仕方ない。

その昂ぶりを抑えつけて部屋に戻った。軽く眠って夜明け頃に目覚めるや、お付きの者たちを叩《たた》き起こし、すぐさま帰り支度を命じた。

邸の者には急用ができたと言い訳し、くれぐれも養珠院様と姫たちによろしくと伝言を頼んで、誰にも会わぬまま、さっさと辞去してしまった。

そしてその足で義直の邸に向かっている。さすがに突然の訪問で大いに驚かれたが、

「伯父《おじ》上と朝餉《あさげ》をともにしたいと思い立ちまして」

と早起きの家老に告げ、強引に上がり込んだ。家老のほうも、喫緊《きっきん》の急事であろうと察してくれたようで、何も詮索《せんさく》せず、客部屋に通してくれた。

しばらく待つつもりだったが、すぐに二人分の膳が運ばれ、食事の用意がされた。

殿様の朝は概して早い。空がすっかり明るくなるまで寝ている者など、まずいない。

尾張の殿様ともなれば、起床時間には小姓たちがわらわら寝室に入って来る。数人がかりで寝起きの殿様の髪を結い、髭《ひげ》と月代《さかやき》を剃《そ》り、侍医が脈を測る。殿様は歯を磨き、顔を洗い、ついで小姓たちの手で着物を着せられ、厠《かわや》に行くときには、そのまま登城できるだけの身支度が済んでいる。

だが義直の場合、光國の想像以上だった。なんと片手に竹刀《しない》を持って現れたのである。毎朝、黎明《れいめい》に目覚めて剣の稽古《けいこ》をしているのだろう。稽古着に上着を羽織った姿で、満面の汗を手拭《てぬぐ》いで拭《ふ》きながら笑って言った。

「水を浴びてからとも思ったが、それではお前を待たせてしまうと思ってな。客を前にして見苦しい出《い》で立ちだが、どうか気にせんでくれ」

「恐れ入ります、伯父上」

光國は頭を下げた。もちろん、これは義直なりの気遣いだった。

人目を避けての急用事と理解し、かしこまって光國が喋《しゃべ》りにくくならないよう、あえて稽古着のまま砕けた調子で現れたのである。

証拠に、家人が茶と急須《きゅうす》を運び終えると、小姓さえ出て行って隣室に侍《はべ》り、戸を閉めた。いちいち湯を所望するたび人が入ってくることもない。全て義直の指示であろう。

「大切な稽古のお邪魔をして申し訳ありません」

光國は慇懃《いんぎん》に詫《わ》びた。義直は飯が盛られた大椀《わん》に茶を注ぎながら、豪快に笑った。

「なに、朝はいつも稽古の合間に食う。場所も稽古場でだ。今度、遊びに来るといい」

「きっとしたたかに打ち据えられて、茶碗《ちゃわん》も持てぬでしょうね」

光國は真面目に言った。

義直は、家臣の柳生利厳《やぎゅうとしとし》から新陰流《しんかげ》を熱心に学んだ挙げ句、奥義まで継承し、ついには新陰流第四宗家となってしまったほどである。徳川一族において間違いなく、剣の道では最強の男だった。その上、学問に秀でること学者顔負けで、人望も厚いことこの上ない。

光國にとっては尊敬に値する人物だが、将軍家光にとっては、最も恐ろしい男であることを、今はよく理解している。だからこそ、義直の長子と、家光の娘が、婚姻を結ぶことには意味があった。

「光義どのも、稽古をされているのですか？」

光國はあえてその義直の息子の名を口にした。今年二十一歳になる、いかにも苦労知らずといった暢気《のんき》な性格で、剣よりも書画のほうに夢中だと本人から聞かされたことがある。のちに光友《みつとも》と名を変えるが、このときはまだ父の名の一字を、頑張って背負っていた。

「柳生の者たちとの稽古が好みらしく、わしとはあまり手合わせをせん」

「伯父上の剣技はますます冴《さ》えるばかりで、よく光義どのとも、いかなる修練をすればあのような武人になれるかと話しております」

「なんの。わしなど及びもつかぬ使い手が世にはたんといる。だからこそ飽きぬのだ」

心底楽しんでいる様子で言った。かと思うと、義直の表情がすっと穏やかになり、

「さては光義のことか？」

さりげなく光國の来意を問うた。鋭く問われるより、よほど嘘がつけない。光國はかぶりを振った。

「私のことです」

「そなたの？」

義直が不思議そうな顔になる。光國が、自分のことで人に助けを求めることを、恐ろしく嫌っていることを知っているのだ。

「紀伊の伯父上は、私に姫を縁づけようと思っているようです」

ずばり口にした。義直は、ふーむ、と唸《うな》ったが、さほど驚いている様子はなかった。そういうことを、弟である頼宣や頼房が考えることを、予想していたのかもしれない。

「それで、そなたはその縁を拒むというわけか」

「御三家の婚姻は、御制禁の儀。聖賢の道にも外れます」

それ以外に他意はないことを言外に告げた。別に姫が気に入らないわけでも、紀伊家が嫌なわけでもない。義から外れているだけであり、そしてそれが最も重要なことだった。

「それよ、それ」

いきなり義直が面白がる顔になり、箸《はし》の先を宙でくるくる回した。

「傾奇者《かぶきもの》と呼ばれたかと思えば、そのように清廉の言を吐く。頼宣でなくとも、お前を欲しがる大名はいよう。諸藩の姫君たちの心を思えば、至極納得がゆく。まことに、そなたと縁を持とうとしたその姫の恋慕の念は、熱烈であろうよ。養珠院様も頼宣も、ついついほだされたに違いない」

「伯父上。私は困っているのです。お助け下さい」

光國は呆《あき》れた。からかわれるとは思っていなかった。義直が愉快そうに笑った。

「よし、わかった。わしから言っておく。心配するな」

「本当ですね」

「御三家の血縁を、開幕より五十年を経ずして閉ざすこともあるまい」

義直が言った。一部の分家が合体して強力になろうとしたところで、結果的に、徳川家全体の弱体化につながる可能性があることを承知しているのである。

光國は今度こそ本当に安堵《あんど》した。そこへ、義直が続けてこんなことを口に出した。

「そもそも、頼房には、かねてからそなたの縁談について、何か思案があるようでな。相変わらず、わしにも頼宣にも話そうとはせぬが」

「私の縁談……？」

初耳だった。世子の嫁選びをすることは何もおかしくない。だがそもそも光國を紀伊家に行かせ、およつ姫と会わせたのも頼房である。何を考えているのか、つくづくはかり知れない父だった。

「何もおかしなことではなかろう。どうやら、よほど高貴の血筋が目当てらしい。すぐに決まる話ではなかろうが、そなたも覚悟をしておいたほうが良いぞ。大名の嫁の扱い辛《づら》さは、巷《ちまた》の女たちとは違ってひと癖もふた癖もあるのだから」

義直が、ほとんど笑い話の調子で言った。だが光國の中で湧いたのは怒りだった。肝

心の世子決定の義さえ曖昧《あいまい》なまま、何が高貴な血筋か。およつ姫との一件で覚えた、

（不義の世子）

という思いが、にわかに強まった。それればかりか、義直の親しい態度に甘えて、そのまま言葉となって口から転び出ていた。

「なぜ、私なのでしょうか」

光國は言った。もう何年も口にしていない問いだった。だが義直は理解し損ねた。

「そなたに、良い縁組みを、という頼房の親心であろう。わしにもよくわかる。嫁を迎えれば、そなたも落ち着くと思ったのかもしれん。頼房も、ああ見えてなかなか子煩悩だ」

ひどくずれたことを言った。光國は箸を置き、顔を上げて真っ直ぐ義直を見つめた。

「なぜ、私が世子なのでしょうか」

はっきりと、そう言い直した。

義直の笑みがぴたりと消えた。光國の真剣さをやっと理解したという顔だ。同時に、自分の甥《おい》と、その話題についてだけは話したくないと思っている顔でもあった。

このとき光國は初めて、自分の問いに本当に答えられる存在がいることを知った。むしろ光國のほうが驚きに目をみはり、思わず身を乗り出していた。

「ご存じなのですか？」

「何をだ」

「私が水戸徳川家の世子である理由です。同じ母を持つ兄がいるのに。そもそも世子となるはずだった亀丸どのの弟である丹波《たんば》がいるのに。なのに、この私が世子とされた理由についてです」

ほとんど呼吸を忘れて一息に口にした。隣室に侍る者たちの存在を意識してかろうじて小声だったが、本当は大声で叫びたいくらいだった。

「父を疑うのか」

だが義直は厳しく光國を咎《とが》めるように言った。本当に咎めているわけではない。無理やり質問を封じ込めてしまおうとしているだけだ。それがわかって、怒りよりも、なぜか悲しさを抱いた。

「父は、なぜ今も、妻を持たないのですか。自分は妻を持たぬくせに、なぜ子の縁談のことなど考えようとするのですか」

「よさんか、子龍」

義直はすっかり困り切った顔でいる。

「教えて下さい、伯父《おじ》上。水戸家の者は、誰も教えてはくれません。お願いです。どうか」

「わしが知っていることは、一つだけだ」

嘘だ。直感的にそう思ったが、少なくとも義直の言葉を待って口をつぐんだ。

「水にされるはずだった子らが、晴れて世子となり、大名となった」

「水──」

これは文字通り、水子のことだ。堕胎か、生まれたばかりの子を死なせることだった。お前は生まれてくる予定ではなかった。義直はそう言っていた。光國だけでなく、兄も。どすんと背中を突き飛ばされたような衝撃を覚えた。実はそのことは、ごくたまに風の噂として聞くことがあった。誰かの陰口として耳に入るときもあった。いったい誰から聞いたかも判然としない。馬鹿なことだと一蹴《いっしゅう》するのが常だったからだ。

だが今、事実として語る初めての人間に遭遇し、光國は愕然《がくぜん》となった。

「それは、なぜですか……」

「そなたの母に、家勢がなかったからであろう」

いやに曖昧に義直が言う。確かに母は身分の低い女だった。だが大名が生まれた子を殺す理由にはならない。事実、家康の子を産んだほとんどの女たちが、低い身分の出だった。

子を殺す理由の大半は、他の女の存在である。大名自身ではなく、その側室同士の嫉《しっ》妬《と》や怨恨《えんこん》、はたまた世継ぎ決定の悶着《もんちゃく》で殺された赤子は、それこそおびただしい数にのぼるはずだった。

「ことは家の面目に関わる。そなたの家だ。そのことをよく考えろ」

光國が生き、兄が生きているのみならず、頼房が産ませた子の中で、水にされた者はいないはずだった。その一事こそ、側室同士の確執が無事に収束した証《あか》しなのだ。それを今になって光國自身が蒸し返せば、家の内部に新たな確執を生み出しかねない。それを避けるには沈黙が一番だ。義直はそう諭していた。今の生に目を向け、あったかもしれない死について考える必要はないのだと。

光國は畳を見つめたまま黙ってしまった。義直の言葉は、何の答えにもなっていなかった。疑問に疑問が重なって、挙げ句の果てに、考えること自体をやめさせられていた。

「父を疑うな。お前の父がそなたにかける期待は、並大抵ではない。お家のことはどうあれ、父も母も、お前のことを大事に思っているのだぞ」

父の期待など百も承知だった。だからこそ尋常ではないお試しがあったのだ。問題は、父がどういう理由で、自分に期待するようになったかだった。

「……はい」

だが光國は、しいてうなずいてみせた。これ以上、伯父に甘えるのも気が引けた。人に助けられることを嫌う性格が、こういうところでも顔を出すようになっていた。

「伯父上には、大切なお時間を頂いてしまい、申し訳ありませんでした」

「なんの。今度は竹刀《しない》を持参して来るがいい」

からりと義直が笑った。こちらの心持ちを気遣ってくれているのだろう。光國も少しだけ笑った。

「ときに子龍、近々、また林羅山先生を招いての講義があるが、どうだ」

「ぜひ。ですが今は己で課した勉学がありますので別の機会にさせて頂こうと思います」

「先生は、そなたの文筆の達者さに驚いていた。どうだ、わしの事業に参加してみぬか」

義直の事業といえば、修史のことだ。日本に『史記』のような歴史書がないのは嘆くべきことだ、というのが義直の学問における口癖だった。

「勿体《もったい》ないお言葉ですが、私には先ほど申し上げた勉学がありますし、伯父上のもとで働く文事の士に比べれば、私の文筆などたかが知れております」

「そなたの勉学とは？」

「詩歌です。伯父上が史書で天下を取ろうとなされているように、私も、詩歌で天下を取ります」

自分でも意外なくらい、すらすらと告げた。自分が水にされるはずだった、という衝撃から心を守ろうとしているためか、何やら精神がぼんやり麻痺《まひ》している感じがする。そのため、天下を取る、という言葉すら何でもないことのように口にしたのだが、

「なんと」

その光國の平静な調子に、義直は大いにぎょっとし、

「わしは別段、そこまで思うてはおらなんだが……それに、史書は天下を取るというようなものでもなし……。史書、詩歌で、天下を……ふうむ」

むしろ光國のほうがびっくりするほど感心しきって、ぶつぶつ呟《つぶや》いている。

「あの、お訊《き》きしたいことがあるのですが」

「む？」

「伯父上は、なぜ史書を自らの手でお作りになろうとしているのですか？」

単純に興味があって訊いたまでだったが、義直は途端に目を輝かせ、

「人はみな、生きてこの世にいるのだ」

と言った。いきなり年齢が十も二十も若返ったような精気を発散させていた。

「史書に記されし者たちは、誰もが、生きて、この世にいたのだ。代々の帝《みかど》も、戦国の世の武将たちも、名を遺《のこ》すほど文化に優れていた者たちも、わしやそなたと同じように生きたのだ。史書こそ、そうした人々が生きたことを証す、唯一のすべなのだ」

「なるほど。おっしゃる通りです」

詩歌だってそうだと返したかったが義直の気分を害することがあってはいけないので言わずにいた。

「この世は決して、無ではない」

義直が宙を仰いで言った。信仰の題目でも唱えているような熱のこもりようだ。

「人が生きたこと全て、無ではないのだ」

「はい」

「だが、史書を編む上で欠かせぬ史筆の才は、希有《けう》なものでな。そなたのように文筆に

優れた者には、ぜひ史書を綴《つづ》って欲しいと思っている。史書に精通することは、詩作にも必ず役に立つ」

いきなり熱烈に口説かれ、光國はちょっと辟易《へきえき》しつつ、丁寧に頭を下げた。

「ありがとうございます。伯父上にそこまでおっしゃっていただけたことが、何よりの励みとなります。ですが、まだまだ若輩者ゆえ、勉学成った暁に、改めて私の文筆の吟味をなさって下さい。もしかすると伯父上をがっかりさせることになるかもしれません」

「それよ、それそれ」

義直が、かえってにやにやして言った。

「咄嗟《とっさ》の口上、悪くない。無理には誘わぬ。いずれ自然と史書に興味が湧くであろうよ」

光國は曖昧《あいまい》な笑みでお茶を濁した。この伯父ほどの情熱を史書に注ぐなど、このときはまだ、とても想像できなかった。

「そうだ。ときに、そなたに伝えておこうと思っていたことがある」

「なんでしょうか」

「明国のことだ。我が国に、再三、義援を求めてきているそうな」

幕府が用意しようとしているであろう返答がどんなものか、義直の表情を見るだけでわかった。光國は、もしかすると起こったかもしれない戦に、義直とともに思いを馳《は》せた。

「今、幕府の安泰を考えれば、義援の兵を出すわけにはいかないでしょう」

獅子《しし》奮迅の働きをする戦《いくさ》装束の己の幻を追いやり、そう口にした。

義直が優しく微笑んだ。光國との年齢の差など関係なく、ただ武士として戦国の世が終わったことへの哀惜を分かち合おうとしてくれている笑みだった。

光國はそこでやっと、心がほぐれるのを感じた。この伯父が意図してほぐしてくれた。過去から迫る疑念や衝撃から遠ざかり、これからの己の行いを意識するよう促していた。この優しい伯父は、新たな泰平の世で何をしたらよいか迷うことなく、大願を抱くことができる幸福を、こんなふうに称《たた》えた。

「四海に名を轟《とどろ》かそうぞ、子龍。そなたは詩歌で、わしは史書文学で。東国武者が、あずまえびすと呼ばれていた時代は終わったのだ。武を知るからこそ、秀でることのできる文事の道があることを、ともに天下に知らしめようではないか」

九

――詩が、おれの全てだ。

その強烈な思いでもって、身中にわだかまる疑念を抑えつける日々だった。

義直の話しぶりからして、光國が世子に選ばれた理由は、そのまま光國と兄の出生の秘密とでもいうべきものに直結しているらしい。いや、秘密と呼んでいいのかどうかもわからなかった。明確な理由があったとしても、実は大したことではないのかもしれない。

周囲の事情が錯綜《さくそう》し、わけのわからない理屈がほうぼうから出た結果、なんとなくこうなってしまっただけなのかもしれないのだ。大名家にありがちな、救われない顚末《てんまつ》というやつで、おおかたは大人たちの勝手な都合なのだ。

そんなものより詩だった。己が不義であるか、是も非も不明だが、詩趣への思いだけは真実なのだ。それが、義直の邸《やしき》から戻ってのちに得た確信だった。

詩趣こそ自由だった。たとえ水戸徳川家の世子として雁字搦《がんじがら》めに縛られていようと、詩趣が約束してくれるのは、解放された自由な心だ。

だから、詩のための学問であり、読耕斎との学論だった。

とにかくあの腹立たしいほど優秀な儒者に、一矢報いねばならない。詩で天下を取るための露払いだ。そう念じて読書に打ち込み、約束の望月《もちづき》が近づいてきたところで、なんと、風邪を引いた。

抑えつけていた心の苦しみが、肉体に一矢報いたものか、痛恨の病だった。

症状は軽く、咳《せき》と熱に悩まされただけである。とはいえ、勝負を前にして風邪を引くなど、実に不覚だった。ずるずる洟《はな》をすすりながら書を読み、反吐《へど》坊主にぶつけるべき問いを思案しようとしても、朦朧《もうろう》として要領を得ない。だんだん山鹿が教えてくれたような策を弄《ろう》することが馬鹿らしくなってきた。きっとあの男なら、逃げもかわしもせず受け止めてくれる。渾身《こんしん》の気魄《きはく》を、ことごとくぶつけろ。そんなふうに思うようになっていた。

やがて、約束の日が来た。まだ気怠《けだる》さが残っていたが、熱もなく咳もない。学論を戦わせるには十分だった。日暮れとともに邸の裏口の鍵《かぎ》を拝借し、千住の居酒屋へ向かった。店に着くと、店主の娘がちょっと怯《おび》えたような顔で、例の若いお坊様がいらっしゃいます、と教えてくれた。僧ではなく儒者なのだが、面倒なので説明しなかった。代わりに、

「酒と、何か美味《うま》いものを二人分、用意してくれ。酒は多めにな」

にっこり笑って言った。店内で相手を斬り殺しに来たわけではないことを告げるためだ。果たして、娘はほっとした様子で、

「あい、ただいま」

と笑顔を返し、店の奥に向かった。光國はそのまま真っ直ぐ奥の座敷に行き、屏風《びょうぶ》で仕切られた一角に端坐《たんざ》する読耕斎の姿をみとめた。泥酔した様子はなく、飯と漬け物をちまちま食いながら、茶をすすっている。相変わらず棘《とげ》で覆われたアザミのような刺々《とげとげ》しい坐相《ざそう》で、当然ながら話しかける客もおらず、読耕斎の周囲だけ賑《にぎ》わいがない。

その読耕斎と向かい合って、どっかと座った。読耕斎は茶をすするのをやめ、

「大丈夫なのか。病み上がりだと聞いたぞ」

愛想のかけらもなく言った。いきなり情けをかけられた恰好《かっこう》になり、むかっ腹が立った。

「武士を甘く見るな。これしき、病のうちに入らん」

「そうか。武士も大変だ」

ぼりぼり音を立てて漬け物を齧《かじ》りながら読耕斎が言う。これから学論を戦わせるというのに、気負ったところなど一つも見当たらない。それだけ彼我《ひが》の差が明白だと思われている証拠である。

そこへ娘が酒と料理を運んできて、

「あい、お待たせいたしました……」

殺気立って相手を見据える光國の様子に、ぎくっとなった。

「飲むか」

娘が持ったままの盆の上から、徳利と猪口《ちょこ》をつかみとって、光國が言った。

「少々ならば」

読耕斎が涼しい顔で猪口を受け取り、光國の酌を受け、ちびちび口をつける。

娘はおっかなびっくり料理の小鉢を並べると、後ずさって店の奥へ消えた。その間も、光國は相手を見据え続けている。

「美味いな」

ふう、と読耕斎が大振りの杯でも飲み干したような息を吐いた。猪口の酒を舐《な》めた程度である。酒欲という点では、実に安上がりな男だった。

「さて、どちらが問う」

光國のほうは早くも二つ三つと手酌で酒をあおっている。

「黒をどうぞ」

読耕斎が言った。これは碁で、黒石が先手のことを言っていた。碁でも将棋でも先手の有利は常識である。つくづく甘く見られていることに怒りを覚えた。

「ならば問う」

いっそう気魄を込めて眼光を相手に浴びせ、鋭く問うた。

「聖賢の道において、儒者の剃髪《ていはつ》を、是とする論はあるか」

光國が用意した問いの中で、最も相手の弱みを突くはずの問いである。それを放った。

「無い」

だが読耕斎はいささかも表情を変えず断じた。自ら僧形《そうぎよう》をなしているにもかかわらず、ふてぶてしいことこの上なかった。

「ではなぜ、お主は剃髪をした」

「仏教の勢、はなはだ強し。また、儒官と称すべき官職は存在せず。よってこの国では儒者のみならず数多《あまた》の学士は、坊主のたぐいとみなされる。そのような国はかつてなく、ゆえに聖賢の道においても、いまだ論はなし。ただ僅《わず》かに呉の太伯が蛮族の風習に倣い、孔子が郷服を着た例があるのみ」

「太伯も孔子も、寺の風俗に倣ったわけではない」

「その通りだ」

答える読耕斎も、いつの間にか、ぎらぎらとした刺々しさを剝《む》き出しにしている。弱みを突かれたというより、自身の最も憤懣《ふんまん》を抱く点をあからさまに指摘されたからだ。

「是とするすべとてないままに、寺を真似て、僧形をなすか」

「それが今の世なれば、抗《あらが》うすべとてなし。謹んで法衣《ほうえ》を賜り、法印を崇《あが》めるほかなし」

声に、遺憾の念がにじみ出ていた。猫も杓子《しやくし》も、学問といえば僧という、その単純きわまりない考え自体、幕府全体の学識の浅さを物語っている。そう吠《ほ》えたいに違いなかった。

光國はうなずいた。おそらく真っ正直な返答が来るだろうとは思っていたが、ここまで何の言い訳もないとは想像していなかった。むしろ自ら僧形をなすことで、日本全体の学論の未熟なることを、無言のうちに証《あか》そうという態度といえた。

「では、この国、今の世について問う」

「うむ」

読耕斎が、どうやら無意識らしい様子で、ぐいっと酒をあおった。

初っぱなの問いで熱くなった証拠だ。反吐を浴びるのはこりごりだが相手が酒で惑乱してくれるなら願ったりである。

気づけば、店の客たちの多くが、こちらに目を向け、耳を傾けている。これまで何人もの僧を論破してきた光國にとって、読耕斎こそ難敵であることをみな理解しているのだ。

衆人環視の中で読耕斎を困らせ、恥をかかせてやることが光國の目的だった。なのに、

「あまり飲むな、ばか。下戸《げこ》のくせに」

光國自身が、つい読耕斎を止めていた。心は別のところで、読耕斎の返答を聞きたがっていた。最初の問答でみせた、この男の揺るがぬ鋭さの根源を知りたかった。

「問うぞ」

「うむ」

渋々といった感じで茶を飲む読耕斎に、光國は言った。

「徳川が豊臣を討ったのは、〝権〟か、〝中〟か、〝義〟か」

たちまち読耕斎の相貌《そうぼう》が鋭さを増し、隻眼が熱気のこもった眼光を溜《た》めた。

〝権〟とは、正道から外れながらも、非常処置として認めるべき行いである。多くは武力討伐、もしくは粛清の行いに当てはめられた。

〝中〟は中庸という言葉があるように、完全無比なる正しさだった。万事万物それぞれに果たされるべき〝中〟があり、それらはいずれも、深く学理を追究することでしか体得できない、最高の道徳を意味した。

普通は、この二律対抗を問いとするが、光國はあえてそこに〝義〟を加えた。学理学

識に照らして、徳川幕府と為政者たちが道徳的であるかを問うのではなく、創り上げられた政治体制によって、人民の喜びがあるかないかを問うていた。

「中である」

僅かな間ののち、読耕斎が応じた。

「なにゆえか」

「倣うべくは殷の湯《とう》王、周の武王。いずれも臣下でありながら君主を討伐した。ただし私利私欲で天下簒奪《さんだつ》を企《たくら》んだのではなく、天下の民を救うためである。徳川が豊臣を討ったのも、これに類する」

「どのような戦にも、善と悪と、両面があるという。徳川は、善であり悪であるか」

「そのような学理は、〝中〟においてはない。全く悪がないことをいう」

これは、いわば林家一党の覚悟だった。徳川一族に全てを賭《か》けたからこその言葉だ。かつて徳川家康は、主君筋の豊臣を討伐する上で、どのような理があるか必死に模索したという。〝やはり中は行いがたい〟というのが、家康の懊悩《おうのう》だった。

その家康に、〝殷の湯王、周の武王は、中である〟と告げたのは林羅山である。それはむしろ、一人の学者が発した、徳川幕府全体に対する呪縛《じゅばく》のごときものでもあったろう。

「おびただしい人死にを出して天下を取るならば、中であることから逃げるな」

と言ったに等しいのである。権謀術数には善も悪もある、などという言い訳を許さない。家康自身が〝行いがたい〟と口にしたことを、行えというのである。

それこそ林家一党が、学者として徳川一族に要求した、最大の対価であろう。

だが光國が進めるべき問いは、その先にあった。

「中であっても、義はないか」

「義は、中のうちにある。天下の人心が帰するところ君主があり、帰さぬところに個人がある。義がなければ、そもそも君主ではない」

これは民意あっての君主の徳という発想だった。封建の世の君主は決して絶対的存在ではなく、民意がなければ君主は個人にすぎない。

民意を失えば、いずれ民が望む別の君主に討伐される。

「湯武による放伐ののちの世に、義はあったか」

「あった」

「ならば」

光國は、語気が荒ぶるままに、いまや熱く灼《や》けたようになった問いを放った。

「武王を止めようとした伯夷と叔斉は、中ではないのか」

ふと読耕斎が隻眼を細めた。光國の問いのどこかに学論上の罠《わな》があり、矛盾したことを言わせて大いに詰《なじ》ろうとしているはずだ、というのが読耕斎が抱くべき警戒である。

だがこの問いには罠を仕掛けるというより、ひどく切迫したものがあった。遮二無二、答えを求めている者の必死さに満ちた問いだった。

「中だ」

読耕斎は何やら不思議そうに光國を眺めながら言った。

「武王が中であるのにか」

光國は怒気すらにじませて問い返している。

「中は、万事において異なる。君主の中は、人民の中ではない。武王の中は、伯叔の中とは違う」

「伯叔は、中をまっとうしたか」

光國は身を乗り出し訊《き》いた。義直に答えを求めたときと同じだった。いったいこの学論のどこでそういう心持ちになったのかわからない。気づけばそうなっていた。

「そうだ」

読耕斎は、義直とは違った。真っ直ぐに答えてくれた。

「伯叔は、国と次男に、政務を還《かえ》したのだ。よって彼らがまっとうすべき中は、君主の中ではなかった。人民の中であった」

「武王の世を恨んでもか」

「中をまっとうすれば、世から悪が消え、恨みがなくなるわけではない。むしろ悪があり、恨みに苛《さいな》まれるからこそ、中をまっとうすべきだ」

光國はゆっくりと姿勢を戻した。脳裏に、なぜか死の川がまざまざと浮かんでいた。あの川で溺《おぼ》れ死んでいれば、どんな悩みとも無縁であったろうと思った。いや、そもそも生まれることなく水にされていれば、何かを考えるということすらなかっただろう。

だが代わりに兄とも会えなかった。そう思うと悲しくなった。

「あるところに、男がいる」

ぽつんと光國が言った。何やら口にしようとしていたらしい読耕斎が、ぴたりと言葉を呑《の》み込んだ。

「伯は病んだ。仲は死んだ。叔が、次代の君主とされた。この叔は、不義か」

読耕斎はじっと光國を見つめている。まさにこの問いが、水戸家の世子たる光國自身のことであると、はっきり悟っているのだ。

読耕斎は、相手が徳川家の一員であることすら考慮にないかのような調子で、

「不義だ」

はっきりと答えた。同時に、

（たかが世子だ）

義直の邸《やしき》の庭で告げられた言葉が、自然と光國の胸の真ん中でよみがえった。

そんな皮肉を言うのは、まさにこの読耕斎だけだった。

それも、ただの皮肉ではない。実際に大名となるまでは、部屋住みの身分の者など、どうなるかわからないと言っているのではなかった。身分を隠して市井をうろつきながら、都合の良いときだけ身分をかさにきた振る舞いをする、と嘲《あざわら》っているのでもない。

ひとえに、光國という人間が、〝世子〟という言葉にとらわれているのを笑っていた。

雁字搦《がんじがら》めになって、その苦衷から脱せずにいる光國を、滑稽《こっけい》だと言っているのだ。

自分だって、望まぬ僧形《そうぎょう》にされて飲んだくれていたくせに。あるいは、だからこそ光國の心情を誰よりも鋭く察し、いささかも同情を交えず、一笑してやったのだろうか。

「不義の男は、どうすれば、義に戻れる」

静かに問うた。荒れていた語気がすっと落ち着いていた。荒れさせなくても、この男は聞いてくれるし、その心に届くとわかっていた。

「政務を還すほかない」

果たして、誰も言ってくれなかったことを、読耕斎は迷いなく口にした。

「伯はすでに政務を得た。仲はいない。主君は健在で、叔に政務を譲ることを望み、王に宣誓した」

「しかり」

「政務を何者にも還せない。還そうとすれば、新たな不義が起こる」

「しかり」

「どうやって還す」

読耕斎は、腕組みし、隻眼で激しく宙を睨《にら》んだ。かと思うと、組んでいた腕をほどき、さっと猪口《ちょこ》をとって、一息に飲んだ。

「おれが知るか」

というのが、読耕斎の返答だった。

「ずるいぞ。答えろ」

正直、がっかりした。読耕斎がじろりと睨む。

「政務を還してなお、不義とならぬ道を探せ。そうとしかおれには言えん。おれ自身が、不義を背負っているわけではないのだからな」

「もし主君が不義ならば、家臣も不義か」

「そうなるな」

読耕斎はにべもない。今度は光國が睨んだ。考えるより先に、ころりと言葉が出た。

「家臣にしてやる」

「──なに？」

「不義の男が、お前を儒臣として遇してやる。だから方策を考えろとは言わぬ。もし、いつか不義の男が道を見出《みいだ》したとき、その是非を判断しろ」

読耕斎は、あんぐり口を開けている。驚いて当然だった。光國自身、まさか自分が言うとは思わなかった言葉である。だが光國にとっては、口にしてみると至極当然の成り行きに思えて仕方なかった。これほど鋭い諫言《かんげん》をいささかも躊躇《ちゅうちょ》せずしてのける臣下を求めるのは、それこそあらゆる聖賢の書が、主君の徳として称《たた》えるところではないか。

だが忌々《いまいま》しいことに、そういう相手ほど意のままにならないのが常だった。

果たして読耕斎は、ほんの僅《わず》かの間を空けただけで、

「お断りする」

あっさり言ってのけた。

「なんだと」

「我が志は、隠逸にあり。それが叶《かな》わぬからこそ、儒者として幕府に仕えている。その上、家臣などという不自由の立場に置かれるいわれはない」

さながら、荘子が楚の使者を拒んだときの口上である。私を汚したもうな、と荘子は、宰相として迎えようとした楚の王の使者に告げたという。

（この老荘気取りが）

怒りのあまり叩《たた》っ斬りたくなった。だが、そういう世の尋常から外れた思考の持ち主だからこそ、光國をして生まれて初めて、誰かを家臣として欲させたのだといえた。

お前こそ父に気兼ねして世捨て人にもなれないくせに、と詰ろうとしたところで、ふと思いついた。

「百石取りの隠者だ」

「なんだと？」

読耕斎が呆気《あっけ》にとられた顔になる。光國は痛快な気分になって言った。

「不義の男は、きっと貴様を、百石取りの隠者にしてくれるだろう。主君のそばに侍《はべ》るのではなく、主君が隠者の教えを欲して訪ねるのだ。江戸か領地か、適当な山に隠者の庵《いおり》を建ててやってもよい」

途端に読耕斎の隻眼が光った。

「山の名は、西山《せいざん》がいい」

伯叔が隠れたという首陽山《しゆようざん》の異名だ。いきなり要求を重ねてくるあたり、こと己の志に合致したとなると、商人顔負けの欲深さで迫ってくるのだから呆《あき》れたものだった。

「無茶をいうな」

水戸にそんな名の山があるか、記憶になかった。もちろん江戸にも心当たりはない。

「まあ、おれが山に名を付ければいいか」

さすがに読耕斎もすんなり妥協した。それから、しっかり姿勢を正して言った。

「もし、今しがた告げられたことが叶うならば、我が身、我が生涯を捧《ささ》げて、義を望みし不義の男に尽くすだろう」

「本当だな」

「我が隠逸の志に誓って」

「よし。飲め。ぐだぐだに酔ったら、誰かに運ばせてやる」

光國が酒を注ぎ、二人そろって飲み干した。

二人の雰囲気が和らいだのを察したのだろう、店の娘がおそるおそる近づいてきて、

「あの……どちらが、お勝ちになったのですか？」

と訊いてきた。店の客たちもこちらを注視している。どいつも、一連の問答にはさっぱり理解のついていない顔をしていた。過程はどうあれ、結果だけでも聞きたいのだろう。

「おれだ」

光國と読耕斎が、同時に言って、眉《まゆ》をひそめて互いを見た。娘も客たちも、呆れた様子だった。

「ときに、詩作はできたのか」

娘が離れてから、読耕斎が茶と酒を交互に飲みながら訊いてきた。学者の筆頭たる藤原惺窩の、その子息、細野為景に詩をぶつけるという件だ。

「幾つか草稿はできている」

「なんだ、まだか」

読耕斎がつまらなそうに肩をすくめる。お前との学論の準備があったからだ、と言い返したかったが、ぐっと堪《こら》えた。

「漢詩は卜幽に渡してある。和歌も間もなくできる。だが卜幽の出立が遅れるようなのだ。律儀者の卜幽めが、しばしの暇《いとま》の挨拶《あいさつ》にと水戸にも出向くらしい。いつ京に上れるかわからん始末だ」

「あの方らしいことだな」

「なんであれ、細野為景とやらを刮目《かつもく》させる詩の用意に、怠りはない」

「あまりに時が移れば、細野ではなくなるかもしれん」

「なに？　どこぞの家を継ぐのか？」

「そういう話が出ているそうだ。送り状に粗相がないよう気をつけたほうがいい」

きわめてあっさりした調子で、読耕斎が告げた。

「下冷泉家《しもれいぜい》」

「どこの家だ」

「し……」

光國が息を吞《の》んだ。

代々、近衛中将《このえちゅうじょう》に任官される家柄の公家《くげ》で、江戸では羽林《うりん》家の名のほうが親しみがあった。その祖は、歌聖たる藤原俊成《ふじわらのとしなり》・定家《さだいえ》で、当時の典籍文書は、まさに秘宝だ。

そもそも藤原惺窩はその血筋にあり、惺窩の子が家を継ぐこと自体は、驚くべきことではなかった。だが下冷泉家はいったん血が絶えたと聞く。その家を継がせることを決めたのは、まず間違いなく、他ならぬ後水尾院《ごみずのおいん》であろう。

紫衣事件で幕府と激しく対立したと同時に、宮廷和歌の興隆を担う、まさに京文化の中心たる人物である。江戸に住む若い光國でさえ、そう認識しているほど、名の聞こえた存在だった。

その院に認められた。それだけでも、光國の想像を超えるものがあった。

「なんと……下冷泉家とはな。ますます、相手に不足はないわけだ」

どうにか戦慄《せんりつ》を堪えた。読耕斎も大いにうなずき、さらに凄《すさ》まじいことを告げた。

「いずれ、惺窩先生の跡を継ぎ、学問を講じる侍講となる人だ」

「侍講……」

今度こそ衝撃に身を貫かれた。氷柱《つらら》のように冷たい汗が噴き出した。それでも、武士としての矜持《きょうじ》が、確認するのをやめさせてくれなかった。

「いったい、どなたの侍講だ」

読耕斎が、光國の様子を察したか、にやりと笑みを浮かべて、こう告げた。

「後光明《ごこうみょう》天皇様の侍講として、学問を御指導申し上げるということだ。おそらく後水尾院様に代わって、和歌の手習いをも仕《つかまつ》るだろうな」

「帝《みかど》の師――」

ぐらりと世界が揺れ動いたような気がした。これまで懸命に登り続けてきた文事の山岳道のまっただ中で、いきなり断崖《だんがい》絶壁の奈落《ならく》に直面した気分だった。

「まったく、相手に不足はないな」

読耕斎が笑った。

光國は、この男に殺意を抱くのは、いったい何度目だろうとぼんやり思った。

（京人《きょうびと》を唸《うな》らせろ）

どこか遠くから、声が聞こえてくる。だが京人は京人でも、格が違った。違いすぎた。京の中心、宮廷和歌の伝統――その、まぎれもないど真ん中に己の詩を投げ込むことになるのだ。

「ああ、不足はない」

光國は言った。その声が震えていないことを、心の底から願った。

十

結局、卜幽が京へ旅立ったのは翌年の早春だった。律儀に挨拶して回っているうちに、冬が来てしまい、旅を控えるよう父に命じられたのである。

その春、光國は麻疹《ましん》を患った。読耕斎との学論を前にして、風邪を引いたのと同じだったが、勝負の念も病状の重さも、こちらのは層倍だった。先年から、たびたび読耕斎と学論を戦わせ、林羅山には詩の添削を請うてきた。覚悟を抱くには十分すぎる時間があった。

「頼んだぞ。しかと渡してくれ」

床に臥《ふ》せったまま、光國は卜幽に、推敲《すいこう》を繰り返した漢詩と和歌を託している。

卜幽も、光國の詩歌に捧げる思いの丈は知っており、

「きっと、かのお方の秘蔵の書を筆写し、戻って参りまする」

戦で首級《しるし》でも挙げようとでもいうような真剣さで告げ、京へ向かった。

間もなく病は去ったが、しばらく熱に浮かされたままのようだった。卜幽から首尾を告げる手紙は一向に届かず、果たして己の詩が相手に届いたかもわからぬ状態で過ごさねばならなかったのだ。

こういうとき、兄と話すことができればと思うのだが、話しそびれたまま帰藩してし

まい、参勤するのは翌年とのことだった。ひどく落ち着かない気持ちが延々と続いた。卜幽に託した詩を誰にも見せることはなかった。読耕斎から何度も見せろと言われたが、
「人の勝負に口出しするな」
と厳しく拒んだ。
「侍や浪人の果たし合いにも、見物人はつきものだというのに」
皮肉っぽく言いつつ、読耕斎も無理に光國の詩を披露させようとはしなかった。そんな心揺らぐ日々も、やがて終わりを迎えた。卜幽からの便りが届いたのである。
「こちらは、お前宛てのようだ」
父から、分厚い手紙の一部を渡された瞬間、心臓が、どっくんと大きな音を立てた。手紙を持って自室にこもった。紙を伏せてしばらく瞑目《めいもく》して気息を整え、それから、しっかと目を見開いて読んだ。
いきなり詩が飛び込んできた。
身は江城の天府に在りて居す
孜孜《しし》として字を学びて三余を勉む
君が為めに秘閣相計るを得たり
一見　須《すべから》く万巻の書を請うべし
卜幽の筆跡ではない。では誰か。疑問の余地はなかった。
細野為景その人の返詩である。光國は微動だにせずその詩を凝視した。秘蔵の書の閲

覧を許し、卜幽に筆写させるとともに、今後も幾らでも書を請うて欲しいと告げていた。

外交的な挨拶としての返詩ではない。溢《あふ》れるような親しみが詩句から感じられた。

そのとき光國の手にもたらされたのは、漢詩が三編、和歌が二首。いずれも光國の詩に報いたものだった。中でも、光國のほうが仰天する詩があった。

武を講じて余力あり　文を学びて琢磨《たくま》を加う
書は千里の面を開き　衣は一団の和を帯びる
水を逐《お》いて交わり初めて淡く　寒を禦《ふせ》ぎて情更に多し
何れの時か早蓋《そうがい》を傾け　大倭歌《やまとうた》を品藻せん

会ったこともない相手に対する、開けっぴろげなまでの親交の念が記されていた。

しかも光國を、武を講じる武人とした上で、自らと同じ文人として迎えようという。

いや、単に迎えるだけでなく、是非にも親交を結び、いつか会える日を願っていた。

詩作の出来がどうといった批評的なものの見方が、どこかへ吹き飛んでしまった。あるのは、京の文化人が、自分に対して門を開いたのだという事実であり、

(おれを文人と認めた)

その喜びだった。相手を唸らせてやるという思い以上に、途方もない歓喜が湧いてきた。

(この人も同じだ。きっと、おれと同じように、詩で天下を取りたいと欲している)

そんな相手は初めてだった。しかも自分以上に、京の中心地で厳しく琢磨しているの

だ。そういう人物が、光國との交友を求めていた。光國が贈った詩が、挑戦的であることを知った上でのことである。あるいはだからこそ、ここまで親しみのある詩を返してくれたのかもしれない。

この喜びをどうにかして形にしたかった。口で語るのではなく、言葉を記したかった。

光國はさっそく卜幽に手紙を書いた。その働きをねぎらい、為景からの返詩を得たことへの感謝を記すと、続けて、別の手紙を書き始めた。兄への手紙である。一連の出来事を書き、為景に詩を贈ろうとしたきっかけも、細かに記した。

『いまだ詩の天下に至らず』

だが少なくともその一歩をこうして踏み出した。そういう報告の手紙だった。

家人に手紙を任せてひと月も経たずに、兄から返事が来た。なんだか光國のほうが気恥ずかしくなるほど、兄は喜んでいた。光國の文事への傾注を誉め、有意義に日々を過ごしていることを頼もしがっていた。何より有意義なこととして、

『よい朋友《とも》を得た』

そう記してあり、ちょっとだけ光國は引っかかった。これは細野為景のことばかりではなく、あの林読耕斎のこともふくまれていたからだ。為景が示したような交友の念など、読耕斎は金輪際、示そうとはしないだろう。せいぜい憎まれ口を叩《たた》くばかりである。

だが兄が言うには、どちらも友と呼ぶべき存在だった。互いを称《たた》える友も、皮肉を投げかける友も、手放すべきではないと兄は告げていた。

手紙には、兄とその家族の近況が記され、それから、

『頑張ったな、子龍』

末尾に、そうあった。そのたった一言に、強い幸福を覚えた。兄に誉められた。兄が認めてくれた。まるで幼い子供に戻った気分だった。同時に、その幸福は、後ろめたさと裏表だった。

(不義の世子)

その難事を覚え、しかし乗り越えるべき道筋は見つからぬまま、かくして光國の十代は終わりを迎えようとしていた。

明窓浄机《めいそうじょうき》（五）

義は、人命に優《まさ》るであろうか。

為政者にとって、これこそ避けては通れぬ問いであろう。義とは、万民の喜びたりうるものでなくてはならない。だがそのために、人命を損なうのは是であろうか非であろうか。

本来、これは非である。しかし、聖賢の道や、諸法度《はっと》に照らし、咎人《とがびと》を断罪することは、為政者の務めでもある。また、戦《いくさ》を務めとする侍においては、しばしば己の命をなげうつことこそ、義となり喜びとなりうるのである。

むろん命をなげうつことに正しい義があってこそであり、殉死追い腹のように、侍としての本分を誤り、ただいたずらに死することは義ではない。

余が殺《あや》めた男は、多数の人々に命をなげうつことを求め、それを天下の大義と呼んだ。もしそれが現実のものとなったとしても、大義とはいかなるものであるか知った上で死ぬ者は少数であろう。多くは、戦の昂《たか》ぶりに任せて、ただ死するばかりである。

この泰平の世で、そのようなくわだてを義と呼ぶことはできまい。だがあの男は、おのが命をなげうち、そのくわだての是非を余に問うた。そのことが今、大いに余の心を乱すのである。

余においても、かつて己が大義の念をもって人命を奪おうと考えたことがあった。そのときの余にとって、義を求めることが第一であった。是が非にも、己の不義を拭《ぬぐ》わねばならぬと信じていた。

たとえ、なんの罪もないばかりか、義とはなんであるかすら理解しようのない、生まれたばかりの赤子の命であっても。

義のため、葬るべきと信じたのである。

地ノ章（一）

一

詩が全てだった。あらゆるものに詩と文事で応《こた》える日々だった。

節句にちなんで詠み、誰かが老齢を迎えたり昇進の儀があるたび詩作をもって祝った。誰かが世を去るとき、必ず死者への思いを詩歌に託した。そのおびただしい数にのぼる詩歌詞文の全てが、光國《みつくに》の〝傾奇者《かぶきもの》〟としての振る舞いに次ぐ猛烈な感性の爆発だった。

光國が十九のとき、細野為景《ほそのためかげ》からの返歌を得た年の正月、三木之次《みきゆきつぐ》が亡くなった。

兄と光國は、江戸と水戸《みと》それぞれの三木宅で生まれ育った。ただ育てられただけではない。あの尾張《おわり》徳川義直《よしなお》が口にした、

（水にされるはずだった子らが、晴れて世子となり、大名となった）

という言葉を思えば、もしかすると、兄弟の命の救い主であったかもしれない人物だ。

享年は七十二。非常な高齢である。まさに大往生といっていい。だがその喪失は若い光國に底深い悲嘆をもたらした。子供の頃から血気をぶっ放すのが当然だった光國である。激しい感情を抑えて封じておくことなどできる気質ではない。だが子供の頃と違い、感情に任せて闇雲に暴れはしない。次の瞬間には自分が何をしているか、想像もつかない、というような沸騰の仕方はしなくなっている。代わりに、いまや光國は、己の激情を、存分に詩歌に託せるだけの筆力を得ようとしていた。

このときは、

『三木之次をいためる詞《ことば》』

という長文とともに、和歌を十二首、さらに漢詩を二編作り、光國は之次の妻の武佐《むさ》に贈っている。そのうち十二首の和歌に、光國は若い感性でもって特別の工夫を凝らしていた。十二の歌の頭文字を並べると、「なむめうほうれむけきやう（南無妙法蓮華経）」となるのである。

「な」の歌は、

　　なき人の　かたみにのこす　水くきの
　　　ながれとまらぬ　泪《なみだ》なりけり

「む」の歌は、
　　むすぶまも　あだなる野辺の　露のみを
　　　さそいてぞゆく　春の山かぜ

といった具合である。これはむろん、光國の信心のあらわれではない。光國は父譲りの仏教嫌いだ。これはひとえに武佐が、熱心な日蓮宗《にちれんしゅう》の信徒だったためである。だからあえて和歌をもって武佐の信心を称《たた》え、ともに之次の冥福《めいふく》を祈ろうとしていた。

翌正保《しょうほう》四年の正月、二十歳になることを節目として、元旦詩《がんたんし》を書いた。これは以後、正月の習慣となり、生涯にわたって欠かすことのない習慣となった。

さらにその年の秋、九月、小野言員《ときかず》が致仕、つまり官職を退いて水戸に帰るときも、

『送言員赴常州』

と題して詩歌と詞を贈っている。これは、言員が光國の行状をことこまかに難じ、うっとうしいほど細やかに説教した『小野諫草《いさめぐさ》』への返報でもあった。感謝をもって円満な退職を祝ったのである。光國自身も、決してこのくそ真面目な文人武士を嫌いではなかった。

「おれからの土産だ。持ち帰るに、軽くてよかろう」

などと軽口を叩《たた》きながら光國が詩歌をしたためた紙を渡すと、

「もはや思い残すことはございません」

言員はよほど喜びに感極まったようで、ざあざあ水の流れる音でも聞こえそうなほど大量の涙を流して言ったものだ。

しかも、こうした光國の詩作は、大名にありがちな下手の横好きや道楽ではなかった。ときに度を超すほどの読書と修学に裏打ちされた詩作であったことは光國の詩の添削を請われた林羅山《はやしらざん》をして、

「まさに文武の者というべきかな」

と瞠目《どうもく》させ、

「道のため、国のため、自愛珍嗇《ちんしょく》せよ」

そう激賞させるほどのものでもあった。水戸家の家臣たちも、光國の文達ぶりを称え、それを聞いた父の頼房《よりふさ》までもが、詞文や詩作について、むしろ光國に工夫を尋ねてくるようになった。

だが、単に先達から誉めてもらうための詩作に甘んじないのも、これまた光國の気質だ。ときにはあえて、でたらめなしろものも書いたし、作法を無視した詩作も行ったりして、詩作の師である羅山や、家の大人たちを、大いに啞然《あぜん》とさせたものである。

むろん、ただの悪ふざけではない。新たな詩作を求め、詞《ことば》を求めてのことだ。その根本にあるのは、

（詩で天下を取る）

という何年経っても色あせぬ強烈な熱望であり、またその成就のためには避けて通れぬ、

(京人《きょうびと》をおれの詩で唸《うな》らせる)

この一念であった。

しかも細野為景に詩を贈ったことで、この「京人」がさらに遥《はる》か高みの存在となってしまった。後水尾《ごみずのお》上皇を筆頭とする、まさに世紀を代表する文人たちを意識せねばならなくなったのである。

そして光國が二十歳のとき、かねて読耕斎《どっこうさい》が告げたように、細野為景は、下冷泉《しもれいぜい》家を復興することが正式に決まった。かの高名な学者・藤原惺窩《ふじわらせいか》を父に持ち、勅封の文庫を家宝として守り、帝《みかど》の侍講として諸学を教え、朝廷の和歌文化に貢献する。そういう、〝文人の鑑《かがみ》〟と評すべき相手に、このときも光國は恐れることなく祝いの詩を贈った。

為景のほうも、京にいる卜幽《ぼくゆう》を通して、これまた親情溢《あふ》れる詩を返してくれた。

そしてこの為景の詩に着想を得た光國は、その全てを詩歌にしてさらに贈っている。

その数、実に五十六編。

やられたらやり返す、というのではないが、とんでもない量である。どの詩も、競争というより、自然と敬慕や憧憬《どうけい》のこもったものになった。その一編に、

上下相和して　国、蔕《たい(ほぞ)》を固くす

君と官を同じゅうして　近衛を職とす

縦然《たとえ》、北闕東関《ほつけつとうかん》を隔つとも
何ぞ異ならん　朝朝玉砌《ぎょくせつ》に侍するに

という詩がある。

「北闕」は朝廷、「東関」は江戸、「近衛」とは為景が左近衛権少将となり、十三歳で右近衛権中将となった光國とともに、同じ近衛職に任じられたことを言っており、

「ともに朝廷に侍する」

そう表明していた。朝廷とその長年の歴史に敬意を払い、武士として忠義を誓うといった強い気分もあるが、それだけではない。むしろ武人として以上に、

「朝廷文化に伍《ご》する文人たらんとする」

という、若い熱情と、清冽《せいれつ》な理念とをもってぶち上げた、宣言でもあった。

それからしばらくして、光國はかねてからの念願の文章を完成させている。

『梅花記』

と題した和文である。かの宮本武蔵《むさし》と出会ったときから心に抱いていた題材で、光國の若年期における代表作ともいえる作品である。

内容は、ある家の庭から梅の木を盗んだという話で、これは事実を述べたと言うよりも、ある種の物語のようなものだ。梅は光國にとって特別な存在だった。どう特別なのか、言葉にすることすら難しい。様々な思いがごちゃ混ぜになって苦しいくらいだった。己の生命の実感であるし、母の愛情への信頼でもある。父のお試しに耐えた誇りや、兄

を家から追い出すことになった罪悪感もある。

そんな複雑怪奇な思いを、いちいち選《え》り分けて思考せず、ただ自分が求める言葉でもっておのずと全ての思いがあらわれるよう、虚心坦懐《たんかい》となって書いた文だった。

一応の推敲《すいこう》を終えた光國は、まずそれを読耕斎に読ませている。

水戸家の蔵書を読みに来た読耕斎は、茶室で光國から茶を振る舞われながら一読した。読むだけなら父の詞臣たちが詰めている部屋でもよかったが、できるだけ忌憚《きたん》ない意見が欲しかった。だが人前で光國と読耕斎があまりに忌憚なく話せば、父から咎《とが》められるだろう。

だから、父の茶室を借りて二人きりになるほうが、光國にとっても気楽だった。

光國はしばらく感想を待っていたが、読耕斎は目を伏せ、無言で茶を喫している。光國はじりじりして膝《ひざ》を己の指で叩いたりするが、読耕斎は知らん顔だ。

「おい。何か言ったらどうだ」

たまらず光國がわめくと、

「意到筆随」

おそろしく端的に読耕斎が感想を告げた。これは、心と筆とが一致して、自然と執筆されることをいった。諸大名の詩文の添削を行う林家《りんけ》一党において、絶賛に等しい。だが光國は目を丸くした。

「お前が誉めるとは思わなかった」

「おれも思わなかった」

読耕斎も真顔で返している。じろりとその隻眼が光國を睨《にら》み、

「二十一歳だと？　これが二十一歳で書く文章《もの》か？」

なんだか怒ったように呟《つぶや》いている。だが光國はこれまたかえって眉《まゆ》をひそめた。

「遠いんだ。ますます遠のいていく気がする」

「何がだ」

「詩の天下だ。いまだ、和文においても、上方《かみがた》古来の文事には届かぬ」

「その若さで、兼好《けんこう》法師や紫式部《むらさきしきぶ》に並ぼうというお前に、おれは呆《あき》れる思いだ」

「お前だって、己を青雲の士と称して、孔子《こうし》や老子《ろうし》に並ぼうとしてるじゃないか」

光國は憮然《ぶぜん》となった。読耕斎は、そっぽを向いた。

「それはそれだ」

「なら、これはこれだ」

そうやり返しつつ、光國は己の書いた和文に目を落とし、

「天下が、よもやこんなにも遠いものだとは……。ここまでできた、ここまで書けた、そう思ったときには、詩業《しぎょう》の頂はさらに遠く離れたところにある。近づけば近づくほど、頂は高くなるようだ」

「それはそうだ。峠を登るとき、遠目には低くとも、ふもとに来れば高さがわかる。実際に登り始めれば、頂は見えないほど高くなる。そういうことだ」

読耕斎は、にべもない。光國は、深い溜息《ためいき》を漏らした。

「文事のきわみとは、いったいどのようなものか……それすら曖昧模糊《あいまいもこ》としてくるのだ」

この頃ではすっかり、読耕斎を相手に、内心を吐露するようになっている光國だった。

「ま、頑張れ、世子どの」

読耕斎はさして心のこもっていない調子で励ましている。

その「きわみ」を光國が知ったのは、それから間もなくのことだ。それも、同じ茶室でだった。

光國が二十一となった年――二月に改元があり、慶安《けいあん》元年となった四月。

将軍家光《いえみつ》は、日光東照宮で徳川家康《いえやす》の三十三回忌法要を実施した。これは江戸幕府にとって、まさに総力を挙げた一大事業だった。それも、単に宗家の筆頭を祀《まつ》るのではない。

徳川家康という存在を、〝神〟にすることがこの事業の目的だった。

家光はそのために幕閣の面々や高僧たちに知恵を絞らせた。さかのぼること十二年前の寛永《かんえい》十三年には豪勢をきわめる東照宮神殿を建て、その九年後の正保二年、後光明《ごこうみょう》天皇に宮号の宣下を乞《こ》うた。

さらには天皇の弟たる守澄法親王《しゅちょうほうしんのう》を門跡として迎えられるよう、威儀を整えられるだけ整えての、空前絶後たる盛大な法事を営んだのであった。

武家の最有力者に過ぎなかった家康を、〝神君《しんくん》〟と化さしめ、江戸幕府の精神的支柱とし、ひいてはその血筋を継ぐ家光や徳川家に、信仰的な権威をもたらす。それは家康逝去と同時に開始された幕府最大の安泰策であり、こののち世に語り継がれる、江戸開府者たる「東照大権現様」の偶像は、三代目将軍・家光の尽力により、ほぼ完成に辿《たど》り着いたのである。

家光をはじめ光國の父ら徳川一族、ならびに幕閣の面々が、この難事業の総仕上げである三十三回忌法要に奔走した直後、光國もまた、重大な日を迎えていた。

江戸へ下向した朝廷の使節団の一員を小石川《こいしかわ》邸に招き、もてなすことになったのである。このために光國は父から、その「名代」として、邸《やしき》の者たちを取りまとめる権限と義務とを託されていた。

若い光國にとっては、これこそ一大事業だった。一家の主人に代わって客をもてなすべく、朝から、ねじり鉢巻きにたすき掛け、袴《はかま》の裾《すそ》を端折《はしょ》った姿で、邸中を動き回っている。

自ら薪《まき》を割りまくり、玄関を掃き清め、台所で家人たちとともに出汁《だし》を煮込み、料理の味付けから膳《ぜん》の出し方まで指示するさまに、

「若殿が、そこまでやらずとも」

父の臣の一人、伊藤玄蕃《いとうげんば》がたしなめるように言った。小野が引退してのち、もっぱら光國の詩文の相手をするようになった傅役《もりやく》の一人である。小野と違ってべらぼうに酒に

強く、光國と一緒に酒を飲むときは傅役としての顔を引っ込めるといった融通《ゆうずう》の利く相手だ。

「何を言うか、玄蕃。これは、わしの責務だ」

日頃の、おれという言い方から、わしという言い方に変わっているところが、いかにも背伸びし、気張っている。玄蕃はそんな光國を、

「大将とは、陣地の中心で動かず座っているものですぞ」

などと諭しつつ、結局は、一緒になって宴《うたげ》の支度を手伝ってくれたりした。

玄蕃は水戸家の臣だが、同時に、光國にとっては義理の兄のような近しさがある。というのも、光國の育ての親というべき三木夫妻の娘が、この玄蕃に嫁いでいるのだった。そのせいか光國も玄蕃とは特別親しく、玄蕃のほうも、身分は違うとはいえ光國を大切な義弟のように扱ってくれるところがある。

庭の最終的な手入れの監督を玄蕃に任せ、光國はいったん自室に戻った。自室では、家人に用意させた白紙の掛け軸と、筆記用具を前にして、読耕斎がむつかしい顔で腕組みしている。

「貴様、まだ書かぬのか！」

光國はつい殺気をこめて怒鳴った。忙しさで苛立《いらだ》っていたせいだ。虎の咆哮《ほうこう》のごとき声音になり、たまたま廊下を通りがかった奥向きの女中たちが、恐怖で飛び上がった。

「思いつきすぎて、どれを選ぶべきか迷っているところだ」

読耕斎が白紙を見つめたまま言う。こちらは、虎に頭から食われても、恬然《てんぜん》としているであろう落ち着き振りである。

「速くしろ、速く。茶室に飾るのだぞ。遅くては墨が乾かぬではないか」

「まあ待て。それにしても、なぜ、おれが書くのだ」

「貴様が言っただろうが。茶室の品は、わしの年相応のものにしたほうが、客人も親しみを持つであろうと。今さら文句を垂れるな。林家の者の手蹟《て》ならば、客人も文句は言わぬ」

「おれはまだ、そちらの家臣になった覚えはないのだがね」

「我が家の蔵書をどれでも来年まで貸してやる」

「ふむ」

「書いたら家人に言って茶室に置かせろ。書かねば、叩《たた》っ斬った貴様の首を飾るぞ」

言うだけ言うと、ぶすっとなる読耕斎を無視し、きびすを返して台所へ向かった。

京風の味がわかる者が四、五人おり、その者たちに味を確かめさせ、配膳の準備を済ませると、また自室に行った。そのときにはもう読耕斎が筆を執って何やら書き付けているので、そのまま声をかけずにおいて、すぐさま別の準備を監督しにすっ飛んでゆく。

そんなふうに奔走するうち、あっという間に時が過ぎ、客人が来る頃合いになった。

光國は大急ぎで水を浴び、着替えをした。鏡を睨み、「半日のんびり寛《くつろ》いでいた」という感じの表情を作ることに懸命になった。そうするうちに家人が客の到来を告げた。

「来たか」

反射的に立ち上がり、大股《おおまた》で部屋を出た。脳裏には祖父の徳川家康のことがあった。開幕して将軍となる以前は、諸将が来訪した際、家康は必ずといっていいほど自ら足を運んで出迎えたという。それこそ礼であり義であろうと思い、自ら玄関まで出て行った。

途中、家人に混じって読耕斎がついてきた。こちらは嘘偽りなく、書を頼まれた以外は、一日のんびりしていたし、今も大して緊張した様子はない。

光國のほうは、つと玄蕃がそばに来て、

「一つ、深く呼吸《いき》をしなされ」

思わず、という感じで助言したほど、誰の目にも緊迫しているのが明らかであった。

駕籠《かご》から降りた客が、供の者たちとともに、水戸藩士の案内で邸に入ってきた。客は公家《くげ》だった。光國より一回り以上年上の、今年、三十七歳。細い体躯《たいく》と相貌《そうぼう》に、公家の衣裳《いしょう》がよく似合っている。

光國は仁王立ちで客を出迎えた。

客の男が、目を丸くした。ついで、この若く屈強な男が、水戸家の世子であると気づき、なんとも開けっぴろげな笑みを浮かべて真っ直ぐ近寄ってきた。

「これは大変に恐縮です。まさかに、水戸徳川家の御曹司《おんぞうし》が、御自ら玄関まで足を運ばれるとは。徳川家の律儀さは本物ですなあ」

言いながら、男がどんどん近づいてくる。

「本日、当家にお出《い》で下さったこと、まことに喜ばしく、当家の誇りでござる――」

光國が、昨夜のうちに何度も練習した挨拶《あいさつ》の口上を告げる間も、男は接近をやめない。なんと光國の眼前に来たかと思うと、いきなり右手を取られ、両手で強く握り締められた。

「ほんまに、これぞ益荒男《ますらお》や。ついつい見惚《みほ》れてしまいますなあ」

などと、客の男が、京訛《なま》りをあらわにして言った。互いの鼻が接触するかと思われるほどの間近さだ。実際、公家特有の化粧の匂いが、ありありと光國の鼻腔《びこう》に飛び込んできた。

「な、長旅の上の法要参列、まことお疲れでござろう――」

光國は目を白黒させつつ、どうにか口上を最後まで終えようとしている。

公家はやたらと間合いが近い、と光國も話には聞いていた。だが、それはあくまで人間関係の近さのことであろう。公家社会で秘密を守ることは至難のわざであり、だからこそ本心がどこにあるのかわからない婉曲《えんきょく》的な態度が日常的に身につくのだという。

とはいうものの、これはそういう問題ではなかった。完全に物理的に近いのである。いくらなんでも近すぎる。かといって、離れろと言える相手でもなかった。

そこへ、読耕斎が珍しく助け船を出し、

「近づきすぎですな」

ぼそっ、と言った。

「おや、これは、失敬しました」

客が、ようやく光國の手を離した。顔は離れたが、身は相変わらず下がらぬまま、

「ほんま嬉《うれ》しゅう思うております。ようやくに、あなた様にお会いできました」

朝廷使節団の一員であり、水戸家に招かれた客人は、そう言ってにっこり微笑んだ。

光國に贈った詩そのままの、閉ざすところが皆無の笑顔である。その笑みにつられて、
とうとう光國のほうも緊迫を緩め、大いに微笑んでしまった。用意した口上の残りが、
綺麗《きれい》に頭から吹っ飛んでしまった。思い出そうという努力もついでに放り出し、

「わしも、こうして貴公にお会いできたことが嬉しゅうござる、冷泉《れいぜい》為景どの」

ただ最も告げたかったことを、光國は告げた。

二

ところどころ風流と思われる位置に設置させた長椅子で足を休めてもらいながら、光國は為景とその一行をつれて、庭を案内した。このところ大いに庭造りに力を注いでいる父から、そうするよう言われていたのである。

最初のうちは、かねて決めていた通りの順路を辿《たど》っていたが、やがて為景が興味を示すほうへ自然と足を運ぶことにした。気づけば、しゃちほこばっていた心が、この隔てるということを知らない朝廷人によって、すっかりほぐされていた。

（これでは、どちらが客かわからんぞ）

胸中で若い自負心が、そんな呟《つぶや》きをこぼしたが、そうした気負いもやがて消えた。

「一首詠みたくてたまらなくなる花と池ですなあ」

「宴ののち、歌会と参りましょう。硯《すずり》と紙を用意させておりますゆえ」

「私も、短冊を用意してきました」

「これはご用意が良い」

「御曹司様のご用意には負けまする。腰を下ろせる場所をほうぼうに作ってもろうて」

為景も、ただ朗らかなだけでなく、光國の気遣いをこまかに察してくれている。

池に用意させた舟に乗り込むとき、またもや玄蕃がそっと近づき、光國に耳打ちした。

「宴の準備、万端調いましてござる」

こちらはいまだ緊迫の面持ちで、京人《きようびと》に侮られまいとする気負いがにじみ出ている。

豊臣《とよとみ》の臣下であったときから、徳川家は文事の催し下手で、と軽く見られていた。徳川家康自身、宴や茶席の催しも、書画骨董《こつとう》も苦手で、ほとんど人任せだったという。むろん光國も、それを承知しているからこそ朝から奔走していた。ひとえに、自分を文人と認めてくれた為景を、がっかりさせたくないという思いゆえだ。

玄蕃は、そういう主人の思いにとことん同化してくるところがあり、その上で、傅役《もりやく》の務めをまっとうしようとする。今その玄蕃の気合いを感じ取り、かえって光國の緊張が決定的にほぐれた。

「硬くなるな。武張《ぶば》ったところで、もてなしの極意に達するわけでもない。みなには、ただ真心をもって、笑顔で歓待せよと伝えろ」

そう言いつけて、為景の乗る舟に、自分も乗り込んだ。玄蕃が大きくうなずいて、邸《やしき》のほうへきびすを返して去る。入れ違いに、読耕斎が、舟を漕《こ》ぐ役の藩士らとともに、ひょいと乗り込んだ。

「自慢の腕力《かいなぢから》で書を読み解こうとする傾奇者《かぶきもの》にしては、細やかで良いもてなしだ」

ひそひそと読耕斎がささやく。相変わらず、毒づくのやら励ますのやら、いまいちわからない。だが、光國は思わずにやりとなった。

考えてみれば読耕斎も京育ちである。京の催事を知る、この気難しい隠者志願の英才が、「良い」という言葉を吐いたことで、不思議なほど自信が湧いた。

かと思うと、意外に耳ざとい為景が、くるりと振り返った。

「読耕斎どののおっしゃる通りです。光國様は、ほんまに文武の人ですなあ」

にこにこしながら読耕斎の言葉をそんなふうに言い換え、

「卜幽どのもおっしゃられておりました。光國様は志が深く、大いに集めた和歌学問の書は、引っ張るのに牛馬が汗をかき、積み上げれば家の棟木にまで届くほどの量だと」

いささかの疑念も抱いた様子がないままそう口にした。

（言い過ぎだ）

さすがに、卜幽の大げさな語りようには、呆《あき》れるやら冷や汗が出そうになるやらで、

「まさか、それほどではござらん」

慌てて正直に言った。

「お心のことを言うてはるのでしょう」

すんなりとまた為景が言い換える。誇張など百も承知であって、卜幽が伝えようとする光國の「志」の高さに共感してくれていた。怜悧《れいり》というより、文人らしい柔らかな心の持ち主である為景に、光國のほうこそ、惚《ほ》れ惚《ぼ》れした。

「為景どののお志には、拙者、いまだ届きませぬ」

すると為景はかぶりを振り、

「私などより、もっともっと、遥《はる》か高みにおられる御方がおります」

「……その御方とは？」

光國の問いにそのまま答えず、

「特別に、お見せする許しを得ました。どこか人目のないところはありますか？」

と逆に訊《き》いてきた。

「舟で涼をとっていただいてのち、茶席にお誘いしようと考えていたところでござる」

「それでは、そこでご覧に入れましょう」

為景の微笑みに、それまでにないふくみが表れている。相手を楽しませようというより、一緒に怖いものを見ようというようだった。

俄然《がぜん》、興味が湧いた。舟から桜の花と春の新緑を楽しんでのち、やや心急《せ》かされる思いで茶室に案内した。藩士の一人がすでに火を熾《お》こして湯を沸かしており、主人と客が同時に入室するかたちとなった。掛け軸の書を担当させられた読耕斎も一緒に入ってい る。読耕斎は為景と既知であり、朝廷人の習慣や礼儀に詳しい。そのため、同席して助言することを光國が求めたのである。

入室して席に着いたところで、ふと掛け軸が目に入り、光國は愕然《がくぜん》となった。

それは書というべきものではなく、絵だった。しかも戯《ざ》れ絵である。女が色っぽく後ろを振り向いている姿をかたどった線画に、巧みに文字が組み込まれているのだった。

「貴様……」

壮絶な殺気をみなぎらせて光國は読耕斎を睨《にら》んだ。よもや朝廷人を迎えるのに、馬鹿げた絵文字を飾るとは、光國の想像を絶した。

だが読耕斎の顔は、たとえ首を斬られた後でも保ちそうな、恬然《てんぜん》たる無表情に覆われている。表情を消しているとはいえ、内心では大笑いしているに決まっていた。

「これは、読耕斎どのの作ですか？」

為景が、掛け軸の右端の署名を見て訊いた。

「いかにも。為景どのを迎えるに当たって、そこの世子どのに頼まれたのだ」

「こ、このようなものを頼んだ覚えは……」

怒りで声が震えた。しかし次の瞬間、為景が手を叩《たた》いて、

「面白い、これは面白い」

笑うのでも呆れるのでもなく、目を輝かせて喜ぶさまに、光國のほうが呆気《あっけ》にとられた。

「さすが江戸ですなあ。芸という芸が面白い。こういう発想は、私、嫌いではありません」

「そうだと思うておりました」

読耕斎が言いつつ、にやりとした笑みを光國に向けてみせる。

「この、娘の絵の、髪と顔のところにある文字は、『金蘭《きんらん》』でっか」

「さよう」

と真面目ぶって、読耕斎が、光國と為景の両方にうなずいてみせる。金蘭とは、「二人が心を同じくすれば、その利《さと》きこと金を断ち、心同じき者の言葉は、蘭のごとく香る」という、古い言葉だ。それはまた、光國が為景に贈った、五十六編もの詩の一節に、
芝眉《しび》いまだ接せず金蘭の友
と、志を同じくする友に会いたい、という願いを込めて詩句に採用した言葉だった。

読耕斎には、その五十六編の詩の推敲《すいこう》を手伝ってもらっていた。そのとき見た詩句を、このようなかたちで持ち出してきたわけである。

「ありがとうございます、読耕斎どの、光國様。私、こんなにも嬉《うれ》しい気持ちになったのは、初めてですわ」

為景は微笑みながら、なんと両目を潤ませている。

こうなっては光國も、読耕斎を咎《とが》められず、

「嬉しいのは、それがしのほうでござる」

相手に応《こた》えて微笑むほかなかった。

「この……胸のところの、『別春』とは、どのような故事がありますか？」

為景が訊いた。読耕斎の右目がちらりと光國に向けられる。

「これは、故事ではござらん……我が未熟なる催事の一つでございまして」

「光國様の催される歌会の名と？」

「それがしが、『別春会』と名付けました。まあ、歌と酒と、歓談の会でござって、無礼講というほどのものではありませんが、座は身分に縛られず、奔放に語り合うことを求めてのものでござる」

これは光國が二十歳頃から始まり、半ば習慣化しつつあるものだった。最初は気晴らしに酒を飲み、歌を詠む集いに過ぎなかったが、光國をはじめとする水戸家の者ばかりでなく、いつしか旗本や他家の大名の子息たち、あるいは市井の学者や武芸者まで集まるようになっていた。

ほとんど市井の居酒屋での飲み食いである。引退した小野言員からすれば、それこそ「言語道断」の所行だが、少年期から大いに江戸市中を駆けずり回ってきた光國にとって、真に気の置けない場になっていた。しかも光國一人だけでなく、集まる者全てにとってそうなっていた。伊藤玄蕃などは、

「そろそろ、くだんの、その、別の春が、見とうございませぬか」

うずうずしたような様子で、光國に催しを請うたりする。それほど、大名の本邸での生活というものは、身分の上下を問わず、息抜きとは縁遠いしろものなのだった。

為景にも、その自由な雰囲気が伝わったらしい。あるいは、朝廷人として、大名邸《やしき》と似たり寄ったりの緊張感の中で生活しているのであろう。

「なんとまあ、素晴らしい。それで、『別春』の由縁はどのようなものなのですか？」

きらきら目を輝かせて、重ねて訊いてきた。

「たまさか、それがしの酒杯に、桜の花びらが一つ、舞い落ちてきましてな。何やら杯の中に、四季とはまた別の春があるようだと、思わず呟《つぶや》きがこぼれたのでござる」

「ほうほう、別の春が」

「たとえ冬であっても、我らが交わす杯の内には、永久《とこしえ》の春があるようだ、と」

「永久の春」

為景の目の輝きがさらに増した。これは、文字通り「永遠の青春」というべきものだ。大人になっても童心を失わぬ者ほど、愛情が深く、愛嬌《あいきよう》がある、とされるのは、江戸でも京でも同じである。また、永遠の青春が杯の中にあるのだから、必然、年齢の差を超えて語り合おうという気持ちにもなる。

そこへ、読耕斎が、さりげなく言葉を挟んできて、

「忌憚《きたん》なく、それでいて礼も義もある、ふざけた酒盛りで、なかなか面白い。いかがで

すか。為景どのも、話の種に、いつか、加わってみたらよろしいのではないですかな」

光國をぎょっとさせるほど直截《ちょくせつ》に為景を誘った。殿上人《てんじょうびと》を、武家も町人もごちゃ混ぜの酒盛りに招くなど、聞いたこともない。

だが果たして為景はほとんど泣かんばかりの感激の体《てい》で、すぐさま懇請した。

「お願いいたします、光國様。私も、その集いの末席にお加え下さいますよう――」

「むろんです。是非にも、為景どの」

茶を点《た》てつつ、光國もこう即答せざるをえない。とことん真っ直ぐな為景の態度に、呆れる思いを通り越して、なんだか胸が熱くなっていた。

「ともに詩歌を語らい、杯を酌み交わし、文事文芸の頂の、遥か彼方《かなた》の影を追いましょう」

言いつつ、茶碗《ちゃわん》を差し出した。

「ほんに、頂は遠う遠うございます」

為景がうなずき、ゆったりとした所作で茶を喫した。光國の点前《てまえ》を大いに誉め、気取らぬこの歓迎のあり方は、京での語り草になるだろうとさえ言ってくれた。

その一言一言がなんとも心地よかったが、一方で、少々焦《じ》れてきてしまい、

「ところで、先ほどの話でござるが……何かをそれがしにお見せ下さるとのことでしたが」

と光國のほうから切り出した。

「そうです。是非、お二人に、ご覧になっていただきたい詩歌があるのです」

「為景どのの作ですか？」

「とんでもない」

にこりとなる為景のその笑みが、さあ怖いものをみせるぞ、と告げていた。

光國は手を叩いて家人に筆記具と紙を用意させた。紙については為景の注文があり、裁断前の、大きな四角形の紙であった。

その紙を前にして、為景は、驚くほどたっぷりと墨をすると、

「これぞ、〝蜘蛛手《くもで》の歌〟でございます」

端から、すらすらと和歌を記していった。

まず、縦に七つ。

それから、なんと、横に七つ。

最初の縦の七つの歌が、横の七つの歌と、ことごとく文字が重なり合ってゆく。

それだけでも光國の度肝を抜かせるには十分すぎるほどであったのに、なおそこからさらに、斜めに二つ、四角形の対角線が描かれるようにして、同じように和歌が記されたのであった。

これを、煩雑さを避け、図式化すれば、次のようになる。

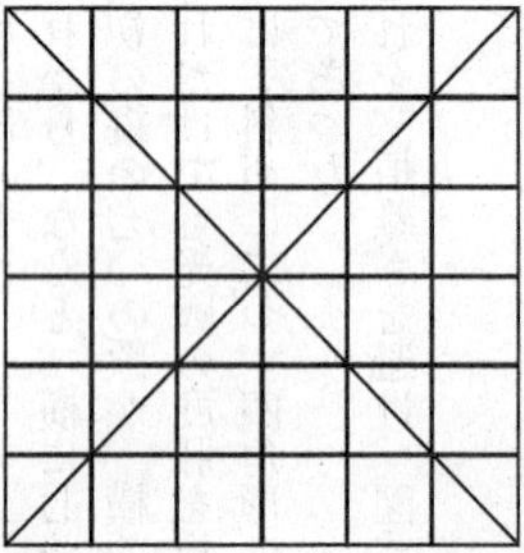

これら十六本の線、全て、和歌である。線が重なり合う点では、同じ言葉が共有されている。一文字たりとずれることなく、完璧《かんぺき》につながり合っているのである。

息を詰めて凝視していた光國は、ふと重なり合った文字だけを見てゆき、

「むうっ⁉」

戦慄《せんりつ》が声となって口から飛び出していた。

この〝蜘蛛手〟は、ただ単に、重なった文字を共有しているだけではなかったのである。

四角の辺にて、異なる和歌同士が重なった頭文字を、右上から右下へ、さらに左下へ、そして左上へ、という順番で拾い出して読むと、

登有勢宇能美屋散無志右佐牟具半以喜越騰部良夫有太
とうせうのみやさむじうさむくはいきをとぶらふうた——

「東照の宮、三十三回忌を弔う歌」

となるのである。まさにこれは、徳川家康の三十三回忌にちなんでの贈歌であった。

では、内側の重なっている五文字・五列はどうか。

也九師不津　屋久之布都　夜来思婦徒　弥倶斯武頭　八苦四副通
五つ全て、「やくしぶつ」すなわち「薬師仏」と読める。しかもなんと全ての文字が一つきりだった。同じ文字を、決して、二度使ってはいない。

「まさか……後水尾院様か⁉」

光國は、ここでようやく、誰の手による詩作かを悟り、低く叫んだ。

「はい。これぞ、後水尾院様の手による、文字鎖《もじぐさり》でございます」

為景が言った。文字鎖とは、詩句をしりとりさせるもので、古来からある言葉遊びだ。しかしこれは言葉遊びという域を遥《はる》かに超越していた。まさに超絶技巧のきわみだった。

光國は深く息を吸った。ついで胸中の熱気が炎となって溢《あふ》れるような息を噴いた。咆《ほう》哮《こう》のごとく息がこぼれはしても、それが言葉にならない。目の前のしろものを、どう表現していいかもわからなかった。いったいこれは何なのか。どのような錬磨を行えば、このような自由自在の詩作が可能となるのか。

「むう……」

読耕斎も神妙に唸《うな》っている。こちらは、詩歌に人生を捧《ささ》げるといった気概はない。とはいえ学問の道をひた進む儒者である。これほどの詩作を目の当《ま》たりにして、何も感じずにいられるわけがない。

「後水尾院様とは、言葉の神か」

という読耕斎の呟きこそ、名答というべきだろう。

亡き徳川家康が、時代の激変において政治的な神になろうとしているこのとき、後水尾上皇は、文化文芸の神として生き、朝廷の精神的支柱になろうとしていたのである。

「これだ……。これが、きわみだ」

光國が言った。声が震え、ふいに視界が歪《ゆが》んだ。気づかぬうちに双眸《そうぼう》に涙がにじんでいた。戦慄と沈黙の後で、底知れない感動の波が押し寄せてきていた。

「これぞ、頂でございます」

為景が、光國の様子を嬉《うれ》しそうに見つめながら言った。ともに同じ志を持ち、同じ思いを、この離れ業たる詩作に対して抱いていることを喜んでいた。

「ですが、後水尾院様もまた、見果てぬ頂を、今なお追い求めているのです」

光國はうなずいた。この後水尾上皇という稀代《きたい》の人物が、決して満足せず、慢心せず、さらなる歌道の境地を究めようとしていることは、容易に想像がつく。ただの言葉遊びを凄《すさ》まじい技巧で別物に変じさせてしまうなど、作法を知り尽くし、その上で根底から破壊し、まったく新たな作法を生み出そうとする心がなければ、できるものではない。

「我らも、ともに、目指しましょう。光國様」

為景の言葉に、じん、と光國の総身がしびれた。良い朋友《とも》を持った、と何年か前に読んだ兄からの手紙にあったのを思い出していた。

まさにその通りだった。友誼《ゆうぎ》とは、こういうものであったのだ。傾奇者《かぶきもの》として市中を徘徊《はいかい》して、得られなかった友が、今、目の前にいた。

「詩の頂もいいが、おれにくれる約束の山も忘れないで頂きたいものだ」

読耕斎が、二人の様子を見て、ちょっとぶすっとして呟《つぶや》いた。

こののちの宴《うたげ》も、為景の明るさに助けられたとはいえ、若い光國にとって、「大成功」と父に報告できるものになった。

「光國様はその若さで、風雅を知っておられる。為景も上機嫌に、華美に走らず、徳をもってもてなす。まさに徳川家のもてなしでございますなあ」

そう言ってくれた。

だがその後の会話は、のちのちまで光國の中に暗いものを残すことになった。

「邸《やしき》も家人も、父からの借り物でござる。いまだ何ものも持たぬ身分ゆえ……」

光國が正直に言うと、為景はにっこり笑ってかぶりを振った。

「世の全ては、借り物でございますよ」

何の衒《てら》いもなくそう口にし、

「命もまた、借り物です。時が来れば、天地に骸骨《むくろ》を還《かえ》すばかりでございます」

と付け加えた。そのあまりに自然な口調に、死病の経験でもあるのだろうかと光國は思った。

光國自身、十二で疱瘡《ほうそう》を患い、死を意識した。大病を経験した者に特有の死の観念が、為景の言葉にあらわれており、思わず、どきっとさせられた。

反射的に話題を変えようとしたが、宴席にもしっかり居座っている読耕斎が、話に乗ってきた。

「私のほうは、もうすでに左目だけは天に還しております」

「おお、そうでありましたね」

為景が読耕斎の顔を見やって言う。金属片に紐《ひも》を通したもので覆ったその読耕斎の左目が、どのようにして喪《うしな》われたか、光國もいつだったか聞いたことがあった。

それは読耕斎が十一のときのことだ。高熱を発して、長く病床に臥《ふ》すうち、左目にできものが生じて視力が衰え始めた。それでもまさか左目を喪うとは思いもせず、そのうち治るだろうと医師にも言われていた。だがある晩、ふと誰かに呼ばれたような気がして、目が覚めた。

「おい、靖《せい》。おおい」

すぐ近くで、自分を呼ぶ声が聞こえる。暗闇に目をこらすと、しばらくして右目が、布団をかぶった己の胸の上に、黒い鳥がいるのを見つけた。

「おお、聞こえたか、靖」

黒い鳥が、やっと声が届いた、とさも苦労したように言う。

十一歳の読耕斎は、夢うつつであったせいか、鳥が喋《しゃべ》ることを疑問にも思わなかった。

「なんだ、お前は。おれは眠いのだ。邪魔するな」

鳥を払いのけようとするが、なぜか両手が動かず、身も起こせない。

鳥は顔のすぐそばまで来て読耕斎を見下ろした。

「おれが何かは、どうでもいいことだ。なあな、お前さんの左目をな、おれに食わしや」

黒い鳥が、きぃきぃ鳴き声をこぼしながら言った。脅すでもない、平静な調子である。

「食ってどうする」

「おれの腹に入れてな、雲上へ持って行ってやろう。腐れて地下にやるにはもったいない」

「目を食われるのは、痛そうだ」

「なに、痛くはないさ。光を感ずるところを、少しついばむだけだ」

鳥の言葉を聞くうち、きっと左目は腐れるのだ、ということが、なぜか腑《ふ》に落ちた。

「どうせ腐るというなら、やろう」

「お前さんには別の光をくれようさ」

鳥が、やけに甲高い声を上げた。そのくちばしが眼前に迫ったかと思うと、ちくりと左目の奥に痛みが生じ、ふっと何も見えなくなった。

どうやらそのまま再び眠ってしまったらしく、翌朝、目覚めてみると、熱が引いていた。左目のできものは、寝ている間に潰れたらしく、涙のように膿が垂れていたものの、それ以上ひどくならず、やがて完治した。ただしその朝を境に、左目の視力は失われていた。

この話を、読耕斎は、宴の席で為景の付き人たちにも簡単に披露し、

「別の光というのが、なんであるか、今も不思議なのです。妙智のことかとも思いましたが、特段、頭がよくなったとは思われない」

しゃあしゃあと付け加えた。頭脳明晰《めいせき》で知られ、幕閣から仕官を求められた男なのである。

「とにかく、その夢を見た翌朝、隠者になろうと決めたのですよ。理由もなく、ふっと心の中に、そういう考えが湧いて出てきたのです」

読耕斎は、そう話を締めくくった。怪談じみているが、本人はすっかりその夢を気に入っているのを光國は知っている。片目を失ったことなどまったく気にしていないのだ。

普通、隻眼となれば、もう一方の目を酷使することから、結局は両目とも光を失う場合が多い。だが林家はどういうわけか、一族揃って目がいい。高齢の羅山ですら、いまだに手燭《てしょく》の灯《あか》りのみで、眼鏡も用いず書を読むことができるという。

為景も同じだった。視力にも頭脳にも恵まれている。だがどちらも、柔弱だった。し

ばしば熱を出したり、胃の腑に変調をきたして寝込むことを手紙のやり取りで知っていた。

「身を天地に食わすのは、老いてからでようござる。長生きせねば学問も詩歌も楽しめませぬぞ」

光國は、急に不吉で寂しい感じに襲われ、しいて明るくそう言った。

夜も更け、読耕斎が邸を辞し、光國は為景一行を邸の一室に案内し、宿泊させた。

為景が帰路に就いたのは、数日後のことである。

「いつかわしも、京に参りたく思います」

光國は言った。為景が嬉しそうに光國の手を握った。

「その日を楽しみに、大いに研鑽《けんさん》に励みましょうぞ、中将様」

別れに臨んで、光國は改めて為景に和歌を贈った。さらに漢詩も加え、
　昨日文を論じて情款款《かんかん》　今朝袂《たもと》を分かち思い頻頻
　西帰暑を侵す関山路　努力せよ　餐《さん》を加え宜《よろ》しく身を保つべし
と詠んで、友を見送った。

駕籠《かご》が見えなくなるまで、自ら門前に出て立つ間、ずっと、

——身を保つべし。

自身が贈った句が、なぜかひどく切々と、胸中でこだまし続けていた。

やがて通りを曲がった一行の、最後の一人が、邸の塀の向こうに去って見えなくなっ

た。

身分を超え、住み暮らす土地の違いを超えて、ともに夢を追う仲間だった。初めて返詩を受け取って以来、冷泉為景という男は、光國の友となった。読耕斎と同じく、いつか光國が水戸藩主として重責を背負うようになるとき、心の支えとなってくれるに違いない人物となっていたのである。

(どうか奪わないでくれ)

そんな思いが繰り返し湧いた。読耕斎の目を食らったという鳥が、どこか近くを飛んでいるような気がした。しかも目を食らうのではなく、誰かの命を食らうために。

「下らぬ……」

一つ呟いて、その馬鹿馬鹿しい幻影を頭から叩《たた》き出し、光國は邸に戻った。

これ以後、光國が為景と会うことは、二度となかった。

三

光國の身近に、死が訪れたのは、為景と会ってから二年後のことだ。とはいえ、光國が友誼を抱いた相手ではない。光國の親族であり、その筆頭とも呼べる男だった。

「お前に会いたがっている」

父に言われ、その年の春、光國は尾張徳川の当主、義直の邸《やしき》に見舞いに行った。

いつか光國が早朝に約束もなく邸に上がり込んだときのような、壮健の代名詞のような義直は、もういなかった。朝から竹刀《しない》を振るうことも、光國を稽古《けいこ》に誘うこともない。瘦《や》せこけた義直が、臥所《ふしど》に横たわったまま、蚊帳《かや》越しにこちらを見て微笑んだ。

「ますます立派になりおって……。幾つになった」

「二十三です、伯父上《おじうえ》」

「近くへ……。大きな声を出すのが、ちと難儀でな」

義直が掠《かす》れ声で言った。光國は蚊帳をくぐり、枕元で坐《ざ》した。若い光國の生命が、死の気配に満ちた蚊帳の中へ入るのを嫌悪していたが、なんとか顔には出さずにいられた。

「父も私も、伯父上の快気を心待ちにしております」

「うむ……」

「近頃、また新たな和文を試みております。首尾良く書き終えることができましたら、いつものように伯父上にご意見をいただきとうございます」

「光國よ」

「はい」

「史書を買い漁《あさ》っていると聞いたが……」

「はい。聖賢の道を知るには、史書を読むのが最も近道という伯父上のお言葉に従っております」

「なのに、この国には、史記のような書がない。皆無といってよい。ゆえに、わしは修史の事業に心血を注いだ。お前にも、加わって欲しかった……」

「私は……」

「詩歌が、そなたの道か」

「はい」

「ならばなぜ、史書を欲する」

「我が身の不義を正すすべを求めて」

光國は正直に答えた。そもそも光國が、自分が世子であることへの疑いを口にしたのは、読耕斎よりも義直に対してが先なのである。今さら隠すこともなかった。今ではもう、およつ姫は無事に別の男との縁談を得た。それ以来、顔を合わせていない。

「不義、か」

光國を見つめる義直のおもてに、何かが浮かんだ。優しい表情だった。苦しむ甥《おい》への同情かと思ったが違った。それは満足の顔だった。

秘事の重みに耐えられるだけの心構えが、光國の中で調った。そう義直は見たのだ。

「こうも立派に育ったお前が、かつては水にされるかもしれなんだとはな……」

果たして、義直自ら、この数年避け続けていた話題を出してきた。

「お教え下さい」

その言葉を聞き漏らすまいと、死相の浮かぶ男の顔をじっと見つめた。

「知っているのは僅《わず》かなことだけだ。しかとは知らぬ……。が、頼房の気性を考えれば、おおよその見当は、つこう……」

光國の父・頼房の気性とは、端的に言って、「武断」であった。

頼房の幼少時代に、こんな逸話がある。父の家康は、あるときわが子らを城の天守閣に集めて話をした。その折に、子供たちに冗談めかしてこう告げたという。

「どうだ。誰かこの窓から飛び降りる剛の者はおらぬか。おれば、なんでも一つだけ、望む通りの褒美を与えてやるぞ」

窓から飛べば、真っ逆さまに地面に叩きつけられて死ぬだけである。家康としては武士の心構えを、あるいは徳川一族の教訓を伝えるため、そんなことを言い出したのだろう。

「無理でございます、父上」

「死んでしまいます」

子供たちが口々に言う中、頼房だけが、いきなり立ち上がり、大声で言った。

「私が飛びます。褒美に、父上様がお持ちのものを、私に下さい」

「何が欲しいのだ？」

「天下を」

自分を将軍にしろ、という。兄弟たちが瞠目《どうもく》して黙った。

「死ねば天下も何もないぞ」

家康が諭すが、頼房はむしろ愉快そうに笑った。

「地に落ちるまでの間、私は天下人《てんかびと》です。武士として最高の死に様ではありませんか」

このとき頼房は十歳あまりの子供である。家康の十一男にして、末の息子であり、世子継承から最も遠く、よって一生涯、将軍の座とは縁がないことを、もう悟っていた。だから、自分が天下を手にできる機会は今しかない。そういう思考をする子供だった。放っておけば本当に窓から飛び降りかねないことを、兄弟たちみなが知っていた。

「そなたに天下はやれぬ」

家康は冷厳と告げた。以後、家康は頼房のその強烈な願望を挫《くじ》けさせ、大それた野心を抱かせぬよう、家臣に命じて徹底的に教育させた。一方で、

「頼房を、懐 刀《ふところがたな》とせよ。くれぐれも鞘《さや》走らせぬよう」

と次代の将軍・秀忠《ひでただ》に言ったという。

いざというとき、すなわち戦が起こったとき、まず真っ先に頼房を頼る。徳川兄弟たちの急先鋒《きゅうせんぽう》と目されたわけだ。そして頼房はその扱いを、

(わしは、捨て石か)

強く不満に思うようになった。その不満は、水戸藩を任せられたことで大いに増幅した。

水戸は、北の諸将を押さえるための布石である。そのために水戸を治めていた佐竹《さたけ》氏を無理やり追いやった。必然、土地には徳川を憎む者たちが多い。家康と秀忠は、水戸藩に附家老を送り、頼房の監視に当たらせたが、この附家老たちの最初の仕事は、殲滅《せんめつ》

だった。水戸の地に根づく反徳川勢力を、ことごとく血の海に葬ったのである。殺された者たちの怨《うら》みが漂う僻地《へきち》。頼房は水戸をそのように見た。そんなものしか与えられない憤懣《ふんまん》を、「傾奇者《かぶきもの》」として振る舞うことで爆発させたという。

それも、光國の振る舞いの比ではないほどの爆発だった。とはいえ、市井の人々に対しては、おおむね迷惑をかけることはなかったという。せいぜい度を超した派手な衣裳《いしよう》で練り歩き、ときに白昼堂々、下人に混じって大喧嘩《おおげんか》をやらかす程度であった。代わりに、徳川一族に対しては、途方もない暴れ者として振る舞った。あり得ぬ場所に馬で乗り込む。鞘のない白刃のままの刀を腰に差して江戸城中に現れる。常識を無視したその傍若無人ぶりは、

「まさに、宮殿に、死した馬を投げ込んだという、かの素戔嗚尊《すさのおのみこと》さながらであったな……」

と義直は、懐かしむように微笑んで言った。

成長してますます荒ぶる頼房に、やがて二人の女が、それぞれ真逆の姿勢で強く関わりを持った。

一人は、家康の側室だったお勝《かち》の方、すなわち英勝院《えいしょういん》である。

彼女は頼房の最大の理解者だった。頼房も、いかに荒れているときであろうと、英勝院の言葉であれば黙って聞いたという。

だがもう一人の女に対しては、何が何でも頼房は逆らい続けた。とはいえ表立っては

逆らわない。というより、逆らえない。だから従う振りをして、結果的に、逆らいまくる。

その女こそ、秀忠の妻、お江《ごう》の方であった。

光國はこの女性と面識がない。光國が生まれる二年前に他界したからだが、断片的な話は聞いている。非常に気位が高く、美貌《びぼう》にすぐれ、そして嫉妬《しっと》深い。おおかたそのような感じであったが、

「ただの噂だ。美しいのは事実だが、性格は、いたって大人しい女性であったよ……」

義直は過去を懐かしむように微笑んで告げた。

大人しいとはいっても、意志がないのではない。秀忠に嫁ぐまで、二度の政略結婚を経験しており、動乱の世というものを知り尽くした女性だった。そういう女性だから、荒ぶる頼房のような存在の危険性を知り、同時に、戦時では大いに頼るべきことも知っていた。

秀忠が頼房を「懐刀」として、戦時を前提として扱ったのも、一つに家康の言に従ったからだが、もう一つ、お江の方の助言があったからだと義直は言った。

必然、頼房はお江の方を嫌う。そのはずである。だが頼房という男は、もともとの気持ちがいつの間にか別の要因でねじ曲がり、予想もせぬ結果になる宿命にあるらしい。

頼房は、ただお江を嫌ったのではなかった。美貌と理知と、そして激動の時代を柔軟に受け入れる力を備えたこの女性に、

「どこかで、惚《ほ》れていたのであろうよ……」

と義直は、光國がぎょっとするようなことを言った。

「まさか……子供と、年増です」

頼房が十歳のとき、お江の方は四十歳である。さすがに無茶があった。

「惚れると言っても、色々ある。頼房にしてみれば、遥《はる》か彼方《かなた》の幻のようなものであったのだろう」

それは「天下」と同じくらい、頼房には遠い存在だった。そしてそれゆえむしろ憧憬《どうけい》が高まる。頼房のそういう心理を、英勝院よりもよく理解していたのが、織田《おだ》信長・豊臣秀吉・徳川家康という、三人の覇者を知る、お江の方であった。

お江の方こそ、頼房の「天下」への思いを最も理解していた女性だった。そして男たちのそうした憧憬が、数多《あまた》の修羅の道をこの世に生じさせたことを熟知していたのである。

よって、お江の方は、頼房の憧憬を宥《なだ》め、消すことを企図した。

もし徳川兄弟が天下を巡って争えば、かの足利《あしかが》将軍家と同じように天下動乱を招く。そうならぬよう、むしろ三代将軍となる家光を守る存在になって欲しい。それがお江の方の、ひいては秀忠の、頼房に対する願いであった。

結果として、頼房は彼らの願い通りの存在になった。将軍家光が頼みとする人々の一人が、年の近い叔父《おじ》・頼房であるのは周知のことだ。しかし、素直にそうなったわけではない。頼房の荒ぶる心が、とんでもない紆余《うよ》曲折の道を作りだすこととなった。

その一つが、頼房の縁談だった。

「秀忠の……つまり、要はお江の方のはからいで、頼房の縁談が整えられた。相手は京の公家《くげ》の姫君であったと聞いたが……今となってはわしもわからぬ」

若い頼房は、この縁談を根底からぶち壊しにする暴挙に出た。

いったい何をしたかは義直でさえ知らない。秀忠が一件を内密に収拾させたからだし、起こったのが城の大奥でのことだったからだ。

当時、城の表と奥とはさほど分別がなされていなかった。扉に鍵《かぎ》がかかることもなく、比較的、自由に行き来することができたのである。そして頼房は、己の縁談を木《こ》っ端《ぱ》みじんにするためだけに、大奥で何らかの狼藉《ろうぜき》を働いた。

「わしが気になったのは、頼房が何をしたか、ではない。なぜ、そんなことをしでかしたのか、ということであった。たかが妻をもらうことだ。何がそれほど嫌だったのか……」

そういう疑問を抱いたのは兄弟の中で義直だけだった。みな、頼房はそもそもそのような性格の男なのだと頭から決めつけて疑問に思うことすらなかった。

なんであれ頼房の所行は、秀忠を怒り狂わせた。しかしその際、仲裁に入ったのは、他ならぬお江の方であったという。秀忠は、織田家の血を継ぐ年上の妻に、生涯、敬意を払い続けた。このときも彼女の言う通り、頼房を咎《とが》めなかった。

代わりに頼房は以後、江戸城の大奥に一切近づかないことを誓わされた。まさに素戔嗚尊の天界追放そのものだ。このときも、おかしいと感じたのは義直だけだった。みなは、お江の方の穏やかな性格ゆえと思っていた。秀忠もそうである。だが大奥は、お江の方にとって己の生きる場、いわば城だ。それを荒らされて許すとは、ただごとではない。

（惚れているのか）

義直はそう推測した。頼房が、お江の方に、である。

このとき頼房は十六歳、お江の方は四十六歳。母と子ほどの年齢差である。だがそれしか答えが見つからない。そしてお江の方も、頼房の心を知っている。知っていて、頼房を拒み、大奥から決定的に遠ざけた。また、遠ざけながらも、許した。

それは、頼房が、大奥に近づかないことを誓った際、

「生涯、妻《めと》を娶らず」

と公言したことからもわかる。お江の方が企図した縁談を台無しにしておいて、吐ける言葉ではない。普通は大人しく妻を迎える。恥をかかされたお江の方としては、何が何でも、頼房に妻帯してもらわなくては、自分の面目がなくなる。

だがお江の方は黙認した。以後、頼房の縁談についてはなかったかのように振る舞ったという。

それで一件落着とならないのが頼房の、あるいは水戸徳川家の宿命であろうか。

やがて今度は、英勝院が働きかけを行った。

英勝院も、頼房の縁談を企図していたのである。彼女の願いは、水戸での自家再興だった。そのために頼房には、お家の血を継ぐ女性を娶って欲しい。

頼房も、英勝院の願いだけは拒むことができない。だが「妻帯せず」を公言した身である。この矛盾した状況の結果、なんと頼房は、妻帯せぬまま側室を持つこととなった。

そうして頼房のもとに送られたのが、英勝院の「勝」の一字を与えられた、お勝《かつ》の方だ。光國の死んだ次兄・亀丸《かめまる》の君を産んだ女性である。

普通は、亀丸の君が生まれた時点で、一件は終わる。だがなお、これで終わらなかった。むしろここから本格的に、光國の心を苦しめた「不義のねじれ」が生じたといっていい。

お江の方が亡くなる五年以上前。家光がまだ、三代将軍となる前。

頼房が、女に惚れたのである。しかも、またもや惚れてはならぬ女だった。その女こそ、

「お前の母、谷久子《ひさこ》なのだ」

義直は言った。光國はぽかんとなった。

「母は……将軍家の大奥とは、何の関係もない身分ですが……」

位の高くない武家の娘に過ぎない。

義直自身、久子のことを「家勢がない」と言ったではないか。

だが、それがそもそもおかしいことを光國は思い出した。何がおかしいか。

第一に、「家勢がない」はずの谷家が、娘と頼房の関係に、反対し続けたことだ。

第二に、自家再興を願うはずの英勝院が、久子が産んだ自分たち兄弟を大事にしてくれたことだ。

普通、逆であろう。谷家が久子の子供を大切にし、英勝院が久子を憎んでもおかしくない。何もかもが矛盾し、ねじれているではないか。

「いったい、私の母は、何者なのですか」

光國は、このときようやくその疑問に辿《たど》り着いた。おかしいのは周囲ではない。そのような必然が生まれてしまうのは、ひとえに、久子という女ゆえである。

義直は、じっと光國を見つめている。真実を話すことでどんな影響が出るか推し量っているのだ。

「お前の母は、家光のものになるはずだった」

ついに義直が告げた。

あまりに予想外の答えに、ぽかんとなった。これほど訳の分からない答えはなかった。

将軍？　なんで水戸の娘が、将軍のもとに送り込まれねばならないのか？

「家光が、長いこと、どうにもしようのない問題を抱えておったこと……知っておるか？」

「いえ……」

「女にまったく興味がなかった、ということさ……」

光國はあんぐり大口を開けたまま言葉を失ってしまった。

後世、三代将軍家光の衆道《しゅどう》狂いは世に流布《るふ》されるが、このときはまだ一部の者しか知らぬ秘事だった。江戸幕府の安泰の方策が次々に実を結んでゆく中、最大の盲点が、三代目となるべき家光の性癖だったのである。

周囲が諫《いさ》めても家光は聞かない。むしろますます衆道の恋人を作りまくった。しかもただ同性を愛するだけではない。愛した相手に、権力まで与える傾向があった。

幕閣の面々がこの事態を憂えるのは当然である。

心血を注いで築いた体制が、家光の色恋沙汰《ざた》で滅茶苦茶にされかねなかった。しかも女に興味がなければ、世継ぎの生まれようがない。後継者が空白のまま体制が乱れれば、徳川家の支配体制にどんな破綻《はたん》が生じるか知れたものではなかった。

幕閣および徳川家、また大奥の女たちが、こぞってこの問題に対処せねばならず、その結果、一つの競争が起こった。

いったい誰が、家光に女への興味を覚えさせることができるか、という競争である。

幕閣の面々も、大奥の女たちも、家光が気に入りそうな女を「工面」することに躍起になった。

尾張・紀伊《きい》・水戸の御三家も、協力し合ってこの競争に関与した。ことは将軍の世継ぎの問題である。様々に女の選定が行われた。そして白羽の矢が立った女の一人が、水

戸一番の美貌《びぼう》と評判の、

「谷久子……お前の母だ」

というわけだった。

光國は静かにうなずいた。驚愕《きょうがく》させられながら、必死に平静を装った。動揺すれば、話を打ち切られるかもしれない。それが不安だった。

「久子の身分を整えるため、まずはしかるべき家に奉公させ、ついで養女とする。それから大奥で奉公させ、家光の目にふれさせる」

これが身分制度の厄介な点だった。素晴らしい女だからといって、いきなり送り込むわけにはいかないのだ。それゆえ多くの女たちが、時間と労力をかけて「用意」された。

そしてその時間が、思わぬ事態を招くことになった。

「なんと、あの頼房が、久子に惚《ほ》れおったのだ……」

さすがの義直も、これは予想外だったという。

むしろ義直だからこそ想像できなかった。頼房の中には、お江の方への憧憬《どうけい》が深く根づいていると察していたからだ。頼房が大奥に近づけぬまま、お江の方が老齢になり、死期が近づけば、憧憬は純粋化され、永遠に消えぬものになってゆく。

それはしかし、美しい感情ではあるが、苦しみをもたらす呪縛《じゅばく》でもあったろう。そして頼房は、無意識のうちに、その呪縛を断ってくれる相手を欲したのかもしれない。

そこへ久子が現れ、水戸家で奉公することになった。ゆくゆくは、将軍家光に「接近させる」ことが、ひそかに約束された上での奉公である。頼房も谷家も、久子自身も、それを承知している。そのはずだった。だが頼房と久子は結ばれた。さらには久子が身ごもったのである。

「頼房が、わしに語ったことがある。己の懐妊を知り……、久子は、このように頼房に告げた……」

それは、

「どうぞ、お申し付け下さいませ。水にせよ、と」

という言葉であった。光國は愕然となった。女のほうから、身ごもった子を殺せという。しかしそれこそ、頼房と谷家をふくめ、久子を家光のもとに送り込もうと企てた者たちにとって、ゆいいつ最善の「処置」であることを、久子自身が悟っていたのだ。

家光が気に入るかどうかはさておき、久子はいわば徳川家の世継ぎ作りのため、「献上」されるはずだった女である。その、水戸随一の美女を横からかすめ取ったことが判明すれば、家光が頼房を疎むかもしれない。幕閣や大奥の企図通り、家光が女を求めるようになれば、なおさらである。

だから、子を水にしろと久子は言った。では、久子自身はどのような気持ちだったか。産むはずだった子を捨て、改めて家光のもとへ送られるつもりだったのか。あるいは
――

「死ぬ覚悟か」

頼房はそう察した。のちにこの話を頼房から聞いた義直も、すぐにそう悟ったという。たとえ子を処分したとしても、男を知り、子を孕《はら》んだことは隠し通せないかもしれない。だが今ならまだ、家光は久子の存在すら知らない。このまま何もなかったことにできる。

だから子とともに死ぬ。久子がそのように口にしたことはない。だがそう考えている可能性は高かった。頼房に一切の負い目を残さぬよう、何も言わずに消える。悲壮感や絶望で自棄になるのではなく、意志の力でそれだけのことを決め、実行してのける。その美貌と従順な性格からは窺《うかが》い知れない、途方もなく強靭《きょうじん》な芯《しん》を持った女であることを、頼房は改めて知った。

知って、とことん惚れた。

久子の美貌や性格にではない。その魂に惚れた。それはもしかすると、頼房の中で、お江の方の幻が完全に消えた瞬間であったかもしれない。

「そうして、頼房は、久子の言う通りにしたのよ……表向きは、な」

子を水にせよと家臣である三木とその妻に命じ、久子をいったん水戸へ帰した。

三木夫妻は、「頼房の命に背いて、殺されるはずだった子をひそかに隠し育てた」という立場となり、その実は、「頼房の本心に従った」という二重の秘事を背負った。

そしてさらに驚くべきことに、三木夫妻は、この件を、英勝院に相談したのだった。

これは頼房と三木が相談して決めた、賭《か》けだった。

英勝院が願う自家再興のためには、政治的に頼房が健在でなくてはならない。頼房と家光の間に、決定的な不和対立が生じては困るのだ。

かといって、久子自身が覚悟しているであろう、母子抹殺を行うのは無惨すぎる。戦乱の世を知る英勝院であっても、あるいは知っているからこそ、そのような無惨な真似を許せるものではない。

結果、英勝院は、頼房と久子を守る側になった。光國と兄を、家光に会わせたのも英勝院である。その頃には家光も、久子が自分のために用意された女であったことを知っていたかもしれない。だがそれが原因で、家光と頼房の信頼関係に亀裂《きれつ》が走ることを、英勝院があらゆる手を尽くして防いだ。

では頼房は何をしたか。

何もしないことが、頼房の戦略だった。

久子を妻にも側室にもしようとせず、生まれた子をどうするか決めもしない。お勝の方をはじめとする他の側室に産ませた子にすら無関心を決めた。しかも久子に再び子を――光國を産ませ、何ら釈明することなく、さらなる秘事を三木夫妻に背負わせた。

英勝院の願い通り、お勝の方が産んだ亀丸が、水戸家二代目と目されていながら夭逝《ようせい》したときも、何の事後処理も命じなかった。己の家の世子すら決めなかったのである。

これでは頼房に万が一のことがあったとき、水戸徳川家は一代で潰《つぶ》れる。末期養子《まつご》を禁じ、諸大名を改易《かいえき》する口実として多用したのは家光なのである。このままでは諸藩に示しがつかない。

だが頼房は、徳川一族最大の「傾奇者《かぶきもの》」として知られた男である。子供の頃、家康に天下をくれと言い、水戸藩を任されたことを不満に思ったことも、諸大名に知られていた。

「水戸の御屋形《おやかた》様は、三十万石のお家を、いらぬと思っているらしい」

必然、噂が立った。どうしようもない考え無しの武人として振る舞い、全てを家光の裁可に委《ゆだ》ねた。結果、家光のほうが気を遣うことになるという、不思議な均衡が保たれることになった。

そうして光國が六歳のとき、家光の意志で、水戸家の世子が定められたのだった。

これはつまり、家光自身が、久子の一件を、それこそ水に流すと決めたということだ。

ちょうどその頃、家光の「お世継ぎ」問題のほうも解消されようとしていた。

春日局《かすがのつぼね》の縁戚《えんせき》・祖心尼《そしんに》の孫である、お振《ふり》の方が、家光のもとに送られ、ついに首尾良く懐妊したのである。このお振の方が産んだ娘こそ、のちに義直の息子・光義《みつよし》に嫁ぐことになる千代姫《ちよひめ》だ。

以後、男色癖はなくならなかったものの、家光は次々に側室を持ち、子を産ませていくことになる。幕府体制の維持という問題は消えたが、同時に、久子の件が蒸し返される恐れも出てきた。そういう時期であったからこそ、英勝院が強く働きかけ、家光自身に、水戸家の世子決定に関与させたのだ。

これで少なくとも表立っては、家光が久子の一件で頼房を咎《とが》めることはなくなった。やっと、久子は堂々と頼房の側にいられる。だがそのためには引き続き、頼房が無関心な態度をとり続けねばならなかった。久子を正妻にすることはできず、そのため谷家から、相当に文句が出たであろうことは想像に難くない。

そもそも将軍家の子を産んでいたかもしれないのだ。谷家からしてみれば、それこそ不満だっただろう。久子の産んだ子が、徳川御三家の世子として定められてなお、谷家の態度が頑《かたく》なだったのも、そういう裏の事情があったからだ。

かくして一件は落着した、となるのが普通である。

だがつくづく水戸家の宿命がそうさせるのか、ここでさらに事態がねじれた。他でもない。世子たる光國が、次男だという事実である。そもそも夭逝した亀丸も立場は次男だ。頼房に正妻がいないのだから、どの側室が産もうと長男こそ世子であろう。

また、長子継承こそ、「生まれながらの将軍」たる家光の、最大の信条である。

そのことは家光の教育方針にはっきり現れている。兄弟は、まず長男を立てよ。徹底してそう教育したのである。

なのになぜ、竹丸《たけまる》が世子と目されなかったのか。当時、竹丸が疱瘡《ほうそう》を患っていたことは、理由にはならない。なぜなら亀丸もまた、幼い頃から病弱であったからだ。それゆえかつて頼房は、幼い亀丸に、弟の光國を養子にせよと口にしたのだ。決して、世子の座を譲れ、ということではない。

病んでいようが、まず竹丸が世子として定められ、もし病で死んだのなら、そのときに改めて光國を据えればいい。それが順当のはずである。

「だが、そなたが不義と申すように、長兄の竹丸は世子とされなかった。その理由はな……、知らなかったからだ」

義直は言った。光國としては、またもや訳の分からない答えである。もういい加減にしてくれ。そう叫びたい気分だった。

「知らなかったとは、どういうことなのですか？」

「お前の兄は、京へ行かされた。ひそかに、僧にするためだ。のち、英勝院様の働きかけで江戸に戻ったわけだが……、家光は、家臣に調べさせて、この子が頼房の子であることを知ってはいた。だが、たまさか頼房が手を付けた、名もなき女の産んだ子であろうと、そう思っていたのであろうよ」

頼房の「無関心」の態度が、ますますその思いこみを助長させた。いったん竹丸が江戸に戻ってきたとはいえ、すぐに適当な家の養子になると家光は考えたのである。

だが頼房は何もしなかった。竹丸の快癒後も、その処遇は宙ぶらりんである。そして、竹丸が光國の同腹の兄であると家光が知ったのは、水戸家の世子が光國に定められて数年後のことであった。

「まるで捨て子だ」

家光はそう思ったという。それほど頼房の無関心ぶりは徹底していた。というより、家光からすれば、度を超していた。その頃には家光の心に、我が子への愛情というものが大いに芽生えていた。周囲によってたかって衆道《しゅどう》を抑圧された鬱屈《うっくつ》はあれど、そこで新たに目覚めたのが、女性への愛という以上に、己の子らへの愛情であったのである。

家光からすれば、頼房の無関心は、愛情の対極だった。頼房の子らが哀れで仕方ない。そのことで頼房を叱責《しっせき》することもあった。だが頼房はそこでなお己の戦略である沈黙と無関心とを保った。

結果、家光は頼房に代わって、竹丸の処遇を決めた。光國が知る通り、水戸とは違う藩の大名に抜擢《ばってき》したのである。そしてその家光の言葉を、光國は兄から聞いている。

(その方が棄てた子ではないか)

家光はそう頼房に言ったという。

「そうだったのですか……」

光國はなんだか力が抜けたように呟《つぶや》いている。大人たちの思惑がごちゃごちゃしすぎて、すぐには実感が湧かなかった。それに、まだ釈然としない点が残っている。

「なぜ父は、兄のことを、それとなく家光様にお伝えしなかったのでしょうか」

「頼房にとっても、お前こそ、世子にふさわしかったからであろうよ……」

義直は言った。だがそれでも釈然としない。長子継承こそ、徳川家が打ち立てた「泰平」戦略の要《かなめ》である。それをひっくり返すような事態を、なぜ看過したのか。

「お前が、長子ではなかった。そのことが、頼房にとって、救いであったのやもな……

は……」

「え……？」

「長男でなくとも、世子となれる……。はからずも、頼房の苦しみを、お前が消してやったのかもしれぬ……」

光國は呆気《あっけ》に取られた。だが、かつて徳川一族の中で、誰よりも天下を欲したのが頼房だった。なのに十一男として生まれ、将軍の座から、天下から、最も遠い場所にいることを余儀なくされた。

そんな頼房にとって、本来三男であるはずの光國が世子となったことは、予想外のかたちで実現された、報復のようなものかもしれなかった。それも、他ならぬ「長子」であり「生まれながらの将軍」である家光の決定である。家光の律儀さと臆病《おくびょう》さを考え、いずれ長兄の竹丸が、どこかの藩主になることも、頼房は計算していたのかもしれない。

そうしたこと全て、頼房が心の底でひそかに抱き続けてきた、無意識の報復であったのだとしたら。

光國の脳裏に、あの死の川がよみがえった。病が癒《い》えたばかりの光國に対する、異常なまでの「お試し」も、そのせいだったのではないか。是が非でも、光國こそ世子であると証明させ、将軍の耳に入るようにする。まかり間違っても、長男である竹丸が改めて世子になることのないように。

たちまち光國の中で怒りが湧いた。あまりに身勝手すぎる。父のそんな馬鹿げた恨みの念で、自分たち兄弟は人生を左右されたのか。この自分に、不義を背負わせたのか。

だが同時に、あのとき、ともに川に飛び込んだ父の姿も思い出された。父も必死だった。なぜ自分が必死になるのか、父自身もよくわかっていなかったのかもしれない。そんなかすかな理解の念が湧いた。自分も父の愛情を獲得するために必死だった。父も、そうだったのだろうか。家康という巨大で冷酷な父親を、振り向かせたかったのだろうか。

虚脱するような、怒りと悲しみが冷たい風となって体のど真ん中を通り抜けてゆくような、奇妙な空疎さが襲ってきた。答えを得るほどに疑問が深まる思いがした。どう考えればいいのか、まったくわからない。大人たちの思惑に、光國自身の雑多な感情が加わって、ますます戸惑わされた。

「わしが知るのは、これだけだ」

義直は光國の様子を、じっと観察している。少なくとも、この伯父《おじ》を後悔させたくはなかった。

「ありがとうございます、伯父上」

姿勢を改め、深く一礼してから、報恩の思いを込めて告げた。

「きっと、お教えいただいたことをもとに、聖賢の道を求め、不義を義に立ち返らせます。親への孝、家への忠、学ぶべき礼を損なうことなしにです」

義直が嬉《うれ》しそうに笑った。まだ壮健であった頃の、剛毅《ごうき》な笑いそのものだった。

「お前に、我が書庫の鍵《かぎ》をやろう。どの史書も、お前のものだと思え」

「は……」

「史書に記されし者たち全て、生きたのだ。わしやお前が、この世に生きているように。彼らの生の事実が、必ずお前に道を示す。天道人倫は、人々の無限の生の連なりなのだから。人が生きる限り、この世は決して無ではなく、史書がある限り、人の生は不滅だ。なぜなら、命に限りはあれど、生きたという事実だけは永劫《えいごう》不滅であるからだ」

いつか光國に語ったときとまったく同じ目の輝きだった。この人はまだまだ長生きするのではないか。一瞬、光國は本気でそう信じた。それほどの情熱の持ち主だった。

「お前が見つけるであろう義を、わしも知りたい。念願を貫けよ、光國」

それが別れの言葉となった。

ふた月後の五月はじめ、義直は世を去った。

四

ついに将軍家光は、病んだ義直を見舞いに行くことがなかった。

それだけ家光が、義直を恐れて遠ざけたがっていたからだ、と世人は思ったし、光國もそう思った。実際どうか光國は知らない。単に家光は、義直の病が癒えると思い込んでいただけかもしれない。

家光の動向などより、義直から教えられたことのほうが光國にはよっぽど重要だったし、渡されたものを確かめるのが先だった。

渡されたというのは書庫の中身のことだ。自由な閲覧を許されたに過ぎず、渡されたというのもおかしな話だ。

しかし義直の長子・光義は、この膨大な史料と研究成果をもてあましており、

「光國どのがどうにかしてくれる」

と期待しているらしかった。

（惜しい……）

書庫に集積されたおびただしい修史編纂《へんさん》の草稿を読むにつけ、光國の中でその思いが湧いた。あと十年、義直が生きていたら。あるいは子の光義に、史筆の才があったなら。この義直の事業は、大いに実を結んでいたに違いなかった。

といって光國が事業を受け継ぐというのも現実味がない。というより、この国の総合的な歴史大系を築こうとする試みは、今や、学問の世界で一大流行となっていたのである。

あの林羅山を筆頭に、名のある学者たちがこぞって史書執筆に情熱を傾けていた。おそらく義直に仕えた臣や学者たちの中にも、引き続き修史編纂を続けてゆく者が出るだろう。

いうなれば史書は、先達の事業であり、光國の世代はその成果を享受する立場にあっ

た。若輩の自分が割って入ってゆく余地は、ほとんどないように思われた。

だからせめて先達たちがこの書庫を不便なく利用できるよう蔵書と草稿の一覧を作って、紛失を防ぐ。それが自分の役目だと光國は信じた。史書を自ら記すなど考えもしない。

ただ、蔵書の一覧作りに、光國は安らぎを感じていた。様々に生きた人々の記録を扱うことで、現在の己の困惑が少しずつ収まってゆく。

義直から教えられたことは、ほとんどが推測だった。そうであって欲しいと光國が思うものもあれば、理屈がわからず混乱する部分もあった。だがなんであれ、

（父の沈黙は、母と子を守るためのものだった）

その点は、なんとなく納得ができた。父が決して、子らを嫌って遠ざけたわけではないという点も救いになる。事実、光國が世子と定まってからは、子女の教育に呆《あき》れるほどの情熱を燃やしていた。それも、子への愛情を相当に抑圧し、表に出さないようにしていたからだろうか。

母・久子への愛情も。今もひっそりとして気配を絶つかのように暮らす久子だが、光國の幼少期に比べれば、ずいぶん表に出るようになっていたし、父と同席する機会も多い。

（どうやら父と母は相思相愛らしい）

改めてそう思う。それが重要かといえば、そうである気もするし、そうでない気もす

る。

何をどう考えればいいのか。何もかもすっきりするようでしない気分を、史料を整理することで宥《なだ》めることに努めた。正直、この膨大な作業が何よりの救いだった。

尾張家に仕える学者たちと相談して一覧の穴を埋めてゆくうち、おびただしい数の生の記録には、確かに力があるのだと実感するようにもなっていた。人の心を平穏にさせる力、自分の人生を客観的にとらえる視点をもたらす力だ。そうした力を史書同士に適用させてみてはどうか。しばしばそう考えもした。やり方は漠然としてわからないが、たとえば、複数の異なる史説を、執筆者と時系列と地域ごとに分別する。さらにその分別に従い、別の史説をもとに因果関係を類推し、最も理屈をなす筋道をとらえてゆく。そうすれば、たとえば史書ばかりか、伝承や講談のたぐいもふくめ、何が本当の事実であるか推測できるのではないか――

そう考えるのだが、しかし、尾張家の学者たちはあまり関心を示さず、

「正史とされし史書を見失い、惑うことになります」

と反対された。

最も格上とされ、箔付《はくづ》けされた「正史」をもとに歴史の骨格を組み立てるのが、最も間違いがない史書編纂のやり方である。光國が考えるやり方では、「正史」は存在せず、ただ雑多な史料から延々と因果関係を類推してゆくばかりで、骨格が生まれない。

それは光國にもわかる。だが書として存在するものを骨格にするのではなく、因果関

係という目に見えないものを骨格にすべきではないか。

そう考えるのだが、それがどういう利点を生むのか上手《うま》く説明できない。そもそも他家の蔵書だし、そのうち面倒になって説明する努力を諦《あきら》めた。そのとき自分が、後世において科学的な比較検討の方法とされる史書分類法を、まったく独自に創造しようとしていたなどとは考えもしなかった。

一方で、光國はそれらの史書を遺《のこ》した者の遺志が、踏みにじられる現場を目撃することとなった。

「――なんだ、あれは」

書庫を出て一休みしていた光國は、愕然《がくぜん》となって呟《つぶや》いた。

「僧たちですぞ」

学者たちも驚いている。尾張家の邸《やしき》に、続々と仏僧たちがやって来ていた。何のためか。むろん義直の葬儀の段取りを相談するためである。喪主の光義が招いたに相違なかった。

当然の準備だったが、光國と学者たちにとっては、衝撃の光景だった。というのも、

「わしがこの世に生きた証《あか》しとして、死に臨んでは、古来の儒哲に倣うべし」

と義直は遺言しているのである。すなわち、仏式ではなく、儒式での葬儀を望んだのだ。

なのに我が物顔で取り仕切っているあの僧たちはなんだ。光義は何を考えている。

光國は、書庫整理のため埃《ほこり》だらけになった姿のまま、邸内に上がり込んだ。式の指示を受けて忙しげに動き回る家人や女房たちのど真ん中を、荒々しく足音を立てながら突き進み、光義の部屋の障子を、がらりと開けた。

僧と相談していた光義は、光國の険しい表情を見るなり、

「しばし、お待ちを」

慌てて僧たちに断り、席を立った。そうして光國の埃をかぶった袖《そで》を引っ張り、

「ご静粛、ご静粛」

ぼそぼそと、光國が僧に向かって怒鳴り散らすのを恐れてささやきながら、廊下に出て戸を閉めた。

「いきなり入って来られるとは、驚きました」

光義が不平がましく言う。ちやほやされて育ったせいか、とことん、のんびりした性格をしていた。光國は黙っている。光義が深々と溜息《ためいき》をついた。仕方ないのだ、とこれまた不平がましい様子だ。

「将軍様からのご許可が下りなかったのです。私だって努力したのですよ。ですが儒式は前例がないとか、正当な式次第を知る者がいないとかで、結局、仏式にならざるを得なかったのです」

「父君の遺言ですぞ」

「わかっております。かといって将軍様を無視して執り行うわけには……」

「なぜ、そこもとか、あるいは儒臣を数名選んで、老中たちと議論させなかったのです」

せめて儒式の正当性を強く訴えれば、式の最初の段取りから僧が関わるのではなく、なるべく義直の意向に沿う妥協点を見出《みいだ》せたはずである。

「そのようなこと、私には無理ですよ」

だが光義の返答はとことん情けないものだった。儒式と仏式とどう違うのか説明できないし、そもそも徳川一族の葬儀については厳密に定められている……云々《うんぬん》。さらには、

「父も、もうこの世におりませんし……その本心は計り知れません」

故人の遺志そのものを疑う言葉を、平然と吐いてみせた。

儒式において、死者を不在として扱うことは最大の無礼である。死者がそこに在るが如く振る舞う、「如在《じょさい》」の念をもって弔うのでなければ、葬儀自体に意味がない。

これが光國の逆鱗《げきりん》に触れた。相手が従兄《いとこ》でなければ、腕力に任せて殴り殺していたかもしれない。

「み、み、光國どの……？」

光國は、たちまち凄《すさ》まじい怒りの形相になって光義を大いに恐懼《きょうく》させはしたが、

「わかりました。ここは貴方《あなた》の家。私が出しゃばることもありますまい」

「そ、そ、そうですか……、それは、何より……」

「では御免」

言い捨てて背を向け、そのまま辞した。

この件については金輪際、何も言うまい。そう心に誓った。

が、代わりに、別の手段をとると決めた。自分の邸に戻るまでの帰り道に、あらかたの骨子を脳裏で整理し、自室に戻るや否や、

『誄《しのびごと》』

という一字を記し、猛然としたため始めた。長大な漢文であり、亡き伯父《おじ》を悼む弔文である。これまで学んだ漢籍の知識を総動員して書いた。いったん書き終えてのちも執《しつ》拗《よう》に推《すい》敲《こう》を繰り返した。

その間も、義直の葬儀は着々と営まれ、ついに儒哲の教えなどかけらも見当たらない、仏式での葬儀が無事に執り行われてしまった。

光國による弔文が提出されたのは、葬儀のど真ん中でだった。内容は、義直を悼んでその功績を称《たた》えるとともに、故人の遺志を無視して盛大な仏事が営まれたことを、強烈に批判するものだ。

式中、様々な弔文が読み上げられたが、光國のものだけは冒頭のみで、後は読まれなかった。光國は怒らなかった。そうなると予期していたし、少なくとも光義は、光國が同席中、顔面蒼白《そうはく》だった。それだけでいい。そう光國は考えたが、思わぬ波及が起こった。

『源敬公誄幷序』

光國が書いた弔文は、そういう題で、様々な人々に伝わったのである。

敬公《けいこう》とは義直の諡《おくりな》だ。最初に全文を筆写したのは、義直に仕えて史書編纂《へんさん》に当たっていた家臣や学者たちだった。彼らがそれを知己の学識ある者たちに見せ、そして見せられた者たちの多くが筆写し、また別の者に見せた。

光國の知らぬところで電撃のように広がり、数多《あまた》の学者たちの目にふれることになった。とても二十三歳の青年が書いたとは思えぬ、途方もない伝播力《でんぱりょく》をもった文章だった。

当然、林羅山もそれを読み、

「其《そ》の盛志の言外にあり、深情の繁表にあるもの推して之《これ》を知るべし」

弔文に込められた儒哲の理念を激賞し、それがきっかけで、さらに文章は遠く京の学者たちの間にまで広まっていった。

この弔文こそ、光國が学問の世界にもたらした最初の衝撃だった。「水戸の御曹司《おんぞうし》」に、一挙に注目が集まったのである。

光國は何も知らない。確かに林家や、知己の儒者たちからは、よくぞあの弔文を書いたと賞賛されはした。相変わらず浪人の山鹿素行《やまがそこう》などからも、

「ずいぶんと評判ですよ」

と言われたが、光國からしてみれば、

「一人でも多くの者に、伯父の功績と願いを知ってもらえるなら、嬉《うれ》しいことだ」

それ以外の目的を持たない文章である。せいぜい、光義に青い顔をさせ、その孝心の

足りなさを咎《とが》められればそれでよかった。まさか、後世に残る文章になるとは想像もしなかったし、それに何より、光國は新たな儀礼に直面していて、それどころではなかった。

その儀礼とは婚儀だった。それも、あの隠者志願の才儒こと、読耕斎の祝言である。

この話を聞いたとき、光國は思わず大声で笑ってしまった。

「隠者になりたい男が、嫁を迎えるとはな」

読耕斎は苦々しげに唸《うな》った。

「母ばかりか父にまで泣かれてみろ。断りきれん」

言いつつ、光國が見たこともないほど、そわそわと落ち着きがない。普段は怜悧《れいり》な男が、年頃の武士と変わらず、結婚を目前にして緊張する様は、なんとも面白かった。

「貴様も、お吉《よし》どののことを憎からず思うておったようだと、貴様の兄の鵞峰《がほう》どのから聞いたぞ」

「ぬ……、別に……」

「いや、実にめでたい。お吉どのの晴れ姿が、今から楽しみではないか。さぞ可愛かろう。そらそら、隠者男の鼻の下がのびておるわ」

「う……、そのようなことはない」

ここぞとばかりに、さんざんにからかってやったものだ。

お吉という娘を、光國はよく知っていて、それがまた訳もなく面白い気分にさせた。

というのも、光國の傅役《もりやく》である伊藤玄蕃の娘なのである。婚儀は、頼房と林羅山の間で相談され、玄蕃はこの儀を承諾し、とんとん拍子で決まったという。

玄蕃の妻は、光國が生まれ育った三木家の娘である。お吉を通して読耕斎も三木家と縁ができるということは、いわば読耕斎は光國の義理の甥《おい》になったようなものだ。

「お吉どのの炊いた飯で、その柔弱な身を少しは健全にしてもらうがいい」

光國のその揶揄《やゆ》は、半ば本心からの願いでもあった。

かくして読耕斎とお吉は祝言を迎え、よき夫婦《めおと》となった。三木家の妻女・武佐は、かつて朝廷に仕えた才媛《さいえん》だ。その娘である玄蕃の妻のしほも、さらにその娘であるお吉も、武佐に習って文事に長《た》けていた。そのせいか、気難しい読耕斎とも気が合い、仲むつまじい夫婦となり、それが光國をなんともいえず愉快な気分にさせてくれるのだった。

年が改まり、さらに儀礼があった。それも、巨大な儀礼である。またしても光國にとっては親族の一件であり、しかも今度は、徳川家そのものの筆頭だった。

将軍家光が、世を去ったのである。

そして、その喪が明ける間もなく、異変は起こった。

五

「謀叛《むほん》？」

光國はあまりのことに愕然《がくぜん》とその言葉を繰り返した。

「そうだ。老中どもは確たる証左がいずれつかめると思うておるようだ」

父・頼房が、小姓たちに登城の支度をさせながら言った。

「まさか、そのような……」

「わしも、まさかと思う。だがまずは、老中どもの論を聞かねばなるまい」

慌ただしく邸《やしき》を出る頼房を見送った光國は、弟たちに留守を任せ、すぐさま自分も邸を出た。馬を駆って千住《せんじゅ》に向かう途中、供の一人を、使いにやっている。千住に着くと、残りの供の者たちをそこらの店で待機させ、自分は馴染《なじ》みの居酒屋の二階で待った。酒とつまみを頼んだが、どちらも口にする気が起きない。苛々《いらいら》しながら二階の窓から通りを眺め、やっと相手が現れると、大声でわめいた。

「ここだ山鹿！　さっさと上がってこい！」

相手は浪人の山鹿素行だった。頭上からいきなりわめかれ、むすっとなって店に入り、ほどなくして光國のいる部屋に上がってきた。

「私はあなたの家臣ではありません」

「わかっている。怒鳴って悪かった。飲《や》ってくれ。この店で一番の酒だ」

光國は徳利を差し出した。

「いただきましょう」

山鹿が遠慮なく杯を手に取る。数年前に比べて、江戸で開いた軍学塾が大いに繁盛し

ているせいか、かなり身なりが良くなっている。酌を受けて飲み干し、

「それと、伯父上《おじ》だ」

「由比正雪《ゆいしょうせつ》どのの一件ですか」

光國が付け加えると、山鹿はすでに耳にしているらしく、神妙にうなずいてみせた。

家光が薨《こう》じ、その長子・家綱《いえつな》が十一歳で跡を継ぐことになった直後のことだ。

高名な軍学者であった由比正雪が、突如として幕府転覆をはかり、浪人決起を企てたという。それも、まさに謀叛と呼ぶしかない計画だった。煙硝蔵などを狙って江戸市中に火を放ち、紀州徳川家を詐称して城に侵入し、家綱を人質にする。さらに京と大坂でも、これに呼応して乱を起こし、駿府《すんぷ》の城を攻略し、武力で帝《みかど》を擁立する。

大がかりで不敵な計略だが、その分、関わる人数も多い。

そのため結局は密告がなされ、老中・松平《まつだいら》〝伊豆守《いずのかみ》〟信綱《のぶつな》の察知するところとなり、計略は未然に防がれた。共謀者は一網打尽。主犯格である由比正雪は、駿府で自刃した。

これで一件落着のはずである。だが問題は、「紀州徳川家を詐称して」の部分だった。

かつて光國におよつ姫を娶《めあわ》せたがった、伯父にして紀州徳川家の当主たる頼宣《よりのぶ》が、

「浪人どもと結託し、謀叛を企てた」

という、とんでもない嫌疑によって、評定《ひょうじょう》の沙汰《さた》となったというのである。

「伯父上が、由比なにがしと結託した証左などというものは、存在するのか？」

「私が知る限り、ありません」

山鹿は言い、そしていつもの全くかわいげのない怜悧さで付け加えた。

「ですが、由比どのや多くの浪人たちが、紀州様に親しくしていただいたのは事実です。紀州様は常に、才ある者への支援を行って下さいます」

「お前も、塾を開く元手をもらったんだったな」

「軍学講義の褒美としてです」

「それと謀叛と何の関係がある」

「関係があると決めつけて探っている密偵たちがおります。私も何度も尋問されました」

不愉快そうに山鹿が言う。よほど頭ごなしに疑ってかかられたらしい。

「なぜだ。強引すぎるだろう。首謀者が果て、一味が滅んだ。なのに、何が何でも伯父上を疑うための証左を見つけようというのでは、理屈が合わん」

「噂ですが……由比どのは、紀州様がお味方下さると言って回っていたとか」

「嘘だ」

「ですから、そう申し上げています。しかし、嘘と片付けたくない者がいる様子」

「誰だと思う」

光國が訊《き》いた途端、山鹿が呆《あき》れ顔になって眉《まゆ》をひそめた。

「そんな危なっかしい話をさせないで下さい。きっとあなたのお供が聞いていますよ」

「お前に厄介はかけん。おれは伯父上の疑いを晴らしたいだけだ。お前なら浪人たちから話を聞けるし、浪人の立場でものが見える。いったい全体、これはどういうことなんだ」

山鹿が疲れたように溜息《ためいき》をついた。

「幕府に反感を持つ浪人は、近頃、想像もつかない数になっています」

「知っている。だてに夜遊びを続けているわけじゃない」

「自慢しないで下さい、そんなこと」

「で、浪人たちがどうした」

「そうした不満を抱く者たちを炙《あぶ》り出すため、由比どのは利用されたのでしょう。彼はずっと幕府から監視されていたのですよ。そうでなくては、こうも上手《うま》く、共犯者を一網打尽にできません。それが私たち、まっとうな浪人たちのものの見方です」

「その、まっとうな浪人たちの中に、伯父上と由比が無関係だという証左を出せる者はいないか」

「いるでしょうね」

山鹿は苦り切っている。何を頼まれるか悟っているのだ。光國は手をつき、頭を下げた。

「頼む」

「……浪人たちの証言を集めたところで、評定の沙汰には何の影響も与えられませんよ」

「おれの名で出す。いざとなれば、父や兄にも頼む。おれは伯父上を信じている。あの人は、世を転覆しようなどと考える人じゃない」

「誰だってそうですよ。由比どのもね」

静かな言い方だった。光國は顔を上げた。山鹿のおもてに悲痛な表情が浮かんでいた。

「先ほどの話ですが、今の浪人の数はどれくらいだと思いますか」

「……わからん」

「そう。わからないほどです。関ヶ原の戦から今まで、潰《つぶ》されたお家は百九十を超えているんです。浪人の数は十万や二十万ではありません。その上、浪人を統制する厳しい法度《はっと》が定められ、暮らす場所も、たつきもないばかりか、街に入ることすら許されない者もいるのです」

「……知っている」

「無道でしょう。妻子とともに飢えて死ぬしかないなんて」

「……ああ」

「これ以上、浪人を増やさないでいただきたい」

「………」

「あなたに言っても仕方ないことくらいわかっています。ええ、いいですよ。協力します。こうして、私の話を聞いて下さいましたからね。他ならぬ水戸家の御曹司《おんぞうし》様が、頭まで下げてね。それで十分ですよ。私が知る、全てのまっとうな浪人たちに、紀州様の無実を証《あか》す言葉なり文章なりを、届け出るようお願いしてみます」

「すまない。そして、ありがとう」

光國は再び頭を下げた。そうすることに何の抵抗もなかった。抵抗がない、ということこそ光國の特質であり、生涯を通して多くの者の忠誠と信頼を得る、最大の要因だった。

「あなたは、私が知る限り、最高の人たらしですよ」

別れ際、山鹿は憮然《ぶぜん》としてそう言ったものだ。

邸に戻り、光國は自分のできることをした。伯父・頼宣が潔白であることを訴える文章をしたため、引き続き、情報を集めて父や兄に渡せる手だてを考えた。そうするうち、家人がやって来て、

「あの……今し方、肥後《ひご》様の使いが現れまして」

「なんだと？」

「肥後様でございます。あの、桜田《さくらだ》の御門にあるお屋敷の……。これを、子龍《しりよう》様にと……」

いきなり書状が差し出された。

「会津《あいづ》公が、このおれに？」

「はあ」

「わかった。いい、下がれ」

奇妙な胸騒ぎがして、家人を下がらせた。

会津公とは、あの保科《ほしな》〝肥後守〟正之《まさゆき》のことだ。二代将軍秀忠の血を継ぎ、義直をして「将軍の器」と言わしめた、家光の異母弟である。

今年、四十一歳。穏和で、ゆったりとした風情に特徴があったが、鬼にも羅刹《らせつ》にも豹変《ひょうへん》できる男だった。先頃、幼い四代将軍家綱が宣下《せんげ》を受けた際など、その補佐役として諸大名の前に立ち、

「家綱様の将軍就任に異議ある方々は、今ここで申されよ。御宗家がお相手するまでもござらん。会津が一戦、お相手仕る《つかまつ》」

凄《すさ》まじい形相で威《おど》しをかけた男でもある。

その男がなぜ父ではなく自分に手紙を送ってくるのか。

中身を読むと、気が抜けるほど穏やかな文面で、茶席に招きたい旨が書かれてあった。

この時期、この緊張した状況の中で、ふてぶてしいほどの招きである。

父や兄に相談すべきかとも思ったが、どうも光國個人と内密に話をしたいらしい。

まずは大人しく招きに応じよう。そう決めて返事を書いた。早速だが明日にも伺いたいという試すような書き方をした。先ほどの家人を呼んで使いにやらせると、さらに返事を持って帰ってきた。

楽しみにお待ちしている、とのことである。

なんだか肚《はら》の探り合いというより胆力の試し合いのような感じで、楽しくなってきた。

名君との評価の高い保科が、この自分を大人扱いしている。そう思うと気分が良かった。

翌日、父にも言わぬまま供の者たちをつれ、邸《やしき》を出た。会津藩の上屋敷を訪れ、

「ようお越しになられました。主人《あるじ》がお待ちでございます」

田中正玄《たなかまさはる》という家老に、邸の庭に建てられた茶室へ案内され、刀を預けて戸をくぐった。

果たして中では、保科正之が座って待っていた。思っていたよりずっと、ゆったりとした坐相《ざそう》である。着ているものも無地に近く、そのせいか、さながら波一つ立たぬ水面《みなも》に、静かに浮かぶ花びらを見るような気がした。

光國はその水面に一石を投じてみたくなり、

「家光様がご薨去《こうきょ》なされ、ご多忙でございましょうに、お招き下さり感謝申し上げます」

そう言いながら、丹田《たんでん》に力を込め、覇気をみなぎらせて座った。一石というより、一刀の激しさでもって水面を割る所作だった。

だが保科はあくまでやんわりと微笑んでいる。

「おやめなさい」

「……え？」

「浪人たちのことです」

そっと茶碗《ちゃわん》を出しながら保科が言った。光國は息を吞《の》んだ。水面に浮かぶ花びらなど、とんでもない。いつの間にか、同じ水面の下で弓矢が引き絞られ、やじりが真っ直ぐ光國ののど元を狙っている——そういう鋭い眼差《まなざ》しが向けられていた。

そして光國は、自分でもまったく意外なことであったが、なんだかおそろしく楽しくなってきた。

「やめぬとどうなりますか？」

訊《き》いて、がぶりと差し出された茶を喫した。そうしながら楽しさのわけを悟った。この保科正之が、自分を本当の意味で大人扱いしてくれている。一人の男として扱い、本気になって脅しつけようとしていた。それが嬉《うれ》しくて仕方なかった。

その喜びが、自然と保科にも伝わったらしい。また最初の柔和な笑顔に戻った。

「剛毅《ごうき》な方だ。お父上譲りの……いや、それ以上の気骨を感じますぞ」

「これ以上、煽《おだ》てるのはおやめ下さい。茶席だというのに、笑みがこぼれて仕方がない」

光國は正直に言った。実際、にやりと猛々《たけだけ》しい笑みが浮かんでいた。

保科の笑みが、一瞬で消えた。

「ふざけるな《はしゃぐでねえ》、このガキ《あんちゃ》が、殴《おっつめ》って埋《うんのめ》める《っつお》ぞ、唐変木《おんつぁ》」

その一瞬で、ばっさりと首を刎《は》ねられたような、鬼気《きき》迫る威圧に襲われた。

光國は、あんぐりと口を開けたまま、危うく茶碗をぽろりと落としそうになった。それほどの衝撃だった。おそらく会津訛《なま》りだろうが、方言が多すぎて何を言われたのか咄嗟《とっさ》にわからない。わからないが、こちらの意気を真っ向から挫《くじ》きにきたのはわかる。

「今……なんと？」

相手の豹変の凄まじさに、ついつい素直に訊いてしまった。

「不相応な真似は、どうかお慎み下さるように、と申し上げたのですよ」

にこりと保科が笑った。次の瞬間には、背後に隠した刀が一閃《いっせん》しそうな笑みだ。むろん保科の背後に刀などない。だが、あると思わされてしまう迫力に、感動すらしていた。

（似ている）

いったい誰にか。ふと東海寺《とうかいじ》のことが思い出された。真っ黒い塊となって襲いかかってきた、あの老兵法者に対する恐怖がよみがえった。と同時に、その老兵法者の仕官を断った、義直のことも脳裏に浮かんでいた。文武をきわめて君主として名高かった義直。同じく文武をきわめながら世の秩序に当てはまらなかった宮本武蔵。その相反する存在が光國の頭の中で、ごちゃごちゃになった。保科正之という男が、そのどちらにも似ているようでいて、どちらとも違うせいだ。

どう違うのか。すぐにわかった。

「不相応とは、我が伯父《おじ》の潔白を証さんとすることですか」

小細工も何もない。真っ直ぐ問うた。

「ことは、じき、片がつきます」

保科が断定した。

「かの山鹿という軍学者にも、出過ぎた真似をせぬよう、私の手の者を通して伝えております。全ては、徳川宗家の安泰のため。頼宣様も、お分かり下さるでしょう」

「全て、あなたが仕組んだことであると？」

「家綱様ならびに、伊豆守、豊後守《ぶんごのかみ》、讃岐守《さぬきのかみ》です」

光國は瞠目《どうもく》した。幕閣が総力を挙げてことをはかったというのである。それは、よもや江戸幕府から御三家を追い払うためか。そう問おうとしたが、すぐに察せられた。

「閣僚どもも今後は、御三家を立てるでしょう。紀伊家は安泰。ご案じめされるな」

保科はそう言って、ゆったりとまた茶を点《た》て始めた。

光國に、事態を悟らせる時間を与えるためだ。光國はすぐに理屈を察した。

要は、幼君・家綱を擁した隙を突いて現れるであろう、反幕勢力の根絶そのものが目的だったのではない。家光の長子であり、開幕以来、二人目となる「生まれながらの将軍」たる家綱の権威を、徹底的に確立すること、その布石を打つことが主眼だったのである。

そのために御三家の一角に対し、強気に出た。徳川一族の中で、宗家こそ支柱であると世に知らしめるために。あるいは御三家と対立していた老中たちの恨みもあったろう。だがそういう対立も、いずれ緩和されるはずだと保科は言っていた。

それこそ保科正之の特質だった。合理的な調整を視野に入れる、「宰相」の手腕である。己は前に出ず、かといって退くことなく、異母兄の家光や、その子・家綱、すなわち徳川宗家に対する空恐ろしいほどの忠誠心をもって、幕府全体の和を考えていた。

ここで光國が出しゃばると、その和が崩れる。宗家と紀伊家の「序列」を再確認させることが目的であって激烈な不和を生じさせては意味がない。だから光國に釘《くぎ》を刺した。

そこまではわかる。だが、一つ疑問だった。光國はその疑問を、口に出して問うた。

「なぜ、私を招いたのですか？」

それこそ家臣を使って伝えればいい。あるいは、父・頼房を招いて忠告すればいいのだ。読耕斎の言い方を借りれば、〝たかが世子〟なのである。

「御曹司《おんぞうし》とは、一度、ゆっくり話がしてみたかったのですよ。御曹司と私には、一つ、面白いところが似ておりましてな」

そう言って保科が茶を差し出した。

「……どのようなところがですか？」

重ねて訊きつつ、今度は相手に合わせてゆるゆると喫した。美味《うま》かった。先ほどより味が濃かった。というより、先ほどの茶が、ほとんどぬるい湯であったことに、やっと気づいた。光國が一息に飲むことを読んで、そうしたのだ。それがわかって舌を巻く思いの光國に、保科がおもむろに告げた。

「私も、生まれたとき、水にされるはずでした」

「なんと……？」

光國が目をみはった。馬鹿な。あんたは将軍の子だぞ。思わずそう返しそうになった。

「私の父……秀忠様の、その正妻である、お江の方様の手前、そうせねばならない事情があったのでしょう。しかし幸いにも、こうして命を持つことを許されました」

「そうでしたか……」

としか言葉が出てこない。そもそもなぜ自分の出生の秘事を知っているのか。

疑問はすぐに氷解した。家光が、この男に語ったのだ。自分の子を平然と捨て、家臣に水にするよう命じる水戸家の当主のことを。保科はどうやらさらに多くの事情を知っているらしい。義直から光國が聞いたようなことも、全て承知しているのかもしれない。

「もう一つ。あなたが義直様の弔いに書かれた『誄《しのびごと》』は、実にお美事でした」

「は……ありがとうございます」

訳もなく大人しく言った。いつの間にか、この男の静けさに引き込まれていた。いつでも煮釜《にがま》のように沸騰できる、途方もなく勇猛な静けさに。

「私も、できれば冠婚葬祭は……特に、私が死ぬときは、神式でと願うておりましてな。しかし、仏式が幕府の倣い。そう諦《あきら》めておりましたが、あなたの美事な文を読んで、心入りました次第。ありがとうございます」

気づけば、先ほど以上に光國を一人の大人として、対等に扱ってくれていた。なんだか調子に乗って自分から対等であろうとしたことが無性に恥ずかしくなった。

「いえ……あれは、親しい儒者から学んだこと。私の自得したものではありません」

「学んだことを正しく執筆するのは、想像するよりも困難なことです。よほど厳しく勉学に励んだのでしょう。見習いたいものです」

十七も年下の人間に、平然とそんなことが言える正之に呆気《あっけ》にとられてしまった。

「いや……とんでもない」

まったくもって気の利いたことが返せないまま、相手の静かで底の知れない態度を見るうち、またもや試したい思いに駆られた。この男が抜群の「宰相」の才を持っているというのなら、どこまで考えているのか。果たして幕政安定のみがこの男の目的であるのか、知りたくなった。

「私こそ、宗家に対する保科様のご忠心、感じ入りました。私も差し出がましい真似はいたしますまい。ただ、今一つ、お答えいただきたいことがござる」

「なんでしょうか」

「人民は、いかがいたしますか？」

保科の笑みが消えた。先ほどのような威圧のためではない。真摯《しんし》な表情だった。

「世の浪人の数は、まさに膨大。関東だけで、ゆうに十万を超す浪人がおります。このまま浪人が増え続ければ、世は大いに乱れましょう。この問題はどうお考えですか？」

保科はしばらく口をつぐんでいた。かと思うと、僅《わず》かに微笑んで言った。

「頼房どのは、よいご子息をお持ちになられた。その若さで、一件を人民に結びつけて考えなさるとは。水戸家も安泰。めでたきことにござる」

光國は正直、落胆した。答えをはぐらかされたとしか感じなかったからだ。やはり保科正之ほどの男にも答えようのない難問なのだと思い込むばかりだった。

だが、そうではなかった。

六

保科正之が言った通り、紀伊頼宣への嫌疑は、ほどなくして解消された。

頼宣が謀叛《むほん》に荷担した証左は、結局、見つからなかったのである。それどころか、由比正雪の遺言がおおやけにされ、そこに、紀伊家の名を騙《かた》りはしたが、頼宣と自分の計略は何の関係もないと明言されていたことが判明したのだった。

だが、頼宣が世の浪人たちに同情し、積極的に召し抱えようとしていたことや、由比正雪一味が頼宣と親しかったのは事実だった。これについて松平〝伊豆守〟信綱をはじめ老中たちが問い質《ただ》すと、

「まことに、めでたい」

頼宣は莞爾《かんじ》と笑ってそう言い放ったという。

「謀叛が企《たくら》まれしときに、諸大名の名が出るならば、これは徳川家全体の人望のなさのあらわれであろう。だが謀叛においても、同じ徳川の名が出たこと、これはいまだ世人が徳川を頼りとしている証拠である。ゆえに、まことにめでたいことである」

まさに、義直に次いで家光が恐れたという男ならではの剛毅《ごうき》さだった。

結局、頼宣に咎《とが》めはなく、紀伊家は安泰を保った。だが少なくとも謀叛の疑いが生じたということで、頼宣はその後、長い間、国元に帰ることが許されなかった。幼君・家綱が指示したわけがない。老中たちのせめてもの牽制《けんせい》であろう。

さらには同じ時期、明《みん》による義援要請にも、終止符が打たれた。義援は今後、決して行われない。それが、徳川一族ならびに幕閣の共通了解として決議された。

それからしばらく経ったある日、幕府は突然、ある宣言を発した。

それも、何かを定めるのではない。定められていたものを解除したのである。

後世、〝末期《まつご》養子の禁の緩和〟と呼ばれる、嫡子認定の制限の大幅な緩和であった。

「浪人による乱が発覚し、世が騒然となっている最中に……これを用意していたなんて」

山鹿が言って、身を震わせた。いつも光國が呼びつける、千住の居酒屋の二階である。

目の前に、こたびの発布を細かに記した紙が置かれている。

光國も、それを眺めながら、手酌で酒を飲んでいた。杯を口に運ぶ手が、なんともいえない昂揚《こうよう》でかすかに震えている。その震える指先を見つめながら、

「保科正之だ」

光國は口に出して断定した。あの男の真摯な表情がまざまざと思い出されていた。

末期養子の禁とは、単純にいって届け出のない嫡子を認めないということだ。

特に将軍謁見が許された〝御目見得《おめみえ》〟以上の大名家においては、将軍謁見のない者は嫡子とされなかった。

そうした手続きがなされないまま、急に当主が亡くなれば、その時点で家は潰《つぶ》される。

これはもともとは、家臣による主君の暗殺を防止するためでもあった。家臣たちが結託して主君を押し込め、勝手に世継ぎを決定してしまうのを防ぐのである。

だが同時に、諸大名の力を削るにはこの上なく便利な法だった。それゆえ、とてつもない数の浪人を生み出す原因となっていたのである。まさに浪人問題の急所であり、その解決の決定打をいきなり出してきたのである。それも、新将軍の誕生とともに。

これで世が変わる。時代が進む。そういう希望を世にもたらす発布だった。事実、乱の首謀者である由比正雪が、「天下の制法、無道にして、困窮仕《つかまつ》る」と訴えた浪人問題は、これを機に、各藩の浪人雇用が促進されるなどして、徐々に改善されてゆくことになる。

由比やその共犯者らが理想として主張した、学問や文事による出世も、奨励されるようになった。彼らが望んだ世は、いわゆる「文治」の理念をもって、幕府の方針とされてゆくのである。

まさに江戸幕府の一大転換であり、その建議書を提出したのが、あの保科であることは、城中でのもっぱらの噂だった。が、保科自身はなんとも言わない。あくまで将軍の発したものであるという建前を崩さず、「宰相」の立場をいささかも逸脱しない。

光國は、自分と同じ、「水にされるかもしれなかった」男の凄《すさ》まじいまでの政治的手腕に圧倒されていた。ただ圧倒されるだけでなく、今までほとんど意識しなかった何かを、刺激されて仕方なかった。

「名君か……。なるほど、これが名君だ」

言いつつ、今しがた刺激された感情の正体を知った。自分もいずれ藩主になる。そのことを生まれて初めてはっきりと自覚していた。しかもその上、

「おれも、そのようになりたいものだ」

十七も年上の相手に、燃えるような対抗心を刺激されているのだった。そういう思いは、義直にも、父に対しても持ったことはなかった。

一方で、山鹿はひたすらこたびの発布を喜んでいる。

「すごい方です。市中の民意を、正しく見抜いておられる」

日頃、誉めるということをしない山鹿が、このときばかりは絶賛した。山鹿は会津出身である。浪人問題の核心をとらえた幕政を行うのが、他ならぬ会津藩主たる保科であることが嬉《うれ》しいのだろう。

「子をなせなかった大名様がたも安堵《あんど》しているでしょう。自ら仕官を拒んでいた浪人たちも、心穏やかになるに違いありません」

「お前も、これで大手を振って仕官できるかもしれないな」

にやっと笑って光國は言った。

「さもなければ、世継ぎのため、どこぞの大名の養子にしてもらえるかもしれんぞ」

何の気もなしに口にした言葉だったが、ふと、引っかかるものを感じた。

「歳を取りすぎですよ。あなたも私も気づけば養子をもらってもおかしくない歳ですね」

相変わらず冗談の通じない山鹿の返答だったが、ますます引っかかった。

「世継ぎのため……。養子……」

いったい何に引っかかっているのか。いつしか鼓動が速まった。どくどく脈打つ己の鼓動を聞きながら、己の内側に没入した。

名君としての手腕という点で引っかかった？

違う。市中の民意を見抜くこと？　それも違う。

藩主。そうだ。自分もいずれ藩主になる。

藩主として。いったい何をするのか。

「子だ……、養子だ」

にわかにその言葉が、光國にとって別の意味をもった。天啓のごとき閃《ひらめ》きだった。これまでずっと、その考えに辿《たど》り着くべく導かれ続けてきた。そう思いたくなるような、まさに天命の実感だった。

「……どうかされましたか？」

山鹿が怪訝《けげん》そうに覗《のぞ》き込んでくる。光國はそれにも気づかない。ただ瞠目《どうもく》して宙を凝視していた。

「天道はある」

「はあ」

「是も非もない……。人がそれに気づくか気づかないかだ。答えは……ある」

光國は、このときはっきりとある考えを抱いた。が、思いつくと同時に、自分の考えを即座にぶっ放すということをしなくなっていた。いったんその考えを胸の奥に落とし込み、どこかに抜けや矛盾がないか、時間をかけて確かめることにした。

「またぞろ、詩想でも得たのですか?」

山鹿はそんなふうに解釈している。光國は適当にうなずいた。あながち間違いではなかった。それは詩作の喜びと酷似していた。人生に希望を見出《みいだ》したときの喜びだった。

その喜びをもたらしたものについて、光國は数日、じっと誰にも言わず思案し続けた。

そうして、どうやらこれは中道であると思うにいたった。すなわち、自分が自分の立場でもってなしうる、最も正しい行いであるのだと。

その上で、判断を下してもらうことにした。義であるか否か。そういう約束だった。

時代の節目となる発布がなされて十日余ののち、光國は、いつものように水戸家の蔵書を閲覧するために訪れた読耕斎を、茶室に誘った。これから口にすることを考えつつも、昂揚で身を震わせるでもなく、静かに茶を点《た》てた。心の中で、自然とあの保科正之の所作が浮かんでいた。

「今日はずいぶん穏やかだな。熱でも出たか」

読耕斎がからかった。光國は茶碗《ちゃわん》を差し出し、相手が一服し終えるのを待って、平静に告げた。

「子だ」

「うん？」

「兄の子を、おれが養子として迎え、水戸藩を継がせる」

飲み終えた茶碗が、読耕斎の手から落ちて膝《ひざ》で跳ね、畳の上をてんてんと転がった。

「養子……。養子だと……」

読耕斎が呟《つぶや》いた。自分が茶碗を持っていたことすら忘れている様子で、両手を膝の上に置き、真っ直ぐ光國を見据えた。

その隻眼を見つめ返しながら、静かに問うた。

「おれの血筋は絶やす。これは義か」

読耕斎の顎《あご》が大きく上下した。

「義だ」

「確かか」

「不義を義に立ち返らせる。まさに中道、まさに大義だ」

一挙に光國の総身から力が抜けた。緊張が解け、めまいさえしそうになった。

「そうか……。義か……。良かった」

逆に、読耕斎のほうは何やら猛烈に昂揚を覚えているらしく、

「本当に……お前がそんな義に生きるなら。本気で、それを行うのなら。おれは、お前に仕えたい」

珍しいことに声をうわずらせて言い、光國を呆《あき》れさせた。

「お前、まだそう思ってなかったのか」

思わず苦笑がこぼれた。読耕斎が声を上げて笑った。実に愉快そうだった。

「すごいことだ。考えもしなかったぞ。水戸の世子どの。お前こそ義の人だ。もしそれがかなうならば、日本中に武士の大義を、いや、人倫の大義をみせることになるぞ」

「必ずかなえてみせる」

光國は言った。

「必ずだ」

そうして季節は移ろい、光國もまた、大いなる節目を迎えた翌年。

光國に、子ができた。

七

娘の名は、弥智《やち》といった。

玉井《たまい》助之進《すけのしん》という下級武士の娘である。江戸城内にある屋敷の一つで働く侍女であっ

たが、しばらく前から、水戸家の奥向きとして務めることになった。

器量が良く、何につけ気の利く娘であることから、奥でも気に入られていた。

その娘に光國が手をつけることになったのは、半ば必然でもあった。

というのも、一向にやまぬ光國の〝夜遊び〟を何とかやめさせるため、奥の老女である小ごうが、傅役《もりやく》たちと相談して招いた侍女だったからである。

ここでいう老女とは役職名であり、奥向きの女房たちを取り仕切る立場のことだ。光國やその弟たちを幼い頃から見守ってきた。だから、傅役たちでさえわからないことも、よくわかる。たとえば、どのような女を好むか、ということもおおよそ見当がつく。それが老女の怖いところだ。

「若様の夜遊び癖をなくさせたいのであれば、おなごを用意するのが一番でしょう」

小ごうがそう言いだしたとき、傅役たちは半信半疑だった。

だが小ごうは着々と「用意」を整えた。それが弥智であった。だが、弥智にはその目的は知らされていない。あくまで自然体でいるのが一番だからだというのが小ごうの考えだったからだ。

水戸家で働くようになってから、光國はなかなか弥智に手をつけなかった。傅役たちも、小ごうのあてが外れたものと考え、弥智の本当の役割を忘れかけていた。

だが光國が手をつけなかったのも、それだけ警戒していたからだ。手をつけた途端、弥智が他家へ移されるか、しかるべき男のもとへ嫁がされるかすると思っていたのである。

傅役たちがそう気づかぬ間、光國はしばしば弥智と文《ふみ》を交わしていた。互いに恋情を抱くには十分な時間が存在した。小ごうはそのことを知って知らぬ振りをした。果たして、光國は目に見えて夜遊びを慎むようになったが、傅役たちはそれが弥智のお陰であると思いもしなかった。それほど自然に、またひそやかに、二人は結ばれた。

家光がこの世を去る、何ヶ月か前、小ごうが病で亡くなった。その直前、光國と弥智が結ばれたことを、小ごうは伊藤玄蕃にだけ教えた。もし、なるべくしてなるであろうことが起こったとき、滞りなくことが運ぶよう、段取りを整える者が必要だったからだ。だが玄蕃はほとんどそれを信じなかった。小ごうが老女として意地を張ったものと思ったのである。

そうして弥智が邸《やしき》に来てから数年が経ち、光國が二十五歳となった年の春――

「弥智が……身ごもった」

顔面蒼白《そうはく》の光國から打ち明けられたとき、水戸家の家臣の中でも肝っ玉の太さで知られる玄蕃も、これには仰天した。まさに小ごうの狙い通りに事態が進んでいたのである。

光國は、恐懼《きようく》のただ中にいた。まさか、という思いだった。男子としての能力がある限り、いつかこうなるのは当然である。だが、子ができぬよう、色町で知ったことは全て行っていた。それでも、できるときはできる。だからこそ江戸には女医、つまり堕胎を専門とする者がうじゃうじゃいるのだ。そのことを光國は痛烈に思い知らされていた。

その光國の態度を、父の怒りを恐れての困惑と玄蕃は受け取り、

「おめでとうございます」

姿勢を正してそう告げた。光國は息を呑《の》んだ。先ほどよりもいっそう恐懼に青ざめた。

玄蕃は、この御曹司《おんぞうし》を安心させようと、にっこり微笑んだ。

「ちと早うございますが、めでたきことにござる。心配ご無用。この玄蕃が、お父上とご相談の上、若様のお望み通りにいたしましょう」

「……望み」

光國は、自分の口から、ぞっとするような虚《うつ》ろな声がこぼれるのを聞いた。玄蕃はそれをしっかり聞いていなかった。光國の不安がすぐに消えると信じ切っていた。

「弥智どのには、しかるべき場所にお移りいただき、不自由なきよう計らいます。赤子はつつがなく呱々《ここ》の声を上げましょう。まさかお父上も、お怒りにはなりますまい」

「……違う」

「ただ一つ、まだお父上も明かされてはおりませんが、若様の縁談がじきにまとまります」

光國は凍りついた。度重なる衝撃に、めまいを覚えた。

「なんだと……」

「ゆえにこの一件、決して口外なさいませぬよう。弥智どのと赤子につきましては、いずれ時期を考え、しかるべきとき、お邸に戻らせましょう――」

「違うのだ！」

たまらず吠《ほ》えた。玄蕃はぽかんとなっている。

「子……、子は……水にせよ」

光國は声を掠《かす》れさせて言った。喉《のど》が締め付けられるような感覚に襲われていた。ただ呼吸をすることが、苦しくてたまらなかった。

「なっ……、な、なんと仰せに？」

玄蕃までもが、ろれつが回らなくなっている。

「みっ……、水にするのだ。た、頼む、そうしてくれ。そうせねば、ならんのだ……」

硬直していた玄蕃が、また姿勢を正した。だが今度は、驚くべき速さで冷徹な武人の顔になっている。あまりに人間味を欠いた顔のせいで、光國は亡者と向き合っているような猛烈な気分の悪さに呻《うめ》いた。

「立ち会われますか？」

玄蕃が低い声で訊《き》いた。地の底から響くような声だった。

「なに？」

「それがしが、本当にそのように致すか否か、おん眼《まなこ》でお確かめになりますか？」

「……どのようにする気だ」

「腹の具合によります。それがしは見たことがありませぬが、腹が小さきうちは、生まれる前に処置いたす法があるとか。しかし腹が大きゅうなっては、中の子を処置するのは難しく、ゆえに、生まれたものに重きものを載せ、圧《お》し殺すとか」

光國は反射的に己の口元を押さえた。そうしながら、のど元に酸っぱいものがこみ上げてきていたことに気づいた。

「……いらぬ」

「は」

「なすべきようになせ」

「一つ、お訊きしてよろしゅうござるか」

「な……なんだ」

「弥智どののこと、それほどまでに厭《いと》うておられましたか」

「違う……」

光國はうつむき、己の口に当てた手に力をこめた。顎骨《がっこつ》を自ら砕きそうなほどの膂力《りょりょく》がこもっている。あるいはいっそのこと、本当に砕いてしまいたかった。

「もう訊くな……行け」

「は……」

玄蕃は一礼し、何も言わずそうした。

それからしばらく、光國は虚脱しきって日々を過ごした。何をするにしても力が入らない。何か途方もなく大事なものを喪《うしな》った気分だが、喪ったと感じることすら嫌忌《けんき》し、恐怖していた。読耕斎に相談したかったが、これぱかりは口にできなかった。

ほどなくして、弥智が邸から消えた。

新しい奥向きの老女が言うには、病を得たので里に帰ったが、癒《い》えればすぐに戻ってくるとのことであった。光國は、その老女がどこまで知っているのか、怖くて確かめることができなかった。

そんなふうに、嫌忌と苦悶《くもん》にまみれるばかりの中、ある日唐突に、

「若様……折り入ってお話がございます」

久々に、玄蕃のほうから、そう切り出してきた。

何の話か、とは訊けなかった。

首尾良く命じられたことを果たした、その報告に違いない。光國はそう信じた。聞きたくなかったが、聞かねば一生、己の怯懦《きょうだ》に打ちのめされることになる。

「茶室にお出《い》でいただけますでしょうか。人払いは済ませております」

「そうか……わかった」

光國は悄然《しょうぜん》として玄蕃の後について行った。心は早くも、恐怖に耐えるべく麻痺《まひ》しようとしている。何を聞いても衝撃を受けぬよう、鈍く鈍くなろうとしている。同時に、その表情までもが生気を失い、鈍化してゆくのがわかった。ひどく陰鬱《いんうつ》な気分だったが、他にどうすることもできなかった。

玄蕃がまず茶室に入室した。光國が続き、愕然《がくぜん》となって凍りついた。そこでようやく、重大な事実に気づいていた。いや、改めて思い出していた。

玄蕃は、ある意味で光國の義兄のような存在なのだ。なぜなら三木夫妻の娘を妻としているからだった。そして三木夫妻とは、水にされるはずだった自分と兄を無事に育ててくれた人たちだった。

迂闊《うかつ》にもそんな当たり前のことを忘れていた。

そんな玄蕃が、どのような決断を下すか、想像すればわかるはずだった。

すでに茶室には、先に入った玄蕃の他に、別の男が座っていた。

いつでも、優しい笑みで自分を迎え、励ましてくれるはずの男だ。

「そこに座れ」

なのに今、燃えるような目で、中腰のままの光國を睨《にら》み据えていた。

「聞こえなかったのか。そこに座れと言っているのだ、子龍」

兄の竹丸こと、松平頼重《よりしげ》が、言った。

そのおもてに、触れるもの全て切り裂きそうなほどの鋭い怒りをたたえていた。

明窓浄机《めいそうじようき》（六）

見出《みいだ》された義を信ずることは、ときとして信仰にも似た心持ちとなる。

信義も信仰も、様々な妨げを乗り越え、見失ってはまた新たに見出すということを延々と繰り返さねばならないからであろう。ただし信義が信仰と違うのは、論拠あってこその信義であり、信仰は論を超越した愛慕の念に等しいという点であろう。いつぞや、余が昵懇《じっこん》にしている日乗《にちじょう》上人が、その愛慕の念のありがたさを、こんなふうに語ったことがある。

曰《いわ》く、信仰を失うのは辛《つら》い。それは、あたかも突如として敬慕する父母から、実のところお前と我らとの間に血のつながりはなく、ゆえに情愛など一片も持ったためしがない、と告げられるがごときものであるのだと。まことに、母思いの日乗上人らしい喩《たと》えだ。

余がそのように神仏に愛慕を捧《ささ》げたことはいまだかつてないことである。だが、義が失われることへの恐れはよくわかる。余もその恐れゆえに、かつて最も残酷なことをしようとした。信義の分別などとても不可能な、赤子の命を葬り去ろうとしたのである。

それは信義の危機でもあった。

見出した義を守ろうとして、かえって義を汚すのである。それこそ義の難しさであろう。義を損なうものを、ことごとく退けることで、不義を働いてしまうのである。

信仰もまた、不信心を退けるためならば何でもしかねない。愛慕の念が失われることを恐れるあまり、不信心の原因と思われるもの全て、たとえおのが父兄や子孫ですら葬るのである。実際にそうしたとして、おそらく盲信はいささかも揺るがず、かえって強固になりかねない。そうした盲信が是か非かはさておき、義においては、そのような振る舞いはかえって不義を招くことになろう。

余があの男を殺《あや》めたのも、それゆえである。大義の成就を求めて、おびただしい不義を働くことになれば、不義を是とする戦国の世に再び戻るばかりだ。その点で、義は信仰と異なるのである。義は盲信するものではない。いくたび危機を迎えようと理知を尽くしてまっとうすべきものなのである。

余が見出した信義も、幾たびとなく危機に瀕《ひん》した。だがそのつど、幸いなことに、義を助ける者が現れてくれた。それが神仏の導きというものであるのかはわからぬ。いずれにせよ、信義は、危機に瀕したときにこそ、その真価がわかるものなのである。

地ノ章(二)

一

——ずいぶん、痩《や》せたな。

怒気を発する兄に対し、光國《みつくに》は、咄嗟《とつさ》にそういう呑気《のんき》な感想を抱いた自分に戸惑った。身は、恐怖で総毛立っている。刃《やいば》を突きつけられるよりよっぽど怖かった。この予期せぬ突然の恐怖のせいで、心があえて見当を外すような観点でこの事態をとらえようとしているのかもしれない。

兄の竹丸《たけまる》こと松平頼重《まつだいらよりしげ》は今年三十一歳。将軍様の覚えもめでたいが、その分、相当な負荷を心身にかけているはずだ。自然と健康を気遣う思いが湧いたが、そこまでだった。

「座れ、子龍《しりよう》」

みたび兄が言った。光國の体が勝手にその言葉に従った。いつの間にか兄よりも背が高く、屈強となった光國の体軀《たいく》が、明らかに怯《おび》えて縮こまっている。獰猛《どうもう》な獣が、鞭《むち》の音にひれ伏すようだった。

兄と対座し、ちらりと伊藤玄蕃《いとうげんば》を見た。

玄蕃は表情を消し、無言で座っている。廏《うまや》のほうから馬のいななきと、かすかな人の気配が伝わってきた。兄の家臣だ。その存在に気づかないほど己を見失っていたことに改めて気づかされた。

「お前が、それほどまでに父上を恐れていたとはな」

兄がやや抑えた調子で言った。

「めでたき儀だ。父上も、孫を楽しみにしている点では、世の親と変わりない」

前置きも何もなく、兄らしい単刀直入さで本題に入った。やはり子のことだった。光國が水にしろと告げた理由を、そう解釈されたのだ。明らかに見当違いだし、父は理由ではなく、原因だった。父の過去こそ、光國が苦悩する不義の根源であり、世子の座を巡るねじれを生み出したものだった。

だが兄の見当違いを指摘することができなかった。兄の子を、光國が養子にして水戸《みと》藩の藩主とする。光國がやっと見出した義を、兄に告げることができない。そのことにも初めて気づかされた。

なぜなら、言えば兄は反対するからだ。兄にとって光國が水戸藩を継ぐことは、父の意向ゆえであり、とっくに解決された問題なのだから。水戸藩の世子問題を、兄はいわば「孝」の観点から受け入れた。それをひっくり返すことは兄にとって不孝でしかない。それを光國は「義」の観点から修正しようとしているのだが、それを告げるには最悪の状況だった。ここで何を言っても、兄は反対するだろう。それも光國がかつて見たこともない怒りの念をもって。

いったいこれは何だ。やっと見出した義が、他ならぬ兄によって阻まれるなど考えもしなかった。

そこへさらに兄が声を穏やかにしてこんなことを訊《き》いた。

「父上も、お前には黙っていたはずだが、どこで漏れ聞いた？」

「え……？」

「お前の縁談のことだ」

光國は目を見張った。どうにかせねばとは思っていたが、まさか兄の口から話が出るほど、すでに具体化されていようとは思いもよらないことだ。

光國は二重の衝撃を受けた。兄は、縁談こそ子を殺す理由かと半ば断言し、半ば質問していた。縁談がまとまろうという矢先に、別の女と子を作るなど外聞が悪い。父がどんな家の女子《おなご》を自分に娶《めと》らせようとしているか想像もつかないが、なんであれ厄介ごとに変わりなかった。もしまかり間違って破談の原因となれば、家と家の関係にかかわる。だから子を水にして、なかったことにする。

いかにも愚かだった。だが兄にしてみれば、それ以外に光國が子を拒む理由が見つからないのだ。

「そうじゃないんだ」

驚き慌てて否定した。だがその後の言葉が続かない。違う、わかってくれ。そう叫びたかった。だが何をどうわかって欲しいのか、光國自身がだんだんわからなくなってきた。

兄が眉《まゆ》をひそめた。光國の様子に不審を抱いているらしい。だがどのような理屈で光國が惑乱しているかなど、わかるはずがなかった。

「なぜだ」

とことん兄らしく直截《ちょくせつ》に問うてきた。

「お前も私も、幸いにして世に生を享《う》けることを許された。産声を上げる間もなく葬られていたかもしれないのだ。我らこそ、水にされるかもしれなかった兄弟なのだぞ」

声に激情がこもった。兄の気持ちが痛いほど伝わってくる。もし立場が逆だったとしたら、光國だって、何としても子が殺されることを防ごうとしたに違いないのだ。

「そんなお前が……この私の弟であるお前が、なぜ罪科《つみとが》もない赤子を殺さねばならんのだ」

義のためだ。絶叫したかった。なのに一言も告げることができず、握りしめた両手も顔も、血の気が引いて真っ青になっている。そのくせ全身に力がこもり、熱病にかかったように小刻みに震えながら、玉のような汗が噴き出ていた。

兄の怒りは今や頂点に達そうとしているのがわかった。だが怒りながらも、光國の様子があまりにおかしいので、怒り切れないでいるのだ。

もしここで、義の一件を話せばどうなるかと考えた。駄目だ。それこそ兄の怒りを爆発させる。兄の血筋に政務を還《かえ》すために子を葬るのだ。兄にとっての最大の禁忌を犯して初めて成り立つ義など、兄にとって義でもなんでもない。必ず父と相談し、無に帰す方策をたちまち整えてしまうだろう。

もう訳がわからなかった。どうしてこうなってしまったのか。そもそも、おれが生まれなければよかったのだ。もう少しで声に出してそう言いそうになった。あるいはいっそ病で死んでいるべきだった。父に泳げと命じられたあの川に沈んでいれば、このようなことにはならなかったのだ。

「……わかった」

やがて兄が言った。急にその声音が優しくなり、かえって光國をぞっとさせた。

「これより、娘と子についてお前が案ずることは何一つない」

兄の静かな断言ほど怖いものはない。何があろうと必ず実現させる意志と明晰《めいせき》さを兼ね備えた兄である。いったい何を決めたのか。戦々恐々となる光國に、兄が当然のことを口にするように告げた。

「私が、娘と子を預かる」

息を呑《の》んだ。ただでさえ声を詰まらせ、口にしたくてもできない思いで肺腑《はいふ》が膨らみきっているところへ、驚きが加わり、もはや木っ端《こば》みじんに破裂しそうだった。

だが同時に、光國の心の深い場所で、途方もない安堵《あんど》の声が上がっていた。

「むろんこれは、父上のあずかり知らぬことだ。よいな」

反射的にうなずいてしまい、強烈な情けなさに襲われた。たとえ刃で脅され、やむなく命乞《いのちご》いすることになったとしても、これほどまでの情けなさは感じないだろうと思った。

まさか、こんなふうに、またもや兄に甘えるのか。いったいどこまで自分はこの兄に頼るのか。そしてそれでいて、早くも、身は恐ろしいほどに虚脱しようとしている。

（赤子殺しの罪を背負わずに済む――）

そんな心のささやきを自覚し、もう、ぐずぐずに溶けそうなほどの安心を覚えていた。生まれる子も、弥智《やち》の今後も、決して悪いようにはならないはずだった。そこまで頼り切っていいはずがなかったが、このときこの場では、それ以外になすすべもなかった。

「代わりに、今ここで、お前が子に名をつけろ。男の名だけでいい」

兄が言った。罰でも与えるかのように、一転してまた厳しい声になっていた。

光國は必死に考えた。かの冷泉為景《れいぜいためかげ》に詩を贈るときですら、これほど緊張しなかった。答えをしくじったら、今度こそ兄は本気で怒り出す。それが怖くて仕方なかった。

が、子の名など金輪際考えたこともない。どう決めてよいかわからず、

「……鶴松《つるまつ》」

ほとんど無意識に告げた。兄と自分の名だった。生まれたときに与えられた名だ。兄が鶴千代《つるちよ》、自分が千代松《ちよまつ》。兄弟のかつての幼名から、一字ずつとったのだ。兄に阿《おもね》ったというより、単純にそれ以外まったく発想できなかった。

だがそれが容赦となった。にこりと兄が笑んだ。光國も本当は子を殺したくなどなかったし、こうして助けられたがゆえに芯《しん》から安堵している、ということが伝わったのだろう。

情けなく、みっともない思いを味わいながら、それでまた安心してしまう自分がいた。

「決まりだ。私は父上に挨拶《あいさつ》してから屋敷に帰る。お前は顔を出さなくていい。父上にはお前に会ったと言っておく。では、くれぐれも父上と母上、そして己の身を大切にな」

兄が立ち上がった。光國は反射的に、兄に向かって頭を下げた。土下座に近い恰好《かっこう》である。謝罪の思い、感謝の思い、言いたくて言えないゆえの憤懣《ふんまん》、あらゆる感情のこも

った、ぶざまなほど全身に力みの入った、いびつな「礼」だった。

兄は、その光國を見て見ぬふりをし、それ以上は何も言わず、茶室を去った。

光國はしばらくそのまま動けず、やがてゆっくりと顔を上げると、改めて玄蕃の顔が視界に入ってきた。呆《あき》れたことに、玄蕃は光國を憐《あわ》れむ面持ちでおり、涙ぐんでさえいた。

光國の真意をまったく知らぬまま、光國の惑乱する心情に共感しているのだろう。なぜ光國が苦しむのか、見当すらつかずにそういう心情の同化をしてのけるのが玄蕃だった。

「お怒りはごもっともにござる。拙者、いかなる処分も甘んじてお受け申す」

これはむろん、独断で、弥智と子の一件を兄に相談したことだ。だが処分などできるわけがない。父に伝わり、世間に風聞される。

「馬鹿」

呆れ果てる思いで唸《うな》った。本音では、その剛力にまかせて玄蕃をひっぱたいてやりたい気もするし、相手の肩をつかんで礼を言いたい気もする。

ふと、花生けのすぐそばにある、短刀を刺した跡が目に入った。

今は亡き中山信吉《のぶよし》に、屋敷を去る兄を引き留めるよう、訴えたときの痕跡《こんせき》だった。

「……この茶室は嫌いだ。おれの思うこととは何もかも反対になる」

溜息《ためいき》とともに、そんな身勝手な愁いがこぼれた。

二

屋敷から弥智の姿が消えてのち、玄蕃を通じて一度だけ光國は、弥智に詩文と金品を贈っている。さぞ自分を恨んでいることだろう、という詫《わ》びの詩文だった。だが玄蕃が言うには、弥智は万事、大人しくまた健気《けなげ》に、今後の「処置」を受け入れているという。まぎれもない「御落胤《ごらくいん》」を産むことになる娘の心境がいかなるものか、わかるようでわからなかった。

なんであれ、義は守られた。自分の子を兄に預けるというのも、思えば、兄の血筋を水戸藩に受け入れる上でまたとない状態だった。兄のことだから、お家騒動をもたらすようなしくじりは犯さないだろう。弥智という娘の性格を考えても、そのような危うい将来を思い浮かべることはできない。

とはいえ、己の身勝手さ、甘ったれの情けなさに、気が滅入《めい》る思いを振り払えなかった。これはこれで己の心を殺して義をまっとうしているのだというのも言い訳じみている。

しかもこうして安堵するや、強烈に弥智に会いたくなるのだから呆れたものだった。それほど強い恋情を、あの娘に対して抱いていたことを自覚させられたが、もはやどうすることもできなかった。

ほどなくして玄蕃を通じて弥智から返事と返歌がきた。驚くほどの芯の強さを感じさせる文と詩だった。子を水にする覚悟を抱いていたのは明らかで、産めるありがたさに感謝するとさえ言っていた。

その返文のせいで、義直《よしなお》から聞かされた、母・久子《ひさこ》のことが思い出された。母も己の腹の子を自ら水にし、さらには己の命をも絶つつもりだったかもしれないという。その再現に思えて恐ろしかった。自分の意志ではどうしようもない業《ごう》のようなものを感じさせられ、ぞっとなった。

それ以後、互いに文は絶えた。それでよかった。会いたいという思いを押し殺すのはなんでもなかった。己の子を水にしたかもしれないのだ。それに比べれば、なんでもないに決まっていた。

それでも思いを葬るのは容易ではない。ゆいいつ話すことができる相手に、話を聞いてもらうことでやっとどうにかできた。その相手は、もちろん読耕斎《どっこうさい》である。

「中道を行えば心が軽くなるわけではない。むしろ重苦しいからこそ貫くべきものだ」

読耕斎が言った。弱音を吐くことで冷笑的な態度をされるかと思っていたし、いっそそうして欲しい気もしたが、読耕斎はびっくりするほど同情的だった。

「生まれた子を抱くことすらできんとは。因果な義を見出《みいだ》したものだ。それでもまっとうしようとする心根は、聖賢の士たちに通ずる。美事なものだ」

そんな誉め言葉さえ出てくるのだから、かえって落ち着かなくなる。光國からすれば、到底、己を誉めるなどという心境にはなれないのだ。

「情けない思いばかり募って、肺腑が腐りそうだ」

「もし本当に聖賢の道にお前があるなら、腐れる前に、おれの左目のように使いが来て、天に還《かえ》してくれるだろう」

などと真顔で返され、無性に腹が立った。

「肺腑を鳥に食われるなど、いかにも業腹《ごうはら》だ。もし本当に鳥が現れたならば、逆に食ってやろうか。本当に天の使いならば、この胸の悪さも癒《いや》してくれるかもしれんからな」

むっつりとなって言う光國に、読耕斎は宥《なだ》めるようにうなずき返している。

それから間もなく光國は、頼房《よりふさ》から、玄蕃の娘であるお吉《よし》が懐妊したことを聞かされた。

読耕斎にも子が出来たのだ。道理で同情的なわけだった。読耕斎にとっては晴れがましい一事である。きっと光國に言おうと思ってできなかったのだろう。あの隠者志願の男もまた、世から遁《のが》れる願望を抱きながら、家のため父兄のため嫁を娶《めと》って子をなした。喜びもあれば諦念《ていねん》もある。そういう思いを聞いてやれず、自分の苦悶《くもん》のことばかり口にした自分に、ますます気分が落ち込んだ。

鬱々《うつうつ》として日を過ごすうち、兄から手紙が来た。

弥智と腹の子については何も書いていないが、つまりは何も心配するなという労《いたわ》りの手紙だった。讃州《さんしゅう》に帰る前に自邸で梅の花を観る会を催すので、ぜひ出席してくれという。

梅は光國にとって己の出生そのものを意味する花だ。母・久子が、光國をみごもったとき、水戸の三木家の庭に梅の実を埋めたからである。その梅も今では光國と同じように健やかに生長している。つまりは、光國の子を養う算段を、ぬかりなく整えているという兄の報告だった。と同時に、弥智がいずれ適当な家に嫁ぐであろうことも予言していた。

いたたまれない思いだが、光國はとにかく感謝と詫びの念をしたため返事を出した。

そうしつつ、

（縁談）

その言葉に、繰り返し心を揺さぶられた。

弥智の一件が片付いても、さらに別の難題が残されていた。むしろこちらのほうの方策は皆無といってよかった。このままなすすべなく嫁をもらうことになるところを想像すると、ぞっと背筋が凍る思いがする。子を殺してまでまっとうしようとした義が、こうも立て続けに成就を阻まれるとは。

何とかしなければならなかった。だが何をどうすればいいのか、さっぱりわからない。そもそも父がどのような意向をもって、どんな家の娘をもらおうとしているのか、まったく知らないのだ。それどころか、縁談の用意をしているということすら、一言も光國には告げていなかった。

つまりそれだけ、どうなるかわからないほど高位の家を目当てにしているということでもある。おそらく入念に根回しを行っていることだろう。となれば、無事に縁談が整った暁には、それを覆すことは並大抵のことではなくなる。

時が過ぎれば過ぎるほど、光國の義が無に帰す可能性が高くなる。せめて父がどんな家の娘を娶らせようとしているのかわかれば、およつ姫のときのように、防ぐ手だてはあるのだが――。

とにかく知恵を絞らねばならず、己一人で足りねば、もっと頭脳明敏な男に頼るのが自然な成り行きだった。というわけで、またもや読耕斎に相談するしかなかった。だが読耕斎の厄介な点は、問いに答えるというかたちでしか持論を述べないところだ。光國が、何らかの方策や思案を持たない限り、

「知らん」

の一言で片付けられてしまう。

そこで考えたのが、何らかの狼藉《ろうぜき》を働いて縁談をぶちこわしにすることだ。しかしそれではまた、義直が教えてくれた父・頼房の過去そのまんまである。いったいどんな業の糸で結ばれているのか。父母の過去のねじれた再現を演じるために自分が生まれたなどとは、さすがに思いたくなかった。

が、それ以外に方策が浮かばない。いったいいかなる狼藉を働けばよいのか。縁談を

整えんとしている双方の家に傷をつけてはならず、二度と縁談が持ち上がってもいけない。

「生涯、正妻を娶らず」

と父が宣言したのと同じような効果をもたらす狼藉であるべきだった。だが何も思いつかない。そのうち、いつものように読耕斎が水戸家の蔵書を求めて屋敷に現れたと家人から聞き、方策がないまま相談することに決めた。話していれば何か思いつくだろうと、藁《わら》にもすがる思いだった。

詞臣が詰める部屋に行くと、果たして読耕斎がいた。声をかけようとして、思わず口をつぐんだ。何か様子がおかしかった。読耕斎は、机の上に書を積んだまま、じっと右目を虚空に向けている。

かと思うと、ふいに光國のほうを見て、

「いつから、そこにおられた」

意外そうに言った。気配に敏《さと》いこの男が、まったく気づかなかったらしい。

「今だ」

なんとなく光國は相手を気遣う気持ちになって嘘をついた。

「来い。茶を振る舞ってやる」

例のごとく、忌憚《きたん》ない話がしたいと言外に告げた。読耕斎がうなずき、無言でついてきた。その動作も強《こわ》ばっていれば、視線も表情も硬かった。何か悲嘆をこらえているのは明らかだった。

ふいにどこかで鳥が鳴き、光國はぎくっとなった。鳥だと思うが、そうではない気もした。胸中で嫌な予感が膨らんだ。夢で読耕斎の左目を食らったという天の使い。それがいかにも禍々《まがまが》しいものに思え、背筋がちりちりする感じに襲われた。ついつい鳥を探そうとしてしまい、内心で舌打ちした。

肚《はら》に力を入れ、茶室に入った。読耕斎を座らせ、出来る限り落ち着いて湯を沸かした。

読耕斎は黙ったままだ。光國は胆力で嫌な予感をねじ伏せ、あえてゆったりと茶を淹《い》れた。その茶の温《ぬく》もりが、相手の身中に注がれるのを見計らって、そっと訊《き》いた。

「どうした。嫁御の具合が悪いのか?」

玄蕃の娘であるお吉は、才媛《さいえん》だし気も利くが、身が柔弱だと聞いていた。もしや子をやどした状態で、異変をきたしたのかもしれない。そう思うと、自分の妻子でもないのに恐慌が湧くのを覚えた。

「持ち直してくれた。熱は下がった。腹の子にも支障はないと医者が言っていた」

読耕斎が言った。心ここにあらずの、完全に棒読みの口調である。お吉が発熱したことについて光國が知っているかのような答え方だが、もちろんこちらは初耳だった。

「それを聞いて安心した」

あえて光國は相手に話を合わせた。さっさと読耕斎の目を、この今の現実に引き戻したかった。さもなければ、先ほどのあの鳥の鳴き声がまたもや飛んでくるような気がして仕方なかった。

そういう光國の不安を察したのかどうか、ふっと読耕斎が微笑んだ。

「こんな具合に子は生まれるのだな。心のどこかで、冥途《めいど》に連れて行かれるのではないかと思ったりもしたが、あの方がそんな真似をするはずがない。黄泉《よみ》の国から伊弉冉尊《いざなみのみこと》が死をもたらせば、同じ数だけ、この地上では伊弉諾尊《いざなぎのみこと》が命をもたらす。つまり、そういうことらしい――」

「読耕斎」

たまらず遮った。現実に引き戻すどころか、訳のわからない幽冥界の話を延々とされそうだった。

「いったい、何があった」

読耕斎が微笑みを消した。その右目がやっとこちらを向いた。確かに現実に戻ってきたらしい。だが代わりに恐ろしいほどの悲しみの光をやどしていた。

「お前のほうにはまだ届いていないらしい。じき届くと思うが……まさか、おれから最初に伝えることになるとはな」

「何があったのだ」

繰り返し問うと、ようやく読耕斎が答えを告げた。

「為景どのが亡くなった」

いきなり突き飛ばされたような衝撃があった。ついで両手に熱を感じた。見ると畳の上で茶碗《ちゃわん》が転がっていた。いや、茶碗ではなくその破片だった。淹れかけていた茶が、両手を濡《ぬ》らしている。力を込めて握ったせいで、粉々に砕いたのだと遅れて悟った。

「馬鹿を言うな」

ぱらぱらと手から落ちる破片を見つめながら言った。

読耕斎は何も答えない。

頭上のどこかで、鋭い鳥の声が一つ、響いた気がした。

三

空虚な日々が過ぎていった。

光國が冷泉為景の訃報《ふほう》を受け取ったのは、読耕斎から告げられてから数日後のことだ。

(本当に死んだ)

為景の遺族からの便りを読んで、胸にぽっかりと穴が空いたような悲しみを覚えた。

「病で亡くなった。肺の病だそうだ」

と読耕斎が告げた通りの死に方だった。最後は言葉を口にすることもできず、代わりにおびただしい血を吐き続けたという。あの底なしに開けっぴろげな歌人から、末期《まつご》の歌を口にすることすら奪うとは、なんと惨《むご》い死に方か。光國は戦慄《せんりつ》し、そして慟哭《どうこく》した。得難い生涯の朋友《とも》を失った悲しみに、唸《うな》り声を上げ、とめどなく涙を流した。

「詩文を贈って差し上げるべきだ」

読耕斎は光國に言った。言われるまでもなかった。ゆいいつ光國の悲しみを癒《いや》してくれる手段だった。光國は為景の死を悼む詩文を、涙とともにしたため、京へ送った。

その悲痛が、いっとき苦悶《くもん》を完全に忘れさせた。兄が告げた、光國の縁談の件である。兄の子を藩主に迎えるという義をまっとうするには、何としても縁談を拒まねばならない。だがその方法も、そもそも相手の家すらも不明だった。

改めて読耕斎に相談したが、

「相手の家がお前を嫌うか、誰か家勢ある者に、婚儀に反対してもらうしかない」

というのが読耕斎の返答だった。嫌われるために狼藉を働くとしても、それによって家に傷がつかぬようにするためには、誰かに上手《うま》く仲裁してもらわねばならない。そしてそれだけのことができる仲裁者がいるなら、最初からその人物に、縁談の白紙化を働きかけてもらうのが一番だった。

だがなんとそこで光國の脳裏に思い浮かぶのは、兄・松平頼重をおいて他になかった。まさに八方ふさがりの証拠のような思念である。兄は確かに、光國の願いであれば、なんでも協力してくれるだろう。縁談を反古《ほご》にすることすら、やってのけるに違いない。

しかしそのためには、光國が包み隠さず理由を話さねばならない。適当にごまかそうとしても兄は即座に見抜く。幼い頃から人の心を読み取ることに長《た》けていた兄である。光國が嘘をついているかどうかなど、兄は書かれた字を読むようにたやすく判別する。

そして、ひとたび理由を話せば、今度は兄が最大の障壁となる。光國が見出《みいだ》した義が、決して実現しないよう、兄はあらゆる手段を尽くすはずだ。

今度ばかりは兄に頼れない。では、兄以外に誰がいるか。誰も思いつかなかった。ならば自力でやるべきだが、どうしたらいいのかまるで見当がつかない。考えるほどに、情けなさに襲われた。

ほどなくして改元があり、慶安五年は九月から承応《じようおう》元年となった。そしてその冬、さらに光國は惨めな気分に陥っている。

子が生まれたのである。

そのことを光國に告げたのは、もちろん傅役《もりやく》の伊藤玄蕃だ。

父に付き従って登城し、控えの間に坐《ざ》していたときのことだ。〝御城での〝控え〟は、とにかく時間が長い。呼ばれるまで、いつまでもそこにいなければならない。光國は徳川連枝とあって、諸大名に比べ、緊張の度合いも低い。しばしば書を持参し、待ち時間を使ってゆったり読書をすることもできた。だがこの時期は学問に打ち込む気力が湧かず、茫々《ぼうぼう》と宙を見つめているうち、傍らの玄蕃に、

「弥智はどうしている」

つい、ぼそりと訊いてしまった。正直なところ、為景が亡くなって以来、惜寂の思いが募るばかりだった。単に文《ふみ》を交わし、同じ屋敷にいるだけで満足を与えてくれる。さすが、今は亡き小ごうが、これと見定めて送り込んだ娘であるというべきか、光國の気

性にぴったり合った女性だった。

「四日前の十一月二十一日、酉《とり》の刻。我が家にて」

玄蕃が、低く呟《つぶや》くように言った。

「無事、お生まれになりました。健やかなる男子《おのこ》でございます」

光國は、玄蕃の小声が襖《ふすま》越しに誰かに聞かれるのを憚《はばか》ってのものだと、遅れて気づいた。実を言えば、子のことを訊くつもりはなかった。弥智と会うことはできないにしても、ひとたび文だけでも交わせないかと勝手なことを思っていた。

「……そうか」

「お子は、御成橋備前町《おなりばしびぜんちょう》にある、三浦市右衛門《みうらいちえもん》と申す士の宅に移しております。頼重様のおはからいにて、彦坂《ひこさか》様が万事、取り仕切って下さいます」

彦坂とは、頼重に仕える家老・彦坂織部《おりべ》のことだ。清濁併せ呑《の》む人物で、人心に敏《さと》く、己の務めとしたことがらには一切手を抜かない。

秘事において特に重宝すべき男で、つまりは何の心配もいらないと玄蕃は言っていた。

将来、〝御落胤《ごらくいん》〟となる子は、近々、讃岐《さぬき》高松藩に移送されることだろう。

「……弥智は？」

「頼重様のお言葉では、いずれ水戸家の良き士に娶《めと》らせるのが良いとのことでございます」

光國を強烈な寒けが襲った。もう弥智は手の届かないところにいる、ということだけではない。己の子の誕生すら祝えないことに、ようやく気づかされていた。いきなり無人の雪原に放り出されたような、凍《い》てつく孤独に襲われた。自分にそのような衝撃が到来するとは考えたこともなかった。

「女に手をつけ子を産ませ、そして家臣にくれてやるか……」

光國は言った。ほとんど言葉にならぬ呻《うめ》き声のような声音だが、玄蕃の耳には届いたらしかった。

「は……」

と、何の感情も込めない相づちが返ってきた。

「どこの大名家でも似たり寄ったりと聞くな」

呻き声に、自嘲《じちょう》とも自虐ともつかない響きが交じるのを悟り、光國は口をつぐんだ。

そこでようやく、産んだばかりの子を連れ去られた弥智のことに思いが及んでいた。この自分など腹を痛めて誕生させた生命を、その日のうちに手元から奪われるのである。光國は、己を憐《あわ》れむ気持ちの一切を

などより、よっぽど悲痛に耐えているはずだった。光國は、己を憐《あわ》れむ気持ちの一切を呑み込んだ。決して表に出すまいと瞬時に誓った。

「二度と繰り返さぬ」

それだけを玄蕃に告げた。玄蕃はいつも通り感情を表に出さず、ぼそっと問うた。

「なにゆえ水に流せと仰《おつしや》られたのですか」

「訊《き》くな。今はな。言えるようになるまで、長生きしてくれ」

それがせめてもの感謝の言葉だった。玄蕃は口をつぐみ、ついで深沈と頭《こうべ》を垂れた。

その夜、眠れず虚空を見つめるうち、読耕斎の言葉が自然と思い出された。

伊弉冉尊《いざなみのみこと》が黄泉《よみ》の国から死をもたらせば、伊弉諾尊《いざなぎのみこと》がこの世に生命をもたらす。そういう考え方が、ひどくしっくりきた。為景が世を去り、読耕斎や自分に、子が生まれた。

二人の男が、その将来を描くとき、まず除外していたのが己の子の存在である。なのに、学論や大義などよりはるかに強烈な存在感を伴って、この世に現れていた。まるで人の命こそが、学論も大義も無視し、何もかも混沌《こんとん》のきわみに陥らせようとしている元凶のような気さえした。

（わしもそうだ）

虚空に向かって、心の中で呟いた。

（生まれて来ねばよかったものを……命を得て、貪欲《どんよく》に生き延びおった）

せめて血筋だけは絶やすと決めてなお、この有様か。ふいに怒りが湧いた。と同時に、己の血を引く幼子を、この両腕《かいな》に抱けぬことに、空恐ろしいほどの寂しさを感じた。

（大義のため……いや、これは、わしが生きてこの世にいることへの罰か）

そんな無惨な思いとともに、光國にとっての承応元年は暮れていった。

年が明けてしばらくして、兄から便りが届いた。

『園の梅をおくる時の消息』

と題された、兄らしい柔らかな和文だった。内容は、兄の屋敷で開かれた梅の花の鑑賞会に光國が来てくれなかったことを残念がり、代わりに梅の枝を一つと、和歌を三首、贈るというものだった。

かねてから誘われていた会だったが、どうしても行く気になれなかったのである。

光國は重苦しい気分のままに返書をしたためた。礼を述べ、素直に兄の和歌を褒め称《たた》え、返歌を用意した。そしてつい、梅についての故事を踏まえた文言を記していた。

『聞くところによれば、かの王仁《わに》が難波《なにわ》の宮に奉った歌も、御兄弟《おんはらから》の御事なれば、それもこれも連なる枝は、高いものも低いものも、彼らのようにありたいものです──』

難波の宮とは、第十六代・仁徳《にんとく》天皇となられた大鷦鷯尊《おおさざきのみこと》のことである。大鷦鷯尊は弟を思って即位せず、百済《くだら》から帰化した王仁博士が、梅花にまつわる詩歌をもって位に就くよう促したことがきっかけで、ようやく即位した。連なる枝、すなわち兄弟は、目上も目下もともに、大鷦鷯尊ならびにその弟・菟道稚郎子《うじのわきいらつこ》のようにありたいものだ。そんなふうに自然と筆が文章を綴《つづ》っていた。

そうして家人に頼んで返書を兄に届けてもらってのち、

(まずい)

はっと不安に襲われた。大鷦鷯尊を兄、菟道稚郎子を自分に喩《たと》えたのは明らかである。もしかすると、水戸藩主の系譜を兄の血筋に譲ることを、兄に察知されるかもしれない。

だがもう書は出した後だった。後悔先に立たずで、光國は歯を食いしばって己の心の弱さを責めた。とはいえ、さすがにこれは神経質すぎた。さすがの兄も、僅《わず》かな文面からそこまで察知できるわけがない。もはや強迫観念に苛《さいな》まれており、本格的に心を立て直さねば、身が保《も》たないことを直感した。

そのためには、己の大義をまっとうすべく万全の態勢を整えた上で、この重苦しい思いを体の外へぶっ放す方策が必要だった。そして、前者が皆目見当のつかないまま、後者にのめり込んだ。これまで以上に、文事にひた走ったのである。

とにかく詩作に励み、水戸家の詞臣たちの文事を手伝い、さらには亡き義直から託された文庫の目録をもとに、史書の整理熟読を猛然と行った。

その働きぶりを、読耕斎がしばしば茶化したが、これは半ば光國の身を心配してのことだろう。光國の熱意の裏にある、友の死、子の誕生、見出した大義が成就しないことへの不安といった全てを、読耕斎だけが知っていたのである。

「焦慮は疲弊を、疲弊は誤謬《ごびゅう》を招きますな」

いつものしゃらっとした調子で読耕斎が繰り返し宥《なだ》めたが、光國は止まらない。体力の限りを尽くして、徹底的に根を詰めることでしか、気力の回復はないと本能が知っていた。

自分の文事詩作だけでは飽き足らず、どんどん詞臣たちの文事にも関わった。父に書をもって仕える真幸筆海《まさきひっかい》という者が記す、日本と中国とインドの墨跡および良書の著略伝を手伝い、『三国筆海全集』と題されたその書に、序文を提供することまでした。

およそ二十六歳でできる仕事ではない。江戸の学者たちはこぞって光國の学識の広さに驚嘆した。諸藩の詞臣たちが噂を聞きつけ、詩歌や学論など、大名同士の外交や君主育成に関わる件について、ひそかに光國に助言を請うようになっていた。

だが光國にとっては周囲の評価など慰めにもならない。一向に気力が戻らず、むしろ肝心の大義の算段を整えることから逃げているのではないかと不安になった。それでますます文事に没頭し、それが耽溺《たんでき》に思えて余計に焦燥に駆られ、かといって大義の算段はならず、不安が増してゆく。そういう悪循環の中での、猛烈な文事への傾倒だった。

その有様にようやく歯止めがかかったのは、夏の盛りのことだ。

七月、後水尾《ごみずのお》法皇の皇子である花町宮良仁《はなまちのみやながひと》の一行が、江戸に下向した。四代将軍家綱《いえつな》の、右大臣昇進を伝える勅使としてである。

この右大臣叙任の儀式に、徳川連枝として光國も参列している。その儀式のあと、

「中将様、お待ち下され、中将様」

城中で、ある人物に呼び止められた。振り返れば、少年が懸命になって廊下を追いかけてくる。大名家に義務づけられた、やたらと裾《すそ》を引きずる袴《はかま》を頑張って前へ出し続けながら、少年が言った。

「中将様にお願いしたき儀が。ぜひとも、お願いいたします」

「どうなされた、巳之介《みのすけ》どの」

光國のほうが裾に苦戦する少年のほうへ、大股《おおまた》に歩み寄ってやりながら訊いた。

仙台《せんだい》藩三代目たる嫡子《ちゃくし》、それがこの巳之介だった。今年、十四歳。六男であったが兄

の夭逝《ようせい》で跡継ぎとなり、この翌年には、将軍家綱の一字を賜って伊達綱宗《だてつなむね》となる。

仙台藩は、水戸藩と密接な関係にある。そもそも伊達をはじめとする東北諸侯を押さえるため水戸藩が設置されたのだ。仙台藩主が参勤するとき水戸領を通過せねばならず、必然、接触が多くなる。

互いに密偵を潜り込ませ合ったり、様々な嫌がらせをして相手の疲弊を招こうといった関係は過去のものだ。むしろ仙台藩の初代・政宗《まさむね》や二代・忠宗《ただむね》と、水戸藩の初代・徳川頼房とは、互いに好意を抱く間柄だった。祖父や父同士の関係が良好なら、自然と子同士の関係も良くなるものである。

加えて、巳之介は詩歌をはじめ文事を好む少年だった。かなり頻繁に、光國に添削を請うたり、貴重書の貸し借りをしていた。

「それが、中将様……実は本日より、我が家で、勅使たる良仁様をお迎えすることになりました」

巳之介がふうふう息を切らせて告げた。

「血縁なれば、自然な成り行きですな」

光國は慇懃《いんぎん》に言った。相手が十二も年下の少年であろうと、しっかり礼儀をもって接している。

それで付けあがるような魯鈍《ろどん》な少年ではなかったし、むしろ光國を歌学の師と慕うほどで、光國もその利発さや聡明《そうめい》さを好ましく思っていた。

「ですが……父が言うには、私が、もっぱら良仁様をご歓待申し上げろと……」

少年が不安で泣きそうな顔になって言う。

「なぜなら、私と良仁様は、従兄弟《いとこ》の間柄に当たるのだから、親交を結ぶように、と……」

「うむ」

光國は思案しつつうなずいた。巳之介は、良仁親王の母の縁類にあたる女性を娶《めと》ることになっていた。名は貝姫《かいひめ》。むろん、れっきとした、後水尾法皇の血を引く姫だ。

朝廷と伊達家の婚姻関係に、幕閣はかなり神経を尖《とが》らせている。だが藩主の伊達忠宗は、剛毅《ごうき》さと老獪《ろうかい》さとをもって、すいすいと縁談を進め、幕府承認を取り付け、婚姻を既成事実としてしまった。

その魂胆は、単に朝廷を味方につけようというものではない。由比正雪《ゆいしょうせつ》が引き起こした乱の一件を機に、幕府は武断から文治へと大きく舵《かじ》を切った。文化事業が出世の手段となるなら、必然、その中心軸は文化都市の筆頭たる京になる。

よって朝廷との婚姻政策は、伊達家が文化面で力をつけるためだ。この勅使下向を機に、しっかりと関係を根付かせたいのだろう。だが少年にとって良仁親王は、文化の化身たる後水尾法皇の血縁である。なまじ詩歌を好み、歌学をかじっているため、相手の偉大さに緊張し、気後れしてしまう。

光國はその少年の姿に、まさしく冷泉為景を自邸に迎えたときの自分を重ねた。卒然と胸にこみ上げてくるものの強烈さに、危うく涙ぐむところだった。

「……それで、それがしへの願いとは？」

昂《たか》ぶる思いをぐっとこらえて訊《き》いた。

「中将様は、かつて冷泉家の当主をお招きし、その歓待の妙は、今も京の歌人の間では噂になるほどだと聞きます。どうか、良仁様のいらっしゃる席に、中将様にも同席していただき、私の至らぬ点をつぶさにご指摘いただけないでしょうか」

巳之介は必死である。実のところ、良仁親王は今年で十七歳の若者に過ぎない。贅《ぜい》を尽くして歓待すべき相手というより、巳之介のような同世代の者と気楽に話せた方が嬉《うれ》しいに決まっている。伊達家の当主もそう思って、年若い巳之介を歓待の中心としたのだろう。

だが巳之介は見るからに気後れしていた。光國には、京人《きょうびと》なにするものぞ、という思いがあったが、巳之介にはそれがない。敵愾心《てきがいしん》を掻《か》き立て、緊迫を抑えつけるというような剛毅さはなく、むしろ何につけても細やかで、自他の心の動きに敏感なたちだった。次期藩主として、それではひどく苦労することになる。そう、ちらりと思ったが、口にはしなかった。代わりに、莞爾《かんじ》と笑って告げた。

「ようござる」

「本当ですか？」

ぱっと巳之介の顔も明るくなった。光國も、ここしばらくなかった楽しさを感じていた。相手は若年とはいえ、京の文化人の中でも、後水尾法皇の血を引き、勅使を任された人物である。詩歌をもって天下を取らんという積年の気概が、久しぶりに滾《たぎ》ってきていた。

「すぐに支度しましょう。その代わり歌会にては、それがしにも一首詠む機会を下されよ」

「もちろんです。お願いいたします。一首と言わず、何首でも。我が詩作の範とさせて下さいませ」

少年の言葉に阿《おもね》りはなく、ただひたむきだった。それが光國にはひどく眩《まぶ》しく感じられた。いつの間にか曇りきっていた自分の心に、一条の陽が差す思いだった。

「それがしの歌など、いまだ法皇様の足下にも及びませぬぞ」

「そんなことは……」

「いや、詩の天下の頂は高い。だからこそ極めたくなるもの」

「はい。まさに」

「ともに、良仁様に歌学の教えを請いましょうぞ」

「はい。ぜひにも」

どんどん表情が輝いてくる少年が、何とも言えず可愛らしかった。

光國はいったん屋敷に戻り、事の次第を父に告げて許しをもらった。改めて少年の使いが来るのを待ってから、供の者たちとともに相手の屋敷に向かった。

「ようこそお出《い》で下さいました。若様が、親王様とともにお待ちでございます」

到着するなり早速案内され、中庭に面した一室に入り、巨軀《きよく》を丸めて頭を下げた。

「伊達家若君にご招待　仕《つかまつ》りました、源《みなもとの》光國でござる」

と源家の名を告げたのは、立場上、徳川家として威儀を正すためだが、同時に、これが徳川幕府による朝廷の動向の監視ではないと断りを入れるためでもあった。

「お出で下さり、ありがとうございます、中将様。どうぞお顔をお上げ下さい」

巳之介が言った。光國はゆるりとした動作で顔を上げ、巳之介と対座する客人を見た。

公家《くげ》化粧の似合う、若々しい少年がいた。体軀はしっかりしており、少年というより青年に見えた。兄である後光明《ごこうみよう》天皇の名代として江戸に下ったが、その威をいたずらに発散するようなところもなく、一見してすでに巳之介と打ち解けて話している様子だ。

（引くか）

即座に光國は思った。巳之介を安心させるために少しばかり同席し、頃合いを見てすぐ退去した方が、二人が親しくなる上で良いだろうと判断したのである。

だがそのとき、良仁親王がにっこり微笑んで言った。

「ほんまに、冷泉どのの仰《おつしや》っていた通り、これぞ益荒男《ますらお》ですなあ」

その親しみのこもった言葉が、光國をその場に縛り付けてしまった。為景を彷彿《ほうふつ》とさせる開けっぴろげな態度に、強烈な懐かしさを感じさせられていた。

「恐縮にござる。為景どのは、得難い友人でした」

「惜しい人を亡くしたと、私も思っています。今日は、我が従兄弟である伊達の若君と一緒に、中将様に詩歌のお手本を見せてもらおうとお話ししていたところです」

「お手本などと」

光國は苦笑した。この年、光國は三十六歳。若く生気に満ちた二人の少年を前にして、なんだか自分がずいぶん老け込んだ人間に思えてきた。と同時に、心の曇りがこれでまた大きく晴れた。

「こちらこそ、お二人の詩歌のお手前を、存分に学ばせていただきましょう」

「なんとまあ、怖いお方。黙って教わるほうが気が楽ですわ」

良仁親王がおどけて言った。すっかり緊張のほぐれた巳之介がくすくす笑った。

「まったくです。それでは詩趣の助けに、庭を案内致しましょう」

巳之介を先頭に、光國と良仁親王、そして家臣たちが連れ立って庭に降りた。

ふいに良仁親王がこんなことを言った。

「中将様のような、詩歌がお好きな方々と縁戚《えんせき》になれて嬉しい限りです」

「まったくですな」

大して考えもなくそう返したが、何やらおかしな言い方だった。良仁親王と縁戚なのは巳之介のほうである。伊達家と水戸家の間で、縁談が持ち上がる予定もない。

だがそのおかしさに構わず、良仁親王が続けた。

「私は、本当ならば僧になるはずでしたが、巡り合わせによって高松宮《たかまつのみや》家の二代目となりました。お陰様で、近衛《このえ》家当主とも親しくさせて頂いております」

ますます話がおかしくなった。近衛家当主は、後水尾法皇の実弟である近衛信尋《のぶひろ》が亡くなり、子の尚嗣《ひさつぐ》が継いでいる。いずれも関白であり、朝廷人たちのまさに筆頭者だ。もしや近衛家と伊達家との間に、第二の縁談が組まれているのだろうか。だが伊達家の子らに適当な相手がいない。さすがに幕府も黙っていないだろう。光國は困惑しつつ、話を合わせて言った。

「近衛家の子女はみな和歌の他にも、諸芸に通じていると聞きます」

「はい。まこと中将様にふさわしき縁談と思います」

咄嗟《とっさ》に光國の思考が停止した。

「――なんと?」

「え?」

「どなたの縁談と……」

「これは失礼。言うてはいけなかったのですね。つい嬉しくて口に出してしまいました」

良仁親王に悪びれた風はない。と思うと少しばかり声を低め、にっこり笑って言った。

「近衛家の者からお聞きしたんです。中将様と近衛家の姫との縁談、無事に整ったと。中将様は、私と若君の従兄《いとこ》となられるわけです。ただ、尚嗣様のご病気が長引いているようで心配です。尚嗣様のご病気がなければ、今頃は姫も江戸におられるはず。一日も早い快癒を心から願っております」

四

屋敷の茶室にいた。

愕然《がくぜん》となって伊達家の屋敷から戻った、翌夕のことである。二人の少年たちと楽しく歌を詠むどころではなかった。いや、詠むには詠んだし、巳之介も良仁親王も光國の歌を大いに喜んでくれたが、ほとんど手が勝手に書いたようなもので、何を詠んだかもろくに覚えていない。

夕餉《ゆうげ》ののち蒼惶《そうこう》として屋敷に戻ってからは、ただただ己の考えの至らなさを呪った。文事に逃げて大義を守ることを怠った自分の頭蓋《ずがい》を、両拳《こぶし》でぶち割ってしまいたかった。

（近衛家――）

想像しただけで慄然《りつぜん》となった。

よりにもよって、近衛家の姫とは。前《さきの》関白・近衛信尋の娘にして、後水尾法皇の姪《めい》、すなわち今の後光明天皇の従妹《いとこ》である。およそあり得ぬほど高位の姫君であり、にわかには信じがたかった。一夜を経てなお、おかしな夢を見ただけではないかとすら思えてくる。

だが他ならぬ良仁親王の口から告げられたからには、何かの間違いということはありえまい。むしろ、このおそろしい縁談が万事にわたり整っている証拠だった。

（覆せるのか――）

もはや両家の間で、縁談は〝成った〟ものとして進められているはずで、たとえ兄であっても、白紙に戻すことは不可能に思えた。

では誰なら可能か。兄を除けば、あとは一人しかいない。

やがて戸が開き、凝然と坐《ざ》す光國の前に、その人物がぬっと姿を現した。

父・頼房である。

今では光國のほうが上背はあるものの、鍛えられた巨軀は衰えを知らず、光國よりもずっと分厚い。

父に続き、光國に言われて父を呼びに行った伊藤玄蕃が入室した。単に父をねぎらうためだと言ってあったが、玄蕃の引き締められた表情が、そんな光國の建前をまったく信じていないと告げていた。

「お前が茶を振る舞ってくれるとは、珍しいな。値の張る学書でも見つけたか」

父がむしろ嬉《うれ》しげに言った。光國がこんなふうに小遣いをねだったことはなく、ただの冗談だった。それこそ珍しいくらい上機嫌な父の様子に、光國は寒けを覚えた。

考えてみればここしばらくずっと父は機嫌が良かった。その理由を考えなかった自分に、光國は絶望する思いを味わった。なぜならそれは、この自分の縁談が成立したからだ。まず間違いないという確信があった。なんとも遅きに失した確信だった。

「そのようなつもりはありません。ただ、家綱様ご昇進の儀を機に、少しばかり父上をねぎらいたくなっただけです」

しいて平静を装い、茶を点《た》てた。そうしながら、果たして父のこの上機嫌を木っ端《こば》みじんにすることで、何が起こるだろうと考えていた。

父の意に真っ向から対立するのは、実はこれが初めてのことだ。思わず手が震えるのではないかと不安になったが、自分でも意外なほど落ち着いた所作で父と玄蕃に茶を差し出すことができていた。

自分には大義がある。その確信が、落ち着きをもたらしてくれていた。若い暴気や、硬派な気概といったものでは手に入れられない心持ちである。それを、いつの間にか胸中の深い部分にやどしていたことを、光國は悟った。もっと早く父と対峙《たいじ》していれば良かったと悔やむ気持ちが湧いた。

穏やかな語らいをしばらく続け、父が寛《くつろ》いでいるのを見定めて、口火を切った。

「先日、良仁親王様から近衛家の件を聞きました」

「おう、そうであったか」

父の顔に理解の表情が浮かんだ。光國の意が、縁談の真偽を知ることだと思い込んでいるのだ。

「近々、話すつもりであった。功労者はわしではないぞ。そら、玄蕃。そなたから聞かせてやれ」

父が言った。喜ばしいことを成し遂げた家臣を褒め称《たた》える調子だった。それで、玄蕃がこの縁談の推進に一役買ったことを光國は知った。

「恐れながら、それがしはさしてお役に立ってはおりませぬ。義弟の季吉《すえよし》とその妻、ならびに武佐《むさ》様のお働きによるもの」

玄蕃が重々しく告げた。嬉しい思いを隠しているせいで、そういう態度になるのだ。

光國は胸の内で呻《うめ》いた。三木武佐は、光國と兄を育ててくれた養母に等しい。と同時に、武佐はもともと朝廷の女官だった。その娘の一人は玄蕃に嫁ぎ、もう一人は、京の滋野井《しげのい》季吉という男に嫁いでいる。そしてこの季吉は、前権大納言《さきのごんのだいなごん》の位にあった。まさに父は可能な限りの人脈を使い、縁談成立を成し遂げたのである。そして頼まれたほうも、誇らしい思いで、困難なこの話を進めたに違いなかった。

果たして玄蕃は、この数年がかりとなった縁談を進めるにあたり、いかに季吉夫妻が京の朝廷人たちの助けを得て、近衛家の了承を取り付けたか、その労力がどれほどであったか、逐一述べた。

「――ですが、決め手は、何より若様の文事の美事さにあり申す。亡き冷泉為景殿の評あり、また京の学者たちの声あり。かくして近衛家の当主様も、これほど評判の男子《おのこ》ならば、姫の嫁ぎ先にふさわしいとお思い下されたのです」

そう玄蕃は話を締めくくった。

綺麗《きれい》に伏せられているが、おそらく近衛家は光國の悪評のほうもだいぶ聞いていたのだろう。だからすぐに決まらず、何年もかけての交渉になったのである。

　皮肉な話だった。文事によって自分は大義を得て、子をなさず己の血筋を絶やすと決めたのに、他ならぬその文事の功績が、こうして縁談の決め手になったという。これほどまでに自分の人生がねじくれるなどと、どうして予想できたか。

「それで、肝心の姫のことだ。そら、玄蕃。滋野井どのはどのように申しておった」

　父が煽《あお》るように言った。どうも光國が照れているのだと勘違いしているらしい。

「それがしが聞き及びしところでは、まさに天姿婉順《えんじゅん》。評判の姫であるとのこと」

「というわけだ。良かったのう、子龍」

　父が笑った。こんなときに限って、自分の子供に対する愛情に満ちた顔だった。その顔になって欲しいと自分たち兄弟がどれほど願い続けてきたと思っているのか。

　悲痛が胸を刺したが、抱いた大義には届かなかった。むしろ、悲痛を押しやれるだけのものを自分は手に入れたのだという強い思いが湧いていた。

「父上。私の、男子一生のお願いがございます」

　にわかに坐相《ざそう》を厳然とさせて告げた。取り繕いも何もない、正面から父と対峙した。

　父が訝《いぶか》しむように眉《まゆ》をひそめた。

「なんだ」

　光國の口から、鋭くその言葉が発せられた。

「生涯、正妻を娶《めと》らず」

沈黙が降りた。玄蕃が凍りつき、父の顔からあらゆる表情が消えた。二人の驚きが収まるとともに、父の双眸《そうぼう》が、凄《すさ》まじい怒気をみなぎらせて光國を見据えている。

光國は、これまで以上に落ち着き払ってその視線を受け止めた。誰も口をきかず、重苦しい沈黙の中、玄蕃の目だけが忙《せわ》しげに父と光國の顔を交互に見ていた。

「ならぬ」

やがて父が言った。鉈《なた》で人の脳天をぶち割るような、ずしんと総身に響く声音だった。

「父上も――」

「お前は、わしではない」

さらに父が言った。光國は出しかけた言葉を放り棄て、すかさず切り返した。

「であれば、水戸徳川光國個人として、重ねてお願い申し上げます」

「水戸家を断絶させる気か」

「絶えはしませぬ。私の存在がその証拠です」

「なぜだ。なにゆえ婚儀を拒む」

「正妻を娶らぬことが、義となるからです」

「義だと？」

父の怒りが殺気に近くなった。玄蕃の顔から血の気が引いた。父を恐れてのことではなく、なおも光國が退《ひ》かないからである。この父子の剛毅《ごうき》さからすれば、取っ組み合いどころか斬り合いでも始まりかねない。そうなったら真っ先に自分が間に入り、死んで二人を止めよう。玄蕃がそう思っていることは、僅かに腰を浮かせたことから明らかだった。

「ことはお家の存続にかかわる。貴様の頭に、そのような不可解な考えを抱かせた学書も学者も、まとめて火にくべてくれようか」

完全に威《おど》しだった。光國自身ではなく周囲の人間を咎《とが》めると告げることで、光國の気を挫《くじ》こうというのだ。だが逆にこれが光國にも怒りを生じさせた。

「私自身が見出《みいだ》した義です。いかなる書も人も関係ありませぬぞ。それとも父上は、誰かの助けを得ねば、私にはどのような考えも抱けぬとお思いですか。いかに父とはいえ、子としてそのような侮辱は耐え難いものですぞ」

「言いおるわ」

父が笑んだ。激烈な怒りに満ちた、空恐ろしい笑みだった。

玄蕃が恐怖に目を剥《む》いたが、光國の心に不思議と恐怖は湧かなかった。ただ、「義」という言葉を口にしたことが、良かったのか悪かったのか、この会話の流れを鋭く推し量ろうとしていた。

「その義とやらを申せ」

果たして父が言った。ここで何もかも説明しても、それこそ父と兄、さらには玄蕃の三人がかりで封じ込まれかねない。一瞬の判断で、光國は最も口にすべきことを告げた。

「兄上がこの家を継ぐべきであったからです」

父と玄蕃が同時に息を呑《の》んだ。重ねて光國は言った。

「ですが今となっては仕方なきこと。それはわかっております。ただ、せめて正妻を娶らぬことで、兄上への詫《わ》びとしたいのです」

「馬鹿なことを申すな」

父が鋭く言った。だが怒気はだいぶ消えている。光國を説得しなければならないと考え始めているのだろう。ちらりと目が玄蕃を見た。玄蕃もすぐに察し、父の援護に回った。

「恐れながら若様、それは詫びにはなりませぬ。頼重様のためと仰《おっしゃ》るならば、水戸家を安泰にしてこそ詫びになりましょう」

「我が全身全霊を尽くし、お家を安泰に保つ」

「ならば縁談を承知せよ」

すかさず父が切り込んできた。同じ調子で次々に二人が言葉を放ってくる。さすがに二人とも年の功で、宥《なだ》めて責めての塩梅《あんばい》が絶妙だった。つい、兄の子を藩主に迎えるのだと口にしてしまいそうになる。だが、光國が他に何を考えているか探るのが二人の狙いだと危ういところで気づけた。

縁談はもはや拒めない。光國はそのことを思い知った。二人の態度から、話はすでに将軍家ならびに幕閣の承認すら得ているのが明らかだったからだ。その上で話を白紙に戻せば、水戸家は徳川一族において孤立しかねない。ことは大名同士の縁談ではなく、まさに幕府と朝廷の結びつきの問題でもあったからだ。家綱は、家光《いえみつ》のやり方を踏襲し、少なくとも表向きは尊皇主義を対朝廷路線としている。水戸家と近衛家の婚儀は、幕府の政策の一環とみなされている可能性すらあった。

だが、子の一件だけは守り通す。光國は、二人が交互に浴びせる言葉の矢に耐えながら、そう決意した。縁談を受け入れても、兄の子を藩主にするという念願は絶対に棄てるものか。それこそ、この二人を心の中で叩《たた》っ斬るような気持ちだった。

「お前のその気持ち、わしから頼重に伝えよう」

ふいに父が宥め役になって言った。父にとっては、自分のせいでこうなったのだと光國ら兄弟に謝るに等しい、心情面での大いなる譲歩である。

その父の態度が、かえって駆け引き抜きで光國の闇雲な怒りを招いた。

「なぜ、私なのですか!」

宙を睨《にら》みつけて吠《ほ》えた。父や玄蕃だけでなく、亡き将軍家光もふくめ、自分が世子となったことに関わる全員に向かって叫んでいた。

「なぜ、兄上ではなかったのです――!」

茶室の周囲にいるであろう家人たちの耳に届きかねない声だった。それこそ、昂《たか》ぶりに任せて屋敷中に轟《とどろ》くような咆哮《ほうこう》を発しかねなかった。

だがその叫びが、ぷつんと消えた。頼房が猛然とその拳《こぶし》を振るったからだ。光國は、顔の左半分が、いきなり灼熱《しゃくねつ》とともに吹っ飛んだように思った。茶道具が散らばり、倒れた光國の体の下で砕けた。光國の巨軀《きょく》が壁に激突し、亀裂《きれつ》が走って漆喰《しっくい》が剝《は》がれ落ちた。

「宿縁だ。誰にもどうすることもできなんだ」

朦朧《もうろう》とする視界の向こうで仁王立ちの父の影が告げた。ひどく哀しげな声だった。泣いているのかと思ったが、涙で頰が濡《ぬ》れているのは自分のほうだと気づいた。叫びとともに零《こぼ》れ出てきたらしい。

「貴様が水戸家二代目だ」

そう言って父は茶室を出て行った。

光國は畳に大の字になった。殴られた衝撃で咄嗟《とっさ》に体が言うことを聞かない。さすが怪力自慢の兄弟たちの父親だと、妙に感心してしまった。考えてみれば父が息子に手を上げたのは、これが初めてかもしれない。奇怪《きっかい》な父子だ。つくづくそう思った。

頭の上のほうから、座ったままの玄蕃の逆さまの顔が、心配そうに覗《のぞ》き込んできた。

「お労《いたわ》しゅうございます」

玄蕃が言った。頼房と光國の、父子両方に同情する沈痛な面持ちだった。

「また、失敗だ」

光國は目を閉じ、それだけを告げた。

五

翌年の承応三年、三月。

近衛家の姫の一行が江戸に到着し、御城の半蔵《はんぞう》門内にある水戸家の上屋敷に迎えられた。

建前上、姫は頼房の養女として水戸家に入った。

これは近衛家の当主であった尚嗣の意向でもあったという。後水尾法皇がまだ在位されていた頃、幕府と激しく対立した紫衣《しえ》事件において、近衛家は天皇の盾となって京都所司代ならびに幕府と様々な駆け引きを行っている。朝幕対立はずいぶん緩和されたとはいえ、武家との婚姻に際し、尚嗣は様々に条件をつけたらしい。

最終的にどのような心づもりが尚嗣にあったのかは、この時点ではわからなくなっていた。というのも昨年の七月のうちに、病が癒《い》えることなく尚嗣は世を去ったからである。

そのため姫の江戸下向が延期され、光國には僅かな猶予期間が与えられた。

だが、父兄を亡くした姫の境遇を早く安泰に、という朝廷側の意向もあり、喪が明けるのを待たず、春の訪れとともに京を発《た》ったのだった。

その姫の一行の様子を、家人たちが逐一、光國の耳に入れた。江戸城に入るときには水戸家から贈られた葵《あおい》の御紋を先立てていたとか、年若い中﨟《ちゅうろう》がついているとか、公家《くげ》侍《ざむらい》たちもみな少年といっていい年齢で、いかにも可憐《かれん》な一行である、云々《うんぬん》。

見に行こうと思えばいつでも行けたが、婚儀を前にして結婚相手の面相を確かめるのはいかにも品がない。そういう建前で、光國が自分の妻とされた姫を見に行くことはなかった。心のどこかでは、まだこの婚儀が白紙に戻せるのではないかと儚《はかな》い希望を抱いていた。

「義のために不孝をなせば、それは義ではないだろうな」

読耕斎が、光國の相談を受けて、そんなふうに言ったのは、姫の一行が到着する直前のことだ。それまで光國もずいぶん知恵を絞ったし、読耕斎も、この冷淡な男にしてはかなり協力して考えを尽くしてくれたものだ。それでも、

「娶《めと》るしかあるまい」

それが、読耕斎の結論だった。

「おれの大義はどうなる」

苦り切って光國は言った。自邸の茶室にいつも通り招いたが、もはや茶を点《た》てる気にもならず、読耕斎が勝手に湯を汲《く》んですするに任せている。

「話すしかないだろう」

「誰に話せと言うんだ」

「お前の嫁になる姫君に決まっている」

しゃらっとした調子で読耕斎が言う。光國は目を剝いた。

「何を話せと？」

「お前の大義だ。家は兄の子に継がせる。もし子が生まれても後継者ではない。娘にそう告げる」

「そんなことを、高位の姫君が受け入れるものか」

「受け入れなければ、むしろ姫君から離縁を言い出すかもしれないな」

「あり得るのか、そんなことが」

「聞いたこともないが、そうなったとしてもおかしくない話だ」

馬鹿なことを、と返しかけて、はたと光國は口をつぐんだ。

それはそれで最後の手と考えるべきだった。姫に憎まれるだろうし、光國の大義が露見してことがややこしくなるかもしれない。だが伴侶《はんりょ》となる相手ならば、いつか話さねばならない。だったら最初から全て話してしまうべきだろうか。

「案外、婚儀の直後に、破談になるかもしれんな。姫にも婚儀への不満を相談できる相手は大勢いる。そうなったらなったで大いに騒がれることになるが、そのときは騒ぎを利用するしかあるまい」

「利用？」

「お前の兄の子に家を継がせるという大義を世に宣言し、世評を味方につけろ。むろん諸大名ならびに武家全般が、お前の大義をどう評価するかは未知数だ。悪ければ非難囂々《ごうごう》になるだろう」

光國はうなずいた。一人で懊悩《おうのう》するより、そのほうがよっぽど気が楽だった。もし本当に大義が貫けるならば、悪評などなんでもない。

「信義あるのみ」

断言する光國を、読耕斎がしみじみと見つめて言った。

「聖賢の道は、決して楽なものではないことが多いというが……よく決心できるものだ。おれが無事に妻子とともに隠者となれるよう、頼房様に斬られんようにしてくれよ」

さすがに頼房がそこまで激怒するかどうか、想像もできなかった。昨年、茶室でぶん殴られたときは顔の腫《は》れがひと月も消えず、

「お前に膂力《りょりょく》で勝るか。おそろしい父親だな」

話を聞いた読耕斎が、真顔で言ったものだ。

だが今さら、父の怒りを恐れていては大義もくそもなかった。そんなことより、

「隠者が妻子連れか」

そちらのほうに呆《あき》れてしまった。

「そういう例は、過去にもある」

読耕斎は当然のような顔でいる。近頃、隠者たちの列伝の執筆を本格化させており、草稿を書き上げるたび、いちいち得意そうに光國に見せるのだった。

「無事に互いの宿願を果たせるかは世子どのにかかっている。お前に良からぬ思想を吹

き込んだのがおれだなどと頼房様に告げたりせんでくれよ。おれもまだ命が惜しいのでな」

「貴様が隠れる山を見つけるまで、せいぜい長生きするがいい」

本心からの願いだった。為景のように突然いなくなられるなど想像もしたくなかった。

その光國の内心を知ってか知らずか、読耕斎は素直にうなずいている。

「ここが大義のための正念場だ。頑張れ、世子どの」

珍しく読耕斎から励まされてから、ひと月ののち、ついに婚儀が現実のものとなった。

将軍家綱より、祝いの樽《たる》と肴《さかな》が頼房のもとに届けられた。縁戚《えんせき》に改めて婚儀が告知され、高松にいる兄から慶賀の言祝《ことほ》ぎの品々が光國宛てに贈られた。

新妻が快く暮らせるよう、頼房の指示で屋敷の奥の間取りが整えられ、さらには光國と姫君の寝殿の建設が着工された。もはや婚儀を止められる者は誰もいなかった。

儀式に参加するため縁者が続々と水戸屋敷に現れ、中でも婚儀に尽力した滋野井夫妻は客人として丁重に扱われた。三木武佐も水戸から江戸に来た。玄蕃の妻は江戸に、滋野井季吉の妻は京に。互いに離れて暮らす母姉妹の久方ぶりの対面が、他ならぬ光國の婚儀の場であることを喜ぶ言葉を、光國は何度も何度も聞かされた。

果たして、光國の大義を知ったとき、彼女たちはどういう顔をするだろうか。幼い自分を育ててくれた武佐の悲しむ顔や怒りの言葉など、金輪際経験したくない。だがそれでも大義をまっとうすべきだという使命感が胸中を満たし、嬉《うれ》しげに微笑む武佐たちには、心の中で詫《わ》びるほかなかった。

祝賀の応答で慌ただしく時が過ぎ、気づけば婚礼当夜になっていた。

承応三年四月十四日、なんとも現実感の湧かない心持ちで、花婿の衣裳《いしょう》に身を包む自分がいた。花嫁の行列が、狐火を思わせるぞっとするような提灯《ちょうちん》の群れとともに屋敷に現れ、婚礼の儀式が開始された。頼房の意向で華美にならぬよう気を配られたとはいえ、大いに華やかな祝言である。衣裳や飾り物、種々の贈り物に神事の置物といった物品に己が埋没し、葬られるかのような気分でもあった。

やがて花嫁衣裳に包まれた姫君が目の前に現れたが、ろくに互いの顔も見ぬまま粛々と儀式が進められた。その間、婚姻相手の姫君にどのようにして己の大義を告げるべきか考えるはずだったが、何も考えられなかった。婚礼の儀式とはそういうもので、神事を通して忘我となる段取りが巧みに取り込まれているのだ。いったいどういう理屈でそのような儀礼が成り立つのか、史書をつぶさに検討してみることで、我が国の風俗の根幹を知ることができるかもしれない——などという思考が明滅するなど、自分を空の上から眺めているかのような現実感の希薄さに襲われっぱなしだった。

短いような永遠のような、とにかくはっきりしない時間感覚とともに、いつしか儀式も終わり、はたと気づけば、花婿と花嫁のみの饗《あえ》の宴《うたげ》となっていた。それも間もなく床入りとなる頃合いである。

光國は改めて、衣裳の下にいるはずの相手を見た。ここに至るまでずっと、衣裳と一緒にいるような気分だった。屋敷に現れたときの白装束も、花婿側から贈る色直しの衣裳も、同じ人間が着ているはずなのだが、なんだか新しい服がやって来たという感じである。

だが衣服と会話できるわけがない。果たして姫も光國と同じように、今初めて相手の存在に気づいたとでもいうように、真っ直ぐ光國を見つめ返した。

名を、泰姫《たいひめ》。今年で十七歳になる、皇家の血を引く姫君のあどけないとさえ言えそうな容色は、確かに小柄で柔らかで美しかった。が、美貌《びぼう》だけの女なら色町でさんざん見ているし慣れている。

肝心なのは、これから自分が話すことにどう反応するかだったが、そこでふいに、姫がにっこり微笑んだ。可憐な笑みだったが、光國が気になったのは、姫の歯だ。綺麗《きれい》にお歯黒を塗られているのである。眉《まゆ》も念入りに抜かれていた。

どちらも、水戸家ではあまり奨励されていない。頼房も光國も、白い歯と黒い眉を自然なものだと考えていた。戦国の世では、武将たちの息女にとってお歯黒は成人の儀式だったというし、武士においても平家などは、戦場で首をとられたとき見苦しくないようにと、男でもお歯黒をしたという。

だが今時は、年増の既婚女性ぐらいしかお歯黒をつけない。農民たちにいたっては儀礼の席でもない限りつけなかった。他に、年中お歯黒をつけるのは遊女ぐらいだ。

とはいえ、姫がお歯黒をつけていることに何の不自然もない。

だがなぜか光國は、かわいそうだと感じた。姫からすれば当然の身だしなみである。無理をしているはずはない。なのに、そう思った。

思うだけでなく手を伸ばした。その太い指で、姫の歯にそっと触れた。姫はびっくりしたように目を丸くして光國を見つめたままでいる。

「当家では、お歯黒は不要だ。つけたいならば構わないが、つけなくとも誰も何も言わない。眉も、抜かなくてよい」

そう言って指を離した。姫は自分の指で歯に触れ、小さく首をかしげた。

「五倍子水《ふしみず》なしでは、虫歯になりませんか？」

どうやらそれが姫の常識らしい。

「房楊枝《ふさようじ》で朝晩、歯を磨けばよい」

光國は真面目に答え、己の歯を見せた。虫歯など一本もない、頑丈そのものの歯が並んでいる。

花嫁と花婿が初めて話したことが歯についてというのは光國も聞いたことがない。だが、なぜかつい、そうしてしまった。こんなことを色町でお歯黒をした女に言ったこともない。奇妙なことに、自然と本音を吐かされた感じがしていた。

姫は面白いものでも見るように光國の歯並びを見つめ、それから目を見た。光國がこれまで経験したことがない眼差《まなざ》しだった。こちらの意図をつかもうという感じもないまま、柔らかに互いの距離が近づくような感じがした。

「他に、わたくしにお聞かせ下さることはありませんか？」

まるで光國の胸中を悟ったような訊《き》き方だった。むろん、そんなはずがない。だがそう思ってしまうような、不思議なほど自然な問いかけの仕方だった。

「実は、ある」

「はい」

姫がうなずいた。またもや自然な所作であり、さらに距離が近づく感覚があった。

「うむ」

わざわざ光國のほうが一拍の間を空けた。自然すぎて調子が狂った。

「聞いて欲しいことがあるのだ。そなたにとっては、良い話ではないだろう。というのも、わしはこの婚儀に反対であったのだ」

「そうなのですか」

驚いたふうでもなく姫が言った。納得したのでも、聞き返したのでもない。やんわりと受け入れたのである。加えて、話の先を促すような響きに満ちていた。

「そうなのだ」

咄嗟《とっさ》に繰り返すことで、また間を空けた。実に間の抜けた調子だと思いながら続けた。

「むろん、そなたや近衛家に不満があるのではない。問題は、わし自身だ。わしは不義の者なのだ」

「不義」

言葉に似つかわしくないほど、優しい声音で姫も繰り返した。

一向に驚きを示さない姫に、奇妙に光國の気が抜けてきた。天性のものか教育の賜物《たまもの》か、どうやら底なしに素直な性格らしい。これは、自分の意に染めることも可能なのではないか。ちらりとそんな考えが湧いた。この婚儀を破談させるよう、この姫自身に協力させることができるかもしれない。

だが、間違いだった。

「聞いて欲しい。わしがなにゆえ不義か、また、その不義を正すにはどうすべきか。まず、わしには兄がいる。本来ならば、兄がこの家を継ぐはずだった。だが兄は家を去った。わしが、去らせた」

光國の話を、姫は小さくうなずきながら聞いている。心なし、ますます距離が近づいたような気がした。気分的なものだけではなく、物理的にも近づいていることに、話しながら気づいた。あまりに姫の所作が自然なので、近づかれていることがわからなかった。

「わしは兄を憎んでいた。父上が、わしより兄を大事にするのではないかと怖かった」

言った後で、こんな幼い頃の心情など、今抱いている大義と関係ないではないかと自分に呆《あき》れた。

が、呆れながらも、兄や父に対して抱く様々な感情についてどんどん話していた。自明のこともあったし、話すことで改めて自分の感情を発見するような思いもあった。

これではとんでもなく話が長くなる。どうにか話を縮め、自分の不義を語ろうとした。無頼《ぶらい》の傾奇者《かぶきもの》であったこと、およつ姫のこと、義直のこと——

（話しすぎだ。一向に要点が定まっておらぬ）

そう心の中で舌打ちし、かいつまんで父母に対する疑問を語った。

（違う）

また舌打ちした。大義のことを話せばいいのだ。まさかこんなにも自分が滔々《とうとう》と喋《しゃべ》りまくる人間だとは思ってもいなかった。

だがさらに光國は話した。止めようと思っても止まらなかった。自分が不義であると確信したときの辛《つら》さ。なぜ自分が世子であらねばならないのか、答えを求めても得られなかった日々のこと。自分にとっては文事だけが救いであり、それによって友を得たが、その一人を病で失ってしまったこと。

文事が大義を見つけさせてくれたし、大義を抱くことで、屈折することなく文事の喜びを改めて見出《みいだ》すことができた。ときには詩歌に耽溺《たんでき》して逃げているのではないかと恐れることもあるが、それでも詩歌を詠む喜びだけは棄てたくない。なぜならそれは自分にとって己の生命を肯定できるゆいいつのすべだからだ。自分がここに生きていることが、正しかろうが間違っていようが、詩歌を詠むことで生を喜べる。水子にされるかもしれなかった恐ろしさ、父から子として認められなかったかもしれない寂しさを乗り越えられる。

「なのに、わしは子を殺そうとした」

そう告げたとき、初めて姫の顔が曇った。さすがにこれから結婚する相手が、事前に他の女に子を産ませたと聞いて、喜ぶはずがない。というより、

（なんでおれはこんなことまで話している？）

そもそも子のことなど話す必要はなかった。早く大義の話をし、この姫に納得させるべきだった。なのに話し続けた。わけがわからなかった。生まれたはずの子を抱けず、その顔を見ることすらできない哀れさまで話した。もう二度とそんな悲しみを誰にも味わわせたくないと本心から告げた。

さらにはこの一年、どのような気持ちでいたかを話した。兄の子に家を継がせることについては、話のどこかでとっくに口にしていた。なのになぜか話を終えられなかった。

「そなたには申し訳ないことだが、どうかわかってくれ。決してそなたを厭《いと》うてのことではない。このような不義なく、そなたに出会えていればと思う」

つい、下手な口説き文句めいたことを口にしていた。さすがに話し過ぎたか、どっと力が抜けた。

「お辛かったでしょうに」

それまで黙って、光國の秘《ひそ》かな決意を聞いていた泰姫が、出しぬけに言った。

「――なに？」

思わず聞き返した。これが婚礼の儀であることを急に思い出していた。必要があった

とはいえ、これまで心に秘めていたことを、こんな小娘を相手に、我を忘れてぺらぺら喋ってしまうとは——

「お独りで、ずっと耐えられて」

いきなり光國の手を、泰姫が握った。そうすることができるほど、互いに近づいていたことに驚き、ぎくりとなった。耐えるなどと思ったことはないと言い返したかったが、

「む、む……」

変な呻《うめ》き声ばかりで言葉にならない。

「よく頑張りましたね」

泰姫がひどく優しく言った。心の底からそう思っているようだった。

今まさに祝言を挙げたとはいえ、十七歳の生娘《きむすめ》にそんなことを言われる筋合いなどない。まったくない。頭ではそう考えたが、ほとんど悪あがきのようなものだった。知らぬうちに、心をほとんどこの娘に呑《の》まれていたことをやっと悟った。

光國が滔々と喋り続けたのではない。いかなる性質によるものか、この姫の底抜けに自然な態度が喋らせたのだ。己の一切合切、丸ごと引きずり出された。理屈抜きで、そう納得するしかなかった。

そしてその上、美事なまでに天然たるとどめが来た。

「今日《こんにち》からは、あなた様お独りではありません」

姫が言った。

「わたくしが、お傍《そば》におります」

言葉だけ聞けば、婚儀の席らしい取り繕った物言いともとれた。だがこの姫に限って、取り繕う様子は皆無である。敢然とし、また本気だった。十七の娘の敢然たる態度などたかがしれているものだが、それだけ余計にその本気さが如実にあらわれていた。

しかも、この姫に特有のものとしか思えぬ、実に独特の雰囲気があった。

途方もない包容の空気である。皇家の血統のなせるわざか。近衛家の養育の特性か。それともこの娘の、これが天性か。なんだか分からないが、光國は己の五体ばかりか、心までもが、その空気にすっぽり包まれてしまっているのを実感した。

「そなた……本当に、わしの話を聞いていたのか？」

姫との間にできる子は、家を継げない。生まれた子は捨てると言ったに等しいのだぞ。本当に分かっているのか。そう問いたかった。だが娘に真っ直ぐ見つめ返されて絶句した。

呆れたことに娘はいよいよ強く光國の手を握ってきた。かと思うと、

「はい」

にっこり微笑んだ。

俄然《がぜん》、この縁談に関与した伊藤玄蕃の言葉が、思い出された。

――天姿婉順《えんじゅん》。

伊藤はそう評した。いや、伊藤とてその義弟の滋野井季吉から聞いたに過ぎない。伊

藤自身、どこかで誇張があると思っていたはずだ。

誇張などとんでもなかった。この不思議な姫を表現するには、まだ言葉が足らない。その足らない言葉を探したが、少なくとも今日、この夜においては、到底不可能だった。

光國は二の句も継げず、凝然としてなすすべなく、この姫にとらえられた。

六

かつて経験のない、未知の夏が訪れた。

承応三年。新妻を迎えたばかりの、光國、二十七歳の夏である。

(何を考えている——？)

光國が真意を測りかねている間に、当の姫は、着々と水戸家に馴染《なじ》んでいった。

父の側室たちとは違う、世子の妻とその付き人たちである。水戸家に属する者たちはみな姫を歓迎した。浮《うわ》つくことはないが、明らかに家中が華やぐようになっていた。

世子の妻とその付き人は、みな十代。その初々しさが、家中に明るく和らぐような空気をもたらした。ことに母・久子は、光國が啞然《あぜん》となるほど、明るく微笑むようになった。

常に父の陰に隠れるように過ごしてきた母である。子が大名になってのちも、水戸家の奥でひっそりと暮らしていた。その母は、泰姫が奥に入るや、たちまち打ち解けたらしい。

現れたばかりの嫁と、ずっと自分の存在を主張しなかった姑《しゅうとめ》が、明るく談笑しているのである。こうなると自然に家中も色めくかのようで、実際、あの父・頼房までもが、なんと終日にこやかでいる、という信じがたいことまで起こるようになった。

そうした、かつてない光景に、光國のほうはむやみと落ち着かない気にさせられた。

まず光國のほうが、この姫と打ち解けていなかった。正直、何が何だかわからない。何を考えているのかわからない若い娘が妻になることで、これほど居心地が悪くなるのか、とすら思う。

ならばとにかく姫の真意を探るべきだが、大名家というものは何につけても仰々しいもので、いかに新婚であっても、夫婦水入らずでいられるとは限らない。水戸徳川家ともなれば、新婚の夫婦の間には何人もの家人たちが存在する。

それゆえ、新婚間もないうちから、光國はしばしば詩文を姫に贈っている。

家人として仕える女たちに文を贈っていた頃としていることは同じだが、それが一家の公認となり、微笑ましいものとして受け取られる点が大いに違った。

加えて、泰姫は、文事におそろしく達者だった。光國がそれまで知ってきた女たちも、みなそれなりに教養があったが、泰姫のそれは桁《けた》が違った。詩歌に長《た》けているのはもちろん、伊勢《いせ》物語や源氏《げんじ》物語など、そらで暗記しているし、和文ばかりでなく漢文もかなりたしなんでいる。

たとえば漢詩の基礎に、三体詩というものがある。

唐代の詩のうち、七言絶句、七言律詩、五言律詩の、三体の詩を蒐集《しゅうしゅう》したものをいう。

そしてこの三体詩を、泰姫はすらすら諳《そら》んじてしまう。光國や父の詞臣たちにとって、女性の身で漢詩を学んでいること自体が驚きであった。幼い光國を育ててくれた三木武佐などは、朝廷で気に入られたほど文事に明るい女だったというが、それでも僅《わず》か十七歳の泰姫のほうが明らかに格が上と思わせられた。

しかも詩文への返事が、なんとも柔らかで、かつ率直なのだ。ときに、自然と恋愛詩のようなしろものを交わすこともあり、同じ屋敷に住む新妻を相手に、いかにもしゃちほこばった感じがするが、そう思わせないほど柔らかな詩文が返ってくる。

「さすがは雅《みやび》なる近衛家の姫君でいらっしゃる」

などと父の詞臣たちがこぞって絶賛するほど、いわば、包容力に満ちた詩文だった。

光國もつい相手に合わせて、詩歌に贈り物を加えることまでした。

父の家臣が献上したつぐみを、藤の花で飾った鳥籠《とりかご》に入れて贈るといった具合である。風雅というより我ながら何ともかわいげのある行為だった。

そんな自分にはたと気づくたび、ますます姫の得体が知れなくなってくる。なんだかわからない柔らかいものに自分が取り込まれてしまう気さえした。というのも、この姫は、決して愚鈍ではないからだ。むしろ不可思議なほどの洞察力を発揮し、しばしば光國たちを大いに驚かせた。

つい最近も、こんなことがあった。ある日、姫が墨を摩《す》りつつ、

「江戸のお水は、硬くて硬くて、筆のすべりが悪いのです」

そう自分の侍女に不満をこぼしているのを、水戸家の者が耳にしたのである。

伝え聞いた光國の感想は、

（何を小癪《こしやく》な）

であり、

（京と江戸の水の違いが、手先でわかるものか）

というわけで、すぐさま傅役《もりやく》の玄蕃に言って、京は加茂川《かもがわ》の水を取り寄せるよう頼んだ。

別に京に人をやったわけではない。江戸市中に、京から水を運ばせていることを売りにしている料理屋があるので、その店の水を買わせたのである。

そしてその水を、ひそかに姫の水滴に入れさせたのだった。いったいなぜそこまでするのか、光國にも理由は判然としない。まさか姫を笑いものにしたいわけがない。

玄蕃や家人たちからすれば、姫のために光國が骨を折ったというところだ。要は、姫の真意というか、本性が知りたかったのだが、手がかりが見当たらず、やむなくこんなかたちになった、としか言いようがなかった。

なんであれ、結果は驚くべきものとなった。

姫は、いつものように硯《すずり》に墨を摩り始めるや、ぱっと顔を明るくし、

「まあ、本日の水は、京の水のように軟らかい」

なんとも嬉《うれ》しそうであった、という。

家人から首尾を聞いた光國は、あんぐりと大口を開けた間抜け面をさらしてしまった。

玄蕃のほうは、これが光國の心配りであり、京の水も江戸の水も、実際は変わりないのだということを姫にわからせ、一日も早く江戸に慣れてもらうためだと解釈していたが、

「さすがは皇家の御血筋でござる」

と、完全に脱帽の体《てい》だ。

こんなふうに光國が試すかと思えば、ときおり姫のほうから仕掛けることもあった。すっかり習慣となった、これぞ朝廷歌人の娘と思わせる返歌とともに、なんと姫から漢詩が贈られてきたのである。

漢詩を運んだのは、姫の侍女だった。姫の供をして京から下った、いわば姫の一番の側近である。

名を村上吉子《むらかみよしこ》、今年で十五歳となる京娘だ。泰姫に仕えて左近《さこん》の局《つぼね》と名乗り、水戸家でも左近と呼ばれることが多い。姫とは異なる、怜悧《れいり》な美貌《びぼう》の少女で、光國は婚儀の日からこの方、左近の笑顔というものを見たことがない。何をするにしても、にこりともしないのである。

だが愛嬌《あいきよう》や気遣いが皆無かと言えばそうではなく、実にまめまめしく働き、若いなが

らも姫と水戸家の橋渡しになろうと懸命だった。

そもそも光國が姫と頻繁に詩歌を交わすようになったのも、この左近の配慮からだった。十五歳の少女の言動を配慮というのも大げさだが、姫とは違う観察力があるのは確かで、

「姫様は京を出るときから、詩文で名高い中将様の歌を、楽しみにしておられました」

真剣な顔で告げ、詩をもって対話するよう勧めたのである。そして事実、詩歌のやり取りによって光國と姫の間で人が頻繁に行き来するようになり、夫婦とその側近たちの親交が深まった。

婚礼の儀で光國が不要と断じた、お歯黒と眉《まよ》引きについても、

「中将様には、ありがたいお言葉をいただき、姫様は喜んでおられます」

率先して朝廷の風習を捨て、水戸家に従う態度を示したものだ。ちょっと態度が出来すぎているため、姫にとって窮屈な侍女ではないかと疑うこともあったが、

「左近は、わたくしの一番の友人なのです」

姫が朗らかに言うものだから、光國もなんとなく、この左近の橋渡しを頼った。

その左近が、きりっと顔を引き締め、

「どうか中将様に添削を乞《こ》いたいと、姫様がおっしゃっております」

と差し出してきた漢詩を一読した光國は、

「ぬう」

思わず唸《うな》った。
それも、つい虎が低く吠《ほ》えたような声が出た。左近は目を丸くしたが、怯《おび》えた様子はなかった。不慣れな小姓なら恐怖で蒼白《そうはく》となるところだが、よっぽど肝の据わった娘だった。
左近が、返事をもらえるまで光國の自室のそばにある小部屋で待機すると告げるのへ、
「姫のもとへ戻るがよい。時間をかけて添削をさせてもらおう」
そう指示して追い返し、それからまた詩を見据えた。
「なんと」
深々と唸り声が漏れた。
春宵深月清雲の上《ほとり》
梅蘂《ばいずい》香を逞《はな》ちて玉枝に満つ
此の景誰ありてか絵《えが》き盡《つ》くすを得ん
暁風一陣鼻を撲《う》って吹く
という七言絶句である。
端的に言って、滅茶苦茶だ。
漢詩は、ただ漢字を並べればいいというものではない。平仄《ひょうそく》など厳格な決まり事があっての漢詩なのだ。しかし泰姫の詩は、まったく規則を無視した、大胆きわまりないしろものだった。まさか三体詩を諳んずる姫が、平仄を知らないわけがない。そう思うが、

もしかすると案外、文法的なことがらには疎いのではないかと勘ぐりたくなる。

これでは添削もくそもない。詩として成り立っていないと全否定するか、これはこれで良いと認めるか、どちらかしかなかった。

（いったい何を考えている？）

自分が試されていることをうすうす察したが、その意図となるとまったく不明だった。

翌日、水戸家に顔を出した読耕斎をつかまえ、

「どう思う」

いつもの茶室で、姫の漢詩を見せた。

「訳がわからん」

読耕斎が言って、気楽そうに付け加えた。

「嫌いではない。むしろ好きかもしれん。さすが後水尾法皇の御血筋、型破りなことこの上ない」

「林家《りんけ》のお前なら、これをどう添削する」

「しない。教書を紹介して、一から学ぶよう勧めるだけだ」

しれっとした返答に、光國は溜息《ためいき》とも呻《うめ》き声ともつかぬ声をこぼした。

「世子どのにおかれては、ずいぶんと明るくなられた」

読耕斎が笑った。光國はじろりと睨《にら》んだ。

「からかうな」

「からかってなどおらん。為景どのの一件からずっと、お前の苦虫《にがむし》を噛《か》み潰《つぶ》したような顔しか見ていなかったのだ。鬼といるようで生きた心地がしなかったぞ」

光國は額に手を当てた。確かに、このところ答えのない思考にどっぷり漬かるあまり、頭痛とともに角《つの》でも生えそうだった。

「不思議な姫だ。遊び上手のお前を、そこまで悩ませるとは。雲上の貴戚《きせき》たる血筋のなせるわざか」

読耕斎は完全に面白がっている。かと思うと、ふいに真顔になって訊《き》いてきた。

「で……肝心の大義はどうだ？」

婚礼の日、姫に大義について話したことは、読耕斎に告げている。その際の、

（お傍《そば》におります）

という姫の返答を、読耕斎は、姫が義に共感を示したと解釈していた。だが共感を抱いたからといって、協力するとは限らない。義の実現には、互いに強い意志が必要だった。

「わからぬ」

光國は、それこそ苦々しく、正直に告げた。

わからないまま、読耕斎が帰宅したあとすぐ、左近にせっつかれた。

「添削はいかがでしょうか」

と半日ごとに訊きに来る。そのたび、

「すぐにも届けよう」

光國は約束したが、内心では自信がなかった。姫が求めている返事がさっぱりわからないのだ。漢詩をもらった二日後には、逆に、表情の乏しいこの少女を呼び、助けを求めるようにして訊いていた。

「なぜ姫は漢詩を？」

「いけませんでしたか」

「いや。文事や学問に男女の別はない」

女だから漢字を書くな、などといった男女の別を立てるのは無用だというのが水戸家の常識である。むしろ男女ともに学問を奨励していた。悪いわけがなかった。

「姫は、何を求めている？」

少女が愛想笑い一つ浮かべないせいで、つい直截《ちょくせつ》に問うた。

「中将様は、詩歌で天下を取られようとしていると、冷泉家の方からお聞きしました。姫様は、中将様のお志をまことに素晴らしきこととおっしゃっております。叶《かな》うならば、お志を共にしたいと」

意外な返答だった。志を共にする、という言葉に偽りがあるとも思えない。

「ならばなぜ漢詩の鉄則をことごとく踏み外した詩を寄越《よこ》した？」

「え」

左近には珍しい、素《す》っ頓狂《とんきょう》な返事に、光國のほうが面食らった。

「知らなかったのか？」

「封をして渡されましたので……」

「なんと思う？」

「え……わかりません」

即答である。姫の心情を慮《おもんばか》るといった感は、皆無だった。

「何か思うところがあるであろう」

「いえ、そのう……、姫様は、私などには思い及ばない考えを持たれる方ですので……」

急に年相応になる左近の困り顔に、光國は気が楽になるのを覚えた。どうやら姫の不思議さに困惑するのは自分だけではないらしい。同時に、やはり姫が意図して漢詩を贈ったのだと理解がついた。

「わかった。詩歌の意図を質《ただ》す非礼を詫《わ》びよう。よく話してくれた。礼を言う」

「そのような……私こそ、お役に立てず申し訳ありません」

「そんなことはない。これからも何かと頼む」

「はい。ありがたきお言葉にございます」

そうして左近が去り、光國は自室にこもって、姫の漢詩と向かい合った。

（添削無用だ）

筆を執り、返詩である七言絶句を思案した。その推敲《すいこう》を何度か行い、それから長い序文を記した。

『句句琅琅《ろうろう》、字字燦燦《さんさん》』

推敲すら不要の、大絶賛。それが姫の漢詩に対する、光國の評価だった。

続けて、女性が学問を修め、徳を積むことについて奨励する文章を記した。左近の態度から、江戸人は硬直な学問嫌い、という京人《きょうびと》の見方が窺《うかが》えたからである。

『容色によって愛される女性は、いつかその容色の衰えとともに愛情すら失うことがあるだろう。だが徳をもって愛される女性は、愛情を失うことがない。たとえ美しい錦《にしき》の袋であっても、中身が糞土《ふんど》であれば、誰がそれを手に取るだろうか』

きわめて正直に自分の女性観を記しながら、ぼんやりと姫の意図をつかんだ気がした。

おそらくあの漢詩は、近衛家の風習を捨て、京の習俗を捨て、一人の人間として光國に向かい合うという姫なりの意思表示なのだろう。あるいは、光國の大義という、孝の観点、礼の観点からすれば不孝非礼を生じかねないものを受け入れ、共に踏み出そうという意志のあらわれかもしれない。

なんとも自分にだけ都合の良い解釈にも思われたが、まずはそう断じてみることが大事だった。もし違っていれば、次はそのように意思表示をされるはずである。少なくとも、本性を隠して、唯々諾々と従う姫でないことだけは確かだった。

『文事こそ道を貫く器である』

さらにそんなことまで記し、そのまま勢いに乗って、

『ともに四海に名を轟《とどろ》かそう』

などと、もはや同志に対する檄文《げきぶん》のごとき文言まで付け加えていた。

だが相手が泰姫であり、文を贈るのが自分である限り、これで良いのだと思われた。

自ら清書し、心が軽くなるのを覚えた。脳裏に、自由を求めて市中を奔走していた頃の記憶が甦《よみがえ》った。あのような放埒《ほうらつ》な自由とは違う、深い部分での心の自由といったものを朧気《おぼろげ》ながら感じていた。

(天地の狭間《はざま》にあるもの、悉《ことごと》くが師だ)

かつてそう告げた兵法者がいたが、案外、あの姫はその心得をすでに己のものとしているのかもしれない。そんなふうにさえ思った。

「天姿婉順《えんじゅん》……」

まさにあの姫のためにある言葉で、これまた字句に手を加える必要を感じなかった。

そうして、やっと返事を出した数日後、屋敷で身内だけの気楽な歌会が催された。

姫は、おそろしく不機嫌だった。

終始言葉少なで、詠み上げる歌もことごとく子供っぽいほどの苛立《いらだ》ちに満ちていた。

家人たちも、この雲上人《うんじょうびと》の機嫌をどうして損ねたのかわからず、ひそひそささやき合った。朝廷での風習と異なる食事の出し方をしてしまったからだとか、京では忌み日とされるからだとか、なんであれ習俗の違いによるものだと、みなが思い込んだ。

光國も当然そう思った。すぐに左近を呼ばせ、

「何ぞ、京人の意に添わぬことをしただろうか」

と尋ねたが、左近は硬い表情でかぶりを振って、

「そのようなことはありませぬ」

もじもじと光國の前から退《さ》がりたがった。そこまで嫌忌される理由がわからない。姫の不機嫌さは丸一日続き、歌会の最中に、なんと父・頼房までもが、わざわざ気掛かりであることを告げに来た。

「貴様、何をした。姫はいったいどうしたのだ」

「私にもわかりませぬ」

「馬鹿者。貴様の妻だ。理由を訊け」

頼房が呆《あき》れたように言った。

光國は、ぐっとむかつきをこらえ、歌会の終わりになって、姫たちとともに屋敷の奥へ移った。

自分の側近は連れず、周囲は姫の付き人だけにした。その途端、

「左近と仲がよいのですね」

いきなり姫が言って、そばに侍《はべ》っていた左近が、ぎくりとなった。

その一瞬で、疑問が氷解した。それどころか、姫は自分の口から不機嫌のわけをこう告げた。

「左近はわたくしにとって大切な人です。なのに、旦那《だんな》様が左近をお好きかもしれない

と思うと、大変に妬《ねた》ましくなりました。人の心というのは、なんと不思議なものでしょう」

「不思議なのはそなたのほうだ」

つい言ってしまった。これほど衒《てら》いも婉曲《えんきょく》もなく嫉妬心《しっとしん》を口にした女は初めてだった。

「なぜでしょう？」

姫はきょとんとしている。

「そなた……わしが左近を呼ぶことで気分を害していたと申すのだな？」

「はい」

姫がこくんとうなずく。なぜそんな単純なことをわざわざ光國が繰り返し確認するのか、わからないという顔だ。背後では、左近が消え入りそうに身をすくめ、座ったまま後ろに下がろうとしている。

たかだか十五の娘に、どんな感情を抱けというのか。そう言いたかったが、左近の手前、さすがに口をつぐんだ。そもそも姫とて、十七の娘である。

それに、ここ数日、頻繁に左近を呼んでいたのも事実だった。それというのも、

「そなたの心が知りたくてのことだ」

「わたくしの？」

「そうだ」

「おわかりではないのですか？」

姫が眉《まゆ》をひそめる。

「……なに?」

光國も眉間《みけん》にしわを寄せた。

「何がおわかりにならないのでしょう?」

姫が首をかしげた。この瞬間、光國は泰姫という人間の一端をようやく理解した。

とにかく何も隠さず、衒わない。開けっぴろげというより、心を遮蔽《しやへい》するということを、そもそもしない。それがこの姫の最大の力であったことを、光國はこののちの生涯で、何度も思い出すことになる。

「わたくしはただ、正直でありたいだけなのです。父も兄も、いつも難しい思いを抱き、文事に障ると嘆いておりましたから……」

それでふと光國は近衛家の立場を思い出していた。他ならぬ、幕府に対する立場である。

近衛信尋は後水尾法皇の同腹の弟にあたる。かの紫衣事件において、後水尾法皇が幕府と激烈に対立したとき、もっぱら朝廷側の盾となったのが近衛家だった。京都所司代を相手に、何重にも底意のあるやり取りを、延々と繰り返してきたはずである。歌人としての繊細な神経と、複雑な権謀術数に耐える図太さとを両立させるのは、並大抵のことではなかったに違いない。

「正直でありたいか……」

光國は急にしみじみとなって繰り返した。考えてみれば、その単純な信念を貫き通せるものなど、希有《けう》である。それがいわば泰姫の決意であるのだろう。偽りや欺きが蔓延《まんえん》する世界に対し、反抗を誓う。江戸流に言えば、これはこれで、美事な傾奇者《かぶきもの》だった。

「わたくしが、おわかりになりませんか?」

「うむ……いや、少しは、わかった気もする」

「旦那様は、婚礼の日、何もかも正直にお話しして下さいました」

「うむ」

まさに、それについて真意を質《ただ》したかったが、周囲の耳もあったし、何より、

「とても嬉《うれ》しゅうございました」

にっこりと幸せそうに微笑む姫に、光國はつい引き込まれた。かと思うと、姫がそっと手を伸ばし、本当に光國の首を引っ張っていた。あまりに自然な動作だったので体が何の疑いもなく姫に従った。

「何をする……」

気づけば、姫の小柄で柔らかな膝《ひざ》の上に、己の頭を乗せられていた。まるで童女が、虎の首根っこを押さえたような有様である。左近をはじめ、付き人たちがぎょっとなった。光國も仰天したが、

「ご安心、ご安心」

すぐ上から姫に微笑まれ、訳も分からず脱力してしまった。実のところ、ひどく気分

が良かった。

姫のいう正直さは、いわば〝誠〟の清潔さであろう。ただ世間知らずなのではない。欺瞞《ぎまん》の泥にまみれながらも一片の清潔を守り通す、白蓮《びゃくれん》のごとき誠意である。もし釈迦《しゃか》が座るという白蓮が実在するなら、この姫の膝のように柔らかで温かであろうと思われた。

「いかがですか。わたくしを、おわかり下さいましたか」

姫がにこやかに訊《き》いた。

「さっぱりわからぬ」

光國はあえて正直に言った。

「嘘ばっかり」

あっさり否定された。

「なんだと？」

「旦那様に、わたくしからも一つ、お願いがあります」

話がかみ合っていないというより、こちらが放つ言葉が、次々に柔らかな虚空へ放り込まれてゆく感じだった。そもそも一連の会話において、光國は姫に何かを願ってなどいないはずだが、それもどうでもよくなった。

「なんでも言うがいい。叶《かな》えられることであれば良いが……」

「とても大事なことです。旦那様がわたくしにお話しして下さったことに関わります」

「なに……？」

「旦那様の兄上様と、ゆっくりお話ししてみたいのです」

泰姫の膝の上で、光國はぎょっと目を剝《む》き、今度こそ動けなくなった。

（下巻につづく）

本書は、二〇一二年八月小社刊の単行本を、
上下巻に分冊して文庫化したものです。
文庫化にあたり、加筆修正を行っております。

本書は史実をもとにしたフィクションです。

（編集部）

光圀伝《みつくにでん》 上

冲方丁《うぶかたとう》

平成27年 6月25日 初版発行
令和7年 3月20日 9版発行

発行者●山下直久

発行●株式会社KADOKAWA
〒102-8177 東京都千代田区富士見2-13-3
電話 0570-002-301(ナビダイヤル)

角川文庫 19163

印刷所●株式会社KADOKAWA
製本所●株式会社KADOKAWA

表紙画●和田三造

ISBN978-4-04-102048-7 C0193

角川文庫発刊に際して

角川源義

第二次世界大戦の敗北は、軍事力の敗北であった以上に、私たちの若い文化力の敗退であった。私たちの文化が戦争に対して如何に無力であり、単なるあだ花に過ぎなかったかを、私たちは身を以て体験し痛感した。西洋近代文化の摂取にとって、明治以後八十年の歳月は決して短かすぎたとは言えない。にもかかわらず、近代文化の伝統を確立し、自由な批判と柔軟な良識に富む文化層として自らを形成することに私たちは失敗して来た。そしてこれは、各層への文化の普及滲透を任務とする出版人の責任でもあった。

一九四五年以来、私たちは再び振出しに戻り、第一歩から踏み出すことを余儀なくされた。これは大きな不幸ではあるが、反面、これまでの混沌・未熟・歪曲の中にあった我が国の文化に秩序と確たる基礎を齎らすためには絶好の機会でもある。角川書店は、このような祖国の文化的危機にあたり、微力をも顧みず再建の礎石たるべき抱負と決意とをもって出発したが、ここに創立以来の念願を果すべく角川文庫を発刊する。これまで刊行されたあらゆる全集叢書文庫類の長所と短所とを検討し、古今東西の不朽の典籍を、良心的編集のもとに、廉価に、そして書架にふさわしい美本として、多くのひとびとに提供しようとする。しかし私たちは徒らに百科全書的な知識のジレッタントを作ることを目的とせず、あくまで祖国の文化に秩序と再建への道を示し、この文庫を角川書店の栄ある事業として、今後永久に継続発展せしめ、学芸と教養との殿堂として大成せんことを期したい。多くの読書子の愛情ある忠言と支持とによって、この希望と抱負とを完遂せしめられんことを願う。

一九四九年五月三日